光文社文庫

ソウルケイジ

誉田哲也

光 文 社

目次

序章

死刑囚は、最後に饅頭(まんじゅう)とタバコをもらえるのだと、何かで読んだことがある。

その夕方、三島忠治(みしまただはる)は一人で饅頭を食べていた。三時の休憩のときに出されたものだ。自分の分を食べずにとっておいたのか、それとも余ったのをポケットにでも忍ばせておいたのか。パサついた皮の、こしあんの、葬式なんかでもらうのによく似た、白い饅頭だ。それを洗いもしない、埃(ほこり)のこびりついた手で食べている。

見ていられなくなり、私は窓の外に目をやった。まだサッシも入っていない、四角い穴にすぎない窓だ。何かの都合でシートが一時撤去されていたのか、西日が強く射し込んでいたのを覚えている。太陽は九階の、窓のほぼ水平位置にあった。

黒いビルの影。巨大な墓石。東京という名の、広大無辺の墓場。

それでも、蟬の声は聞こえた。いや、聞こえたように、記憶している。

室内に目を戻すと、コンクリート剝(む)き出しの壁も、廃材を詰め込んだ麻袋も、それに寄りかかる三島の横顔も、すべてが黒く溶け合っていた。

影となった横顔が、同じ影となった饅頭を食む。音もなく。ゆっくりと。

何かきっかけが欲しくなり、私はマイルドセブンに火を点けた。

鼻先に熱。ひと口吸い、吐き出す煙に乗せて切り出す。

「本当に、もう……どうしようも、ないんですか」

顎の動きがぴたりと止まる。だがすぐ、また思い直したように噛み始める。夕陽の残像は癒え、しかし捉えた彼の表情は、いかなる感情も表わしてはいなかった。

その目の焦点は、室内のどこにも結ばれてはいない。ちょうど床下地が終わった段階の、空っぽの部屋をさまよい出て、外廊下も行き過ぎて、もっともっと、遠いどこかへと注がれている。

「どうしようも、ないですよ」

溜め息と、唇の動きだけで発した言葉だった。作業も片づけもとうに終わり、静まり返った現場だからこそ聞こえた声だった。

どこかで、カン、と鉄パイプが鳴った。

「自己破産だってなんだって、もっと他に方法があるでしょう。なんだったら私が、戸部さんに頼んでみますよ」

またひと口、彼はゆっくりと饅頭を食む。

「……自己破産なら、もう……とっくに、しましたよ。それでも駄目で、やってけなくて、また借りちまって……まあ、貸してくれたのが、ああいう連中なわけだから、ある程度覚悟っちゅうか……いや、そんな立派なもんじゃ、ないんだけど……」

垢と埃に汚れた顔がこっちを向く。この時間でもまだ日向は暑い。だが彼の額の汗は、すでに乾きかけている。

「分かりますか。腹空かした子供に、なんもねえんだと、お前に食わしてやれるもんは、ここにはなんもねえんだと、謝らなきゃならない、親の気持ちが……。畳を毟って、口に持ってった子供の、その手をはたいて、頭ぶって、ゲンコで殴って、背中を蹴って、脚を蹴って……でも顔だけは、どうしても、殴れなくて……顔を殴れば痣ができる。そうしたら、虐待されてるって誰かが気づいて、保護してくれるかもしれない。殴るなら顔だ、殴るなら顔だ……必死で自分に言い聞かせるのに、いつのまにか、そのほっぺたを、撫でちまう……」

顔を正面に戻し、三島は半分になった饅頭の、白く丸い表面をじっと見つめた。

「……柔らかいんです。子供のほっぺたは。さらさらしてて、優しい匂いもするんです。俺なんかに頬ずりされたら、痛いですよ。汚えし。……でも、訊くんです。父ちゃん、なんで泣くの、って……。そしたらもう、謝るしかないでしょう。ごめんな、ごめんな、こんな父ちゃんで、って……」

指にはさんだタバコは、いつのまにかフィルターの手前で燃え尽きていた。

吸殻は窓に捨て、またポケットから箱を出し、今度は彼にも勧めた。だが遠慮され、私は仕方なく、飛び出した一本を自分で銜（くわ）えた。

　再び彼が見上げる。

「……私らの話、どこら辺から聞いてたんですか」

　短く煙を吐き出し、私は箱とライターをポケットに戻した。

「ほとんど、最初からです」

「知ってたんですか。私が、つまり……そういうんだってのは」

　頷（うなず）くと、つられて煙も上下に揺れた。

「ええ……失礼ですが、その年で、鳶（とび）は初めてだって聞いてたもんで。それで、薄々」

　そうですか、と溜め息混じりに呟（つぶや）く。

「……じゃあなんで、他の方法だなんていうんですか」

　それは、と漏らしたきり、私は言葉に詰まった。

　過ぎ去った日々のあれやこれやが、入り混じって胸に湧きあがる。だがそれを口に出すことはできない。出す資格も、今の私にはない。

　息子さんのこと、考えたんですか。そんな問いは馬鹿げている。考えたに決まっている。考えて考えて、気が狂うほど脳味噌をこねくり回して、それで出た結論がこれであることを、私は知っている。他でもない私が、たぶん、一番よく。

「……相談に、乗れたらな、と、思って」

ようやく出たのは、そんな言葉だった。

彼が、馬鹿にしたように鼻息を吹く。私の胸に、ひどく苦いものが広がっていく。確かに、安っぽい同情と受け取られかねない台詞だった。でもそれ以外に、私に一体、何がいえたというのだろう。

「……もう、いってください」

彼は立ち上がり、残りの饅頭を口に詰め込んだ。あまり汚れの染みついていない、鼠色のニッカボッカ。その尻の埃を払う。傍らに転がしてあった、傷だらけのヘルメットをすくい取る。

「ほんと……面倒に巻き込んじゃ、申し訳ないから。もう、いってください」

下地材の床をごとごと踏み鳴らしながら、彼は部屋を出ていった。コンクリートの外廊下に出ると、足音は砂をこするような、引きずるようなそれへと変わった。

私はそこに立ったまま、ただタバコが灰になるのを待っていた。

足元には一つ、コーヒーの空き缶が立っている。飲み口は木屑や砂埃、吸殻を捻じったときの黒い灰で汚れている。吸い差しをその口に落とすと、ジュ、と侘しい音がした。

金属製の足場板が鳴るのを耳にし、窓から顔を出すと、彼が、三つ向こうの部屋の外に立っているのが見えた。顎紐はつけず、ヘルメットは頭に載っけただけだ。その恰好で頭上の鉄パイプを見上げ、ジョイントの金具に手を伸ばし、ラチェットレンチをあてがっている。

しばらく、その姿勢のまま動かない。ボルトを締めるでもなく、ただじっと、上の手元を見ている。

ぬるい風が空を撫でる。

やがて音もなく、彼の右足が動く。

一センチ。また一センチ。いや、ほんの数ミリ。

このまま見ていたら、自分は途中で声をあげてしまうかもしれない。だがそれだけは、決してしてはならない。それは誰より、彼のために。

踵が足場板からはずれた瞬間、私は、自分の口を顎ごと掴んだ。

斜めに傾ぐランニングシャツの背中。真っ先に落ちていったのはヘルメットだ。左足はまだ足場に残っている。だがそんなものは、なんの助けにもなりはしない。下向き斜めになったまま、彼の体は九階を離れ、地面へと引き寄せられていく。

長く、短い数秒だった。

途中で鉄パイプに、足場板にぶつかりながら、バウンドし、回転し、重力に弄ばれ、それでも決して、止まることはなく――。

落ちきる寸前、バシャッ、と何かが黒く爆ぜた。

エントランスの工事用に設置されたパイプの張り出しに、頭部が接触したようだった。

直後に、セメント袋を落としたような音。

ようやく彼の体が、乾いた土に横たわる。

頭は、ほとんど欠けてなくなっていた。左腕は千切れる寸前。右足も、あり得ない角度に折れ曲がっている。

「あっ……アアーッ」

まだ残っていた現場監督や数人の職人、警備員らが駆けつける。

私は九階から怒鳴った。

「おお、落ちたアーッ。そこ、そこから落ちたアーッ」

転落現場とは部屋三つ分離れている。私が疑われることは、まずないと思っていいだろう。予定通りだ——。

薄情なようだが、そのとき私の頭に浮かんだのは、そんな言葉だった。

あんな事件があったというのに、現場は翌日から、日程通りに工事を再開させた。現場検証だのなんだのは、すべて昨夜のうちに終わったようだった。信じられないことに、私個人に対する事情聴取は一度として行われなかった。

それから、二、三日あとのことだ。

あの日によく似た夕陽だな。そんなことを思いながら、作業終了後に同じ窓を眺めていると、現場入り口に、小さな人影があるのが目に入った。

＊

母親の記憶は、まったくといっていいほどない。病死だと聞かされていたが、それは嘘だと思っていた。たぶん、逃げられたのだ。あんな親父だ。逃げて当然だと思う。

勝てもしないくせに博打が好きな、どうしようもなく意志の弱い、ダメ親父。その日に食う米にも事欠き、たまにご馳走だと大威張りで差し出すのは缶詰の焼き鳥。換金できないパチンコの余り玉で交換した景品であることは、小学生の目にも明らかだった。

普段は建築現場で働いていたようだった。今となっては、具体的に何をしていたのかは知りようもないが、たぶん大した仕事ではなかったはずだ。ゴミ片づけや、荷の揚げ降ろしといった雑役か、せいぜいよくても警備か。どちらにしろ、いわゆる職人と呼ばれるような腕の問われる仕事ではなかったのだと思う。

親父は、子供の目にも分かるくらい腕力がなかったし、根性もなかった。酒のせいもあったと思う。いつもフラフラしてて、だらしがなかった。何しろ背中に力が入っていない。今の俺が蹴りを喰らわせたら、一発でくたばっちまいそうだ。

保育園にいっている頃は、それでもまだマシだった。ひどくなったのは、俺が小学校に上がった頃からだ。何しろ、筆箱が買えなかったのだ。今なら百円ショップでもかなりまともなものが手に入るが、当時はやはり文房具店にいくのが普通だった。

鉛筆と消しゴム、ノート。なんと、それで予算が尽きた。

「……二百円くらいの筆箱、ないですかねぇ」

キャラメル色になったランニングシャツに、破けた作業ズボン。無精ひげ。汗と垢が饐えたような臭いを漂わせ、喋るたびに酒臭い呼気を撒き散らす客。

嫌な顔はしたけれど、店員は決して「帰れ」とはいわなかった。子供ながらに俺は、申し訳ないなと思ったものだ。

「こちらの、三百円のが……一番、お安い商品……なのですが」

結局諦めて、鉛筆は輪ゴムで括って持ち運ぶことにした。

でもどういうわけか、二年から三年の辺りでは、そこそこマシな暮らしをした記憶がある。何かのまぐれで大儲けをしたのか、あるいは誰かが金を貸してくれたのか。その頃は給食費もすぐにもらえたし、破けた服も着なくてすむようになった。米が切れることもなく、おかずも毎回添えられた。

だがそれも長くは続かず、四年の頃にはまた食事で不自由するようになった。ギリギリ給食費は払っていたので昼は食べられたが、夕飯はアタリメ、朝飯はパンの耳、そんな献立が当たり前になっていった。

むろん、学校では虐められた。分かりやすく「貧乏」「臭え」「汚え」を連呼された。いやいや、そんなことはお前らにいわれなくたって分かってんだよ、と思いつつ、俺はある程度の反撃を試みた。

「かかってこいよ。貧乏は痛かねえが、俺のパンチはめちゃめちゃ痛えぞ」

本当は貧乏も相当痛いのだが、その辺は子供の屁理屈だ。

その頃も俺は決してデカくはなかったが、すばしっこく、負けん気はそこそこあったので、喧嘩ではそれほど苦労しなかった。ただやり過ぎには注意した。相手のためではなく、自分のために。無駄な運動は、電池切れを早めるだけだ。

学校が終わったら木造二階建てのボロアパートに帰り、親父がいれば飯を食わせてもらう。いなければ自分で何か探して食べる。だがむろん、親父がいれば確実に食える、というわけでもない。

「ごめんな……俺もさっき、色々探したんだけど、なんもねえんだ……ごめんな」

そのわりには酒臭えじゃねえか、と思いつつ、うん分かったと頷いておく。

俺は畳のささくれを弄びつつ、いつものように、都合のいい妄想に耽る。

突然、母ちゃんが戻ってくる。それで、ハンバーグかなんかを作ってくれる。湯気がたっていて、ご飯もほかほかで、とても美味しそうだ。そんで、母ちゃんと一緒に暮らそうよ、とかいわれる。顔は分からないので、適当に知っている女優のイメージを当てはめておく。あんまり優しくない方がいい。別に美人でなくてもいい。それより生活力のある、逞しい感じの方がありがたい。

余貴美子とか。当時その名前は知らなかったけれど、でも顔は知っていた。ああいう母ちゃんがいい。じゃなければ、柴田理恵とか。そう、あの感じ。でっかく口を開けて笑って、ほら、もっと食いなよ、とかいってくれる母ちゃん。泉ピン子もいい。ピン子なら、まずはラーメンかな。

あーあ。でも俺の口に入るものといったら、アタリメがいいところで——。

そう思った瞬間、いきなり手を叩かれた。

「お前、なにやってんだッ」

見ると、俺はいつのまにか畳をひとつまみ毟って、口に入れようとしていたのだった。指触りが似ていたので、手が勝手にアタリメと勘違いしたらしい。

「あ、ああ……ごめん」

「畳食わねえと、やってらんねえか」

「いや、別に……」

「そんなに腹減ったか」

うん。

「……いや、大丈夫。俺、給食、お替わりしたし」

「正直にいえッ」

　ちっ、なんで叩くんだよ。

「イッ……いや、大丈夫だよ」

　また始まった。貧乏ダメ親父の逆ギレ。甲斐性なしは、甲斐性がないことを指摘されるとキレる。でも俺は、そんなのは通り雨だと思って耐えることにしていた。

　いくらすばしっこくても、この八畳ひと間で逃げ回るのは不可能だ。それよりも、両手両足を抱え込んで、できるだけ小さくなって急所を守った方がいい。どうせこの親父は、小学生のガキをノックアウトすることもできない酔っ払いだ。

　やがて嵐は過ぎ去り、抱き起こされる。

「ごめん、ごめんな、耕介……こんな父ちゃんで」

　まったくだ。反面教師にする以外、俺があんたから学べるものなんて何一つないよ。腕力もない。根性もない。意気地もない。挙句、考えに一貫性もない。

「……父ちゃん、なんで泣いてんの」

　自分で殴ったくせによ。泣きてえのはこっちだよ。

「耕介……」

　抱きつくな。臭えんだよ。俺が臭いって思うくらい臭いって、あんた一体どんだけ臭いんだよ。

これなら、体操マットで巻き寿司にされる方がよっぽどマシだと、当時の俺は思ったものだ。

そんな親父が、五年生の夏に死んだ。建築中のマンションの、九階から落ちたということだった。

電話はとっくの昔に通じなくなっていたので、そのことは直接訪ねてきた刑事から聞いた。刑事は、俺が泣き出しそうにないのを見て、男の子だな、強いな、と俺の頭を撫でた。

別に、強いから泣かなかったのではない。むしろ弱いから、どうしようもなく弱いから途方に暮れ、呆然としていただけだ。あんなダメ親父でも、いれば多少は稼いで食わせてくれた。三日にいっぺんくらいキレて殴られたけど、それでも夜は一緒に寝てくれた。あれがいなくなったら、俺はどうやって生きていけばいいんだろう。小学生のガキにパチンコはできない。工事現場で働くこともできない。新聞配達？　それって五年生でもやらせてくれるのか？

いや、普通は施設に引き取られるんだろう。施設がどんなんだかは知らなかったけど、でも食う物もろくにない、このボロアパートよりはいくらかマシだろう。そう、絶対マシなはずだ。問題はその施設に、誰に連れてってもらって、どうやってお願いして、入れてもらうかだ。学校の先生にいえばいいのか？　それとも刑事さん、あんた手続きしてくれる？

そんな心配をよそに、俺はその夜、大塚にある病院に連れていかれた。でも本当は、病院ではなかったのだと思う。なぜって、看護師がいなかったから。その代わりに、警察官がうようよいた。警察病院という言葉を聞いたことがあるが、それともまた違う気がした。

「ご家族が、君しかいないと、いうことなんでね……本当に、申し訳ないけれど、お父さんに間違いないかどうか、確認……できるかな？」

頷くしかなかった。すると、霊安室というのだろうか、殺風景な白い部屋に通されて、シーツをかぶった、ベッドの前まで進まされた。

急に怖くなった。

確かアパートにきた刑事は、現場の九階から落ちたとかいっていた。九階っていったら、小学校の校舎の三倍の高さだ。そんなところから落ちたら、人間の体なんて、一体、どうなっちまうんだ。

「顔はね……ちょっと、あれなんで、胸と、お腹の辺りで、確認してもらえるかな」

顔はちょっと、ってどういう意味だよ、とか思っているうちにシーツは捲(ま)くられた。

「うっ……ウウーェ」

俺の記憶違いかもしれないが、親父の死体は、少し緑がかって見えた。体にはいくつも、黒い糸の縫い目が走っていた。確認ったってどうすりゃいいんだよ、と思ったけれど、でも、よく見れば胸毛の感じはまさに親父だったし、かろうじて無傷だった出ベソも、実に見慣れた丸みを保っていた。

「……間違い、ないです。……父ちゃんです」

ようやくそれだけいうと、また追加の吐き気が襲ってきた。

二日くらいして、今度は学校経由で連絡が入った。

木下興業という親父が勤めていた会社からで、できれば親父の私物を引き取りにきてほしいということだった。

「大丈夫か？　一人でいけるか？」

担任の益岡先生は親切にも地図をコピーしてくれ、電車賃まで貸してくれた。俺は丁重に礼をいい、いったんアパートに帰ってから現地に向かった。やらしい話だが、これで少しは金が入るかもしれないと、俺は幼いながらに考え、期待したのだ。

指定された場所は会社ではなく、まさに親父が転落した現場であるようだった。巨大なカーテンのかかった現場入り口でまごまごしていると、プレハブ小屋から警備員が出てきた。

「もしかして、三島さんの、息子さんかな」

そうだと答えると、警備員は、俺をもう少し大きめのプレハブ小屋に連れていった。まあ、ようするに現場事務所だ。現場監督や設計士、施工会社の責任者なんかが出入りする仮設のオフィスだ。

キンキンにエアコンの効いた室内には、四、五人の大人がいた。みんな薄いグリーンの、お揃いの作業着を着ていたが、一人だけ違う恰好をしている男がいた。真っ白いシャツにノーネクタイ。少し胸をはだけている。それに黒いパンツ。小さな茶色のサングラスに、無精ひげ。銜えタバコと、短い髪をツンツンに立てていたのを覚えている。

「お、よくこれたねぇ。感心感心」

子供ながらに浮いていると感じた、その男が俺の相手をした。他の大人は、ちらちらこっちを見てはいるものの、誰も口をはさんではこなかった。

「これな、お父さんのリュック。間違いないだろ。ん?」

頷くと、男は中身も確認させた。確かに、入っているのはどれも見覚えのあるものばかりだった。財布には、まだ六百円も残っていた。だが、

「それと、これな。会社からの香典。坊も何かと入り用だろうからさ……ま、大事に使いなよ」

さらに臨時収入があった。こっちの方が、たぶん収穫としては格段に大きい。

「ありがとう、ございました。……じゃあ」

俺はそれを受け取り、お辞儀をしてプレハブ小屋を出た。

二、三歩小屋から離れ、すぐ開けて中身を確認すると、なんと十万円も入っていた。それがどうしようもなく嬉しくて、でも持っていること自体が不安で、居ても立ってもいられな

い気分だった。

でもカーテンの出口まで戻って、俺はいったん、現場を振り返った。

親父が落ちたのは九階らしいが、建物自体は十一階建てだった。全体を、鉄パイプで組んだ足場が覆っている。親父は死ぬ直前、あれを組む仕事をしていたのだと刑事から聞かされた。

夕陽を浴びて鈍く輝くそれは、まるで馬鹿デカい怪物を閉じ込めておく、檻のように見えた。

あの中の怪物が、親父を食い殺したのか。それとも、怪物から逃げようとして、親父は宙に飛び出したのか。

出してくれ、出してくれェ。助けて、助けてくれよ、耕介——。

顔をぐしゃぐしゃにして泣きわめく親父の顔が目に浮かび、急に哀れになった。この十万は、親父の命の値段なんだと思った。

それでも涙は出なかった。むしろ、切実に喉が渇いていた。

どっか、水道とかないのか。見れば足元に敷かれた鉄板は濡れている。水撒きをしたくらいだから、あるはずだ。水道は近くに、絶対にあるはずだ。

そんなふうに辺りを見回していたら、声をかけられた。

「……きみ、三島くん？」

振り返り、だが俺が返事をする前に、声の主は優しく微笑んだ。

「やっぱり。目が、お父さんによく似てる」

嫌なことをいう人だな、と思ったが、でも腹は立たなかった。

男は俺の前にしゃがみ、逆に見上げるようにして俺の顔を覗き込んだ。鼻筋の通った、なかなかハンサムなおじさんだった。ここの現場で働いているのだろうけど、親父のように不潔な感じではなかった。

それでも、少しはだけたポロシャツの胸元からは、働く男の匂いが立ち昇ってきていた。それを、不思議と不快には思わない俺がいた。

「おじさんな、君のお父さんと、最後まで一緒に、働いてたんだ。友達、だったんだ……」

親父の、友達――。

そんなものがこの世にいるなんて、それまで、思ってもみなかった。

「今日、一人なんだろ？　おじさんも、一人なんだ。よかったら、一緒に晩飯食わないか。なんでも君の好きなもの、ご馳走するよ」

なんでも、好きなもの――。

急に腹が鳴り、体の真ん中で、痛いほど胃袋が捻じれた。

「な、いこうぜ……なに、誘拐なんてしやしないさ。心配なら、君が前を歩けばいい。それで、どこでも好きな店に入って、好きなものを注文すればいい。な？　それなら安心だろ」

心配なんて、何一つしちゃいなかった。そもそも、俺なんかを誘拐したところで、誰も、びた一文払いはしない。十万円を抱えている不安は、このときはすっかり忘れていた。

「よし、決まりだ。きみ、名前は？」

俺は「耕介」と答えた。

「耕介くんか。いい名前だな。俺は、高岡（たかおか）。高岡賢一（けんいち）。よろしくな」

それが、俺とおやっさんとの、出会いだった。

第一章

1

東京都千代田区霞が関、警視庁本部庁舎十七階。喫茶室「パステル」。

姫川玲子は、年上の部下である菊田和男とコーヒーを飲んでいた。

「なんすか、主任。溜め息なんかついちゃって」

「……ああ、ごめん」

十二月四日木曜日、午後三時。よく晴れているせいか、見下ろす皇居周辺の風景に寒々しさは感じられない。

「また、大塚の夢でも、見ちゃいましたか」

目を上げると、菊田は頬杖をつくというらしからぬ恰好で、玲子の顔を覗き込んでいた。

大塚の夢——。

図星だった。

かつての部下、大塚真二は今年の八月二十五日、ある事件の聞き込み捜査中、犯人グループの一人に狙撃され、殉職した。まだ二十七歳。玲子より二つも若かった。

「……うん。特に、ここんとこよく見るの。いっつも池袋の、最後の場面。あの子、なんにも知らないで、ラッシュのホームに降りて……人込みの中を、進んでいくの。それで、ほんとはそうじゃないのに、夢の中ではあの子……あたしを振り返って、手を振るの。クスクス、って笑って……」

声が震える。水でも飲んで落ち着け。そう思いはするけれど、手は一向に動かない。言葉だけが、勝手にこぼれ落ちていく。

「いっちゃ駄目、いっちゃ駄目だって、いうんだけど……あの子、聞こえないみたいで……笑ったまま、いっちゃうの」

ウェイトレスがこっちにくる。玲子は、それとなく顔を背けて目元を隠した。

「……あたしのさ、あたしの勘なんて、どうせ根拠なんてないんだから……だったら、あのとき気づいたってよかったのよ。あのとき、あたしが気づいてあげられてたら、あの子は、死なずにすんだ」

「主任……またそんな」

差し出されたハンカチを、かぶりを振って遠慮する。自分のをバッグの中に探す。でも、なぜだか見つからない。ティッシュもない。テーブルのナプキンで拭くのは、さすがに嫌だ。

「……ごめん。やっぱ貸して」

引っ込めかけたそれを、菊田は苦笑いで再び差し出した。ジョルジオ・ヴァレンチノの、ブルーのハンカチ。今年の誕生日に玲子がプレゼントした、三枚のうちの一枚だ。

「そういう考え、よくないですよ」

カップの取っ手をつまむ太い指。少しカサついた厚めの唇。薄くひげの生えた顎。この男の生命力を、素直に愛しく思う自分がいる。

「考え……って？」

「だから、そういう夢。それは主任が、自分があのときに気づいてたら、大塚はああならなかったって、そう考えてるから見ちゃうんですよ」

「だって、そう思うもん。仕方ないじゃない」

目を閉じ、呆れた顔をされる。

「そんなの、主任の責任じゃないですよ。それ言い始めたら、池袋を割り当てた管理官や係長にだって、責任ありって話になっちゃうでしょう」

「あたしは、そういうんじゃなくて……」

「同じですよ。主任、いつも自分でいってるじゃないですか。罪は、犯人だけが負えばいい。被害者遺族や関係者が、自分を責めちゃいけないって。まさにそれでしょう。主任が、自分を責めちゃ駄目ですよ。大塚だって、そんなこと望んじゃいない。奴は警察官として生き、それを全うした。捜査に生き、捜査に死んだ。……刑事の本懐じゃないですか。だからこそ、笑ってみせるんじゃないですか。夢ん中で奴、主任に笑いかけてるんじゃないですか。そうでしょう？」

「ちょっと……声大きいよ」

あっ、と漏らし、大作りな顔に似合わない、黒目がちな瞳が辺りを窺う。

ふいに可笑しくなり、玲子はハンカチで口元を押さえた。

「……菊田、そういうこという人だっけ」

へ？ とさらに目を見開く。

「そういうことって？」

「だから、夢で笑うのは、死んだ大塚の意思、みたいな。なんかそういう、スピリチュアルなんとかみたいなこと」

菊田は、苦笑いを浮かべてカップを置いた。

「まあ、いま流行りじゃないっすか。そういうの」

「信じてるの？ 霊とか、魂とか」

「いや別に、信じてるってほどじゃ、ないですけど。……主任は、どうなんです？ 一般的に、女性の方が好きでしょ、そういうの」

ちょっと、チクっときた。

「一般的にって……なんかやだな、それ」

だが、考えてみる。自分は、そういうものを信じているのだろうかと。

確かに、過去に失った大切な人たちに思いを馳せることはある。彼らの助けがほしいときも、それにすがりたいと思うこともある。でも、だからといって霊や魂を信じているのかというと、そうではない気がする。自分が得る結果は、基本的には自分の行動によって導き出されたものだと思っている。見えない何かに助けられたという実感はない。むろん、墓参りにいけば御先祖様に感謝くらいはするが、やはり自分の手柄は自分のものだと考える。上司や部下と分かち合いはするけれど、神や仏と、となるとかなり違和感がある。

ましてや、守護霊だのなんだのは端から頭にない。仮にそういうものがいるのだとしても、だ。もしそれらに教えを乞うてしまったら、ある意味それは、人生のカンニングになるではないかとすら思っている。

「うーん、あたしはやっぱ、信じてない……かな」

「ああ、やっぱり。そうでしょうね」

軽くカチンときた。

「何よ。一般女性からはずれるとでもいいたいの」

「いえ、そうじゃないっすけど」

「じゃないけど、なに」

「いや、その方が、主任らしいなって。それだけっす」

「あたしらしいって何よ」

菊田は困った顔をしてみせた。

「突っかかるなぁ……だから、そういうの信じないで、ドライに構えてる方が姫川玲子らしいって、そう思っただけっすよ。大塚のことだって、ああだったらこうだったら思い返してないで、犯人が悪い、以上……って、その方が、主任らしいですよ」

ハハン、と、鼻の裏側に溜まるものがあった。

——菊田って、あたしのこと、そういうふうに見てたんだ。

バッサバッサと物事を割り切ってすませる。もし自分がそういう女に見えるのだとしたら、それは、自分がそう見せているからだ。そんな自己演出でもしていないと、二十代の女が警察組織の象徴的存在である、この警視庁本部で生きていくのは困難だからだ。

玲子は二十七歳で警部補に昇進し、直後には刑事警察の花形である、捜査一課殺人犯捜査係に主任として取り立てられた。女が女でいられる職場ではない。男以上に男でないと、いつまで経っても女は一人前には数えられない。

でも——。

玲子は、少なくともこの菊田にだけは、自分の女の部分を見せてきたつもりだった。それが許される間柄だと思っていたし、彼自身も憎からず思ってくれているものと感じていた。なのに――。

――全っ然、分かってないし……。

敏感か鈍感かでいえば、明らかに後者であろうとは思っていた。それに苛立つことも少なくなかったが、一種の愛嬌と思って今までは許してきた。でもそれは、根底では自分を理解してくれていると思っていたからだ。ほんとは弱いところもある、だから助けがほしい。それをいわずとも、応えてくれると信じていたからだ。

――あーあ。なんだかなぁ……。

しかし、だからといって急に甘えるような態度はできない。それほどに、今の玲子の背筋は伸びきってしまっている。主任警部補という肩書きが、鉛の板となって背中に貼りついている。

「……そろそろ、いこっか」

玲子がロンジンの腕時計を覗くと、菊田はさっと伝票を取って立ち上がった。こういう、ポイントの低い気遣いはできるのにな、と口惜しく思う。

「ここ、いいですから。いってください」

そういわれても、どうせ戻るのは同じデカ部屋ではないか。

「いいわよ別に、そんな」

「いいから、いってください」

ふいに菊田が、その大きな顔を寄せてくる。

「……化粧、いってください。泣いたの、バレバレです」

ひやりとし、目の周りだけが熱くなった。

この気遣いのポイントは、高いのか、低いのか。

それ以前に、男に化粧直しを指示される自分って、一体——。

六階の大部屋に戻ると、他の班員は全員席についていた。

ベテランの石倉保巡査部長は、相変わらず新聞を読んでいる。

大塚が欠けてややポジションの繰り上がった感のある湯田康平巡査長は、眠そうな目で昇任試験用の参考書を眺めている。

そして大塚の後釜、新入りの葉山則之巡査長は、過去の捜査資料を熱心に読んでいる。

この葉山、高卒採用とはいえ二十五歳で捜査一課に取り立てられたのだから、相当にできる男であることはまず間違いない。長身で美男子のわりに浮わついたところがなく、現場に出ても与えられた仕事を黙々とこなす、いわゆる「模範的な刑事」というのが、入って三ヶ月経っての玲子の印象ではある。

ただ、強いて難を挙げるとすれば、もうこれはほとんど難癖に近いのだが、あえていうならば、心持ち、性格が暗い。みんなと飲みにいってもほとんど喋らないし、笑わない。酔った湯田が、顔と頭のありとあらゆるところに割り箸をはさみつけて、

「ヘルレイザーッ」

とポーズを決めて見せても、ゆっくり頷くだけ。それで場が白けてもおかまいなし。

また普段の様子にも、若干玲子に対する反発と受け取れるような振る舞いが見られる。特に何というのではないが、視線が冷たいというか、女主任、馬鹿にしてますか？　と、こっちが突っかかりたくなるような態度をする。訊けば「いえ別に」と無表情で答えるだけ。だがそれ以上いうのも大人気ないと思い、今は玲子も放っておくようにしている。気長に待てば、自然と打ち解けられる日もくるだろう。そんなふうに、葉山に関しては静観を決め込んでいる。

以上の三人に菊田巡査部長を加えた四人が、現在の玲子の部下である。警視庁刑事部捜査第一課殺人犯捜査第十係、姫川班。この他に日下（くさか）班というのがあるが、そっちはまた曲者ぞろいで――。

「主任……」

新聞を脇にずらした石倉が、こっちを斜めに見ている。どうやら、内緒話をしたい様子だ。

玲子は机の島を迂回し、石倉の隣までいった。その向こうにいる菊田も、それとなく聞き耳を立てる。

「……なに、たもっつぁん」

五十近い石倉の周囲には、いつもそれらしい匂いが漂っている。だが、決して嫌いなそれではない。むしろ最近は、オヤジ特有の頼もしい匂い、と感じるようにすらなっている。

「遠山が、こそこそやってます。日下主任を連れて、今し方出ていきました。今朝のアレ、動きがあったのかもしれませんな」

遠山は日下班のデカ長（巡査部長刑事）だ。「今朝のアレ」というのは、管理官の橋爪警視が、朝早く大田区の蒲田警察署から何か持ち帰ったらしいという噂のことだろう。

「で、何か分かったの。そのブツ」

「いえ。ただ、クーラーボックスで科捜研（科学捜査研究所）に持ち込んで、とにかく早く結果を出せと、法医の係長をどやしつけたということしか」

今現在、捜査一課の大部屋に待機しているのは殺人班十係のみである。俗に「在庁」と呼ばれる出動待機の状態には本来、A、B、C、と三つの段階がある。

上から順に本部庁舎待機、自宅待機、自由待機。

自由待機はほぼ休暇と考えてもいいのだが、そうまでならないのが昨今の台所事情で、ここ三日は十係がA在庁、三係がB在庁、C在庁はなしという配置になっている。

つまり今日、東京のどこかで事件が起こり、帳場（捜査本部）が立てば、まず漏れなく日下班と一緒という事態になる。日下班は姫川班の天敵。というか、玲子は日下が嫌いなのだ。

理由は多々ある。顔から声から捜査に対する考え方から、ありとあらゆる部分が好きになれない。ここ数ヶ月は幸運にも一緒に捜査をする機会がなく、同じ係なのに割れっぱなしという状態が続いていたが、今回ばかりはそうもいかなそうだ。呉越同舟（ごえつどうしゅう）もやむなしと、腹を括るほかない。

「……それで、蒲田署の方はどうなってんの」

「さあ。その辺を遠山が探ってるんでしょうが、緘口令（かんこうれい）ですかね。上手（うま）く当たりがつかんようです」

捜査本部が設置されるまでには、警視庁本部の部署間や所轄との間、対マスコミなど、様々な駆け引きが水面下で行われる。いま玲子たちに情報が入ってこないということは、それが帳場を立てるまでもない小さな事件であるという可能性もなくはないのだが、むしろデリケートで難しい事件と見る方が、理に適（かな）ってはいるだろう。そしてその方が、玲子にとってもありがたい。

小さなヤマを三つ拾うより、大きなヤマを一つ挙げる方が世間の評価は高い。その世間の評価は、必ず組織内でのそれにも反映される。最も好ましいのは、たとえば今年の夏に手掛けた「水元公園変死体遺棄事件」のような大きなヤマを、自力で解決することだ。

――しかし、あれをよそに持ってかれたのは、マズかったよなぁ……。

改めて、百数十の机が川と並ぶ、だだっ広い捜査一課の大部屋を見渡す。向こうの入り口近く、コーヒーメーカーの辺りに立っているのは日下班の溝口デカ長と、新庄巡査長、糸井巡査長だろう。

「……そういえば、係長は？」

殺人班十係長、今泉春男警部。

「十分ほど前に出ていかれました」

「誰かに呼ばれたの」

「いえ、そういうふうは、ありませんでしたが」

そんなこんなしているうちに、日下と遠山が大部屋の入り口に戻ってきた。溝口たちに、何やら小声で報告している。自分たちだけで情報を抱え込み、帳場が立ったら真っ先に動こうという肚か。

――まったく、発想がセコいのよ。どいつもこいつも。

玲子はわざと大股で、彼らの方に歩いていった。すぐ後ろから菊田の足音もついてくる。

「……日下主任。何か、面白いネタでも拾えましたか」

黒目の小さな、爬虫類じみた眼が玲子を捉える。薄い唇は、相変わらず真一文字に結ばれている。

「ネタ？　なんのことだ」

声は低く、重い。そして暗い。

「情報収集、してらしたんでしょ？　ご苦労さまです」

「何かの誤解だろう。俺はトイレにいっていただけだ」

「部下と仲良く連れションですか」

「姫川。下品な物言いは、婚期を遠退(とおの)かせるだけだぞ」

　ようやく、ニヤリと笑ってみせる。この芸風も相変わらずだ。

「ご忠告痛み入ります。でも職場では、そういった話はご遠慮願います」

「すまんな。つい口がすべった」

　手前の糸井がクスリとしてみせたが、見なかったことにする。

「で、どうなんです。科捜研の方は」

「どうもこうも、トイレにいっただけだといっただろう」

「でも日下主任なら、トイレからでも何か有益な情報があげられるのではないですか」

　呆れ顔をし、さらに鼻で笑う日下。うんざりしつつも、その表情をじっと見てしまう自分がいる。

「姫川。そんなに情報情報いうんなら、少しは自分の足で稼いできたらどうだ。眺めのいいところで部下とデート気分を楽しむのだけが、在庁の過ごし方ではないだろう」

　ちくしょう。見られていたか。

「やっぱり、トイレじゃないじゃないですか」

「俺が見たといった覚えはないが、水かけ論だ。やめよう」

遠山の肩を叩き、自分の席にいこうとする。

「ちょっと、待ちなさいよ。逃げるの」

振り返った日下は、ひどく険しい目で玲子を睨んだ。

「姫川。お前にガンテツの真似は似合わない。口八丁で俺から何か引き出すつもりなら、まだ十年早いといわざるを得ん」

踵を返した彼に、班員が続く。

——あたしが、ガンテツの真似……？

殺人班五係主任、勝俣健作警部補。通称「ガンテツ」。元公安のベテランで、悪態と裏金を武器に仕掛ける情報戦を得意とする、絵に描いたような悪徳刑事だ。

——あんなのと、一緒にしないでよ……。

ふいに、背後に足音がした。振り返ると、管理官の橋爪と今泉係長が入り口に姿を現わした。

「おい、蒲田にコロシで帳場を立てるぞ。すぐに出てくれ」

険しい顔でいう今泉とは対照的に、橋爪はなぜだか得意満面だ。いかにも、玲子に何かいってほしそうだ。

「どうしたんですか……管理官」

案の定、エヘン、と芝居がかった咳払いで応える。

「私が、とにかく急げと尻を叩いたからな。最初は九時間といっていたが、やれば七時間でもできるんだよ」

「なんの話です」

「DNA鑑定だよ」

「はぁ」

「血痕と手首だよ。俺の睨んだ通り、DNA型が一致した」

なるほど。持ち込まれたブツというのは、手首だったのか。確かに、クーラーボックスで運搬可能だ。

「詳しくは向こうで説明する。とにかく早くいってくれ。暗くなったら一日パーだ」

今泉に促され、玲子は菊田と席に戻った。

午後三時二十分。タイミング的に、タクシーは使えない。蒲田駅なら、桜田門駅から有楽町線、有楽町駅で京浜東北線に乗り換えて、ということになるか。

2

警視庁蒲田警察署は環状八号線沿い、JR蒲田駅から徒歩五分の場所にあった。

玲子たちはその六階でエレベーターを降り、食堂の先にある講堂に足を踏み入れた。コートを脱ぎ、室内を見渡す。

――一応、準備は整ってるわね。

すでに会議形式で机が並べられており、同署刑事課や近隣署から集められたと思しき捜査員も二十名ほど待機していた。

と、その中に、

――うそ……。

なぜか、

「あっ、玲子しゅにぃーん」

あろうことか、あの、井岡博満がいる。

「あ……キサマッ」

いきなり胸座をつかみそうな勢いの菊田を制し、玲子は二人の間に割って入った。

「ちょっと菊田……っていうか井岡くん、なんでこんなとこにいるの。ついこの前まで亀有だったでしょうが」

井岡は出っ歯を剥き出し、猿耳を赤くし、出目を丸くして玲子を見つめた。

「いやぁ、また異動になってしもたんですわ。十月から、こっちにお世話になっとります」

「うそ。そんなの絶対変よ。大体なんで、一年の間に三回もあたしのいく先々に異動になるの。あり得ないでしょ普通」

寒気がするほど見覚えのある揉み手、腰のくねくね。

「それは……玲子主任とぉ、ワシの小指がぁ、赤いワイヤーロープで結ばれてるからに、決まってるやないですか」

「イヤよそんなの邪魔臭い。っていうか名前で呼ぶなっていったでしょ」

「またぁ、照れはって可愛いわぁ」

「照れてない。全然照れてない」

「……井岡ァ」

菊田が悪鬼の形相で割り込んでくる。

「お前なァ、こうもヤマのたびに当たるなんてのはな、常識じゃ考えられねえんだよ。まさかお前、主任に会いたいがために、自分で事件を起こしてるんじゃないだろうな」

それはいくらなんでも、と玲子は思ったが、当の井岡に動じたふうはない。

「おや。チミは確か……菊田くん」

菊田、くん？

「なんだキサマ、その口の利き方は……」

巡査長のくせに、と菊田は続けるつもりだったのだろうが、なぜか井岡はそれを掌で制した。内ポケットから警察手帳を取り出し、自慢げに開いて突きつける。

「ワシ、このたび巡査部長に、めでたくッ……昇進したんですわ。つまり菊田くんとは、もはや同格ぅ」

なんと――。

菊田は眉間に皺を寄せ、喉を鳴らして言葉を失った。

確かに昇任試験に合格すれば、異動になるのが警察のルールだ。そこでたまたま事件が起こり、さらにたまたま、姫川班が臨場した、ということなのか――。

「……だ、だとしてもだ。キサマは、俺より二年期下だろう」

の語尾に、今泉係長の怒声がかぶさる。

「そこォ、やかましいッ」

菊田や井岡、近くにいた湯田や石倉までもが肩をすくめる。

玲子は思わずうな垂れた。

この事件、概要も知らない現段階ですでに、上手く解決できないのではないかという予感がしてならない。

まもなく本部の車が到着し、電話やファックス・コピー、無線機、事務用品などの資・機材が搬入され始めた。

捜査一課殺人班十係、機動捜査隊、蒲田署及び隣接署から集められた刑事たち、総勢四十三名からなる捜査陣は講堂の下座に集まり、今から事件の概要説明を受ける。

「あー、捜査一課管理官の、橋爪です。早速、事案の概要を説明するので、聞くように……では、今泉係長」

「はい。ええ、今朝方、大田区西六郷（にしろくごう）二丁目三十四付近、多摩川土手の路上に放置駐車されていたワンボックス軽自動車、白のスバル・サンバー、車両番号、品川四八〇、ひ、二九・六△の後部荷台から、成人男性のものと見られる左手首が発見された」

なんで手首だけ？　と思ったが、とりあえずメモを取って続きを聞く。

「発見者の証言とその指紋から、部位は当署管内、仲六郷（なかろくごう）二丁目◎番のアパート『のぞみ荘』に居住する、タカオカケンイチ、四十三歳のものと判明した。字は、高いに、大岡越前の岡、賢いに漢数字の一で、高岡賢一。独身の一人暮らし。部位はコンビニのレジ袋に入れられ、口は固く縛ってあった。また後部荷台の床には大量の血液が付着しており、致死量に達する出血があったものと推測される。車両は現在、本署地下駐車場に保管してある。各自機会を設けて検分し、参考にするように。次に、事案認知までの経緯を説明する」

今泉が、手にした資料のページをめくる。

「今朝六時過ぎ。同区仲六郷二丁目×番にある、プレハブ賃貸ガレージに大量の血痕があるとの通報を、本署雑色交番、イワタトシミツ巡査長が直接口頭で聞き、受理した。通報者はミシマコウスケ、二十歳。三に普通の島、耕すに、介護のカイ、のスケで、三島耕介。ガレージの賃借人は高岡賢一。高岡は会社組織ではないが『高岡工務店』を名乗り、大工工事の請け負いをしていた。三島耕介は同工務店従業員とのこと。

三島が今朝早く出勤し、ガレージのシャッターを開けたところ、いつもある仕事用の軽自動車がなく、コンクリートの床は血の海になっていた。その際、異常な臭気を感じたが血だとは思い至らず、三島は現場に踏み入っている。血だと気づいてすぐ、携帯電話で高岡に連絡を入れるが通じず、アパートを訪ねるも不在。直後に雑色交番に出向き、事情を説明。応対したイワタトシミツ巡査長が本署に報告。同時に紛失車両のナンバーも照会した」

しまった。高岡のアパートの住所を書き損ねていた。とりあえず、隣の井岡の手帳をカンニングして埋めておく。

「一方、車両発見現場に近い西六郷交番では、未明二時頃、すでに多摩川土手における放置車両の存在を認知していた。特に迷惑という通報もなかったため、早朝五時まで処分を留保。その後にチョークを入れた。六時十七分のセンター無線を傍受した同交番、タナカヒデオ警部補が、該当車両の発見を本署に報告。同時五十二分。スペアキーを持参した三島耕介と共に、同警部補が車両を検分したところ、荷台奥から、レジ袋に入れられた高岡賢一の左手首を発見した。ちなみに、部位の切断に使用されたと思しき電動ノコギリは、ガレージで発見されている」

メモを見返し、今一度発見に至る経緯を頭の中で整理する。

要するに、三島耕介なる二十歳の青年が早朝、仕事用の軽自動車がガレージにないこと、そこが血の海になっていることを交番に報せた。その車両は多摩川土手に、少なくとも夜中の二時頃から放置されており、朝になってそれを開けてみたところ、中から高岡賢一の手首入りレジ袋が出てきた、というわけだ。

「ガレージと放置車両の血痕、それと左手首。採取された三種の血液はいずれもA型であり、DNA型も一致した。出血量が明らかに致死量を超えていると判断できたため、高岡賢一は死亡、本案件を変死体遺棄事件と認定し、高岡が殺害された可能性も視野に入れ、捜査する旨を決定した」

つまり、死体なき殺人事件、というわけだ。過去の例に鑑みると、比較的立証が難しいケースといえる。

「続いて、初動捜査方針を説明する」

ここで橋爪管理官に交代。

「あー、本日は総員を、車両の発見された多摩川河川敷周辺と、マル害（被害者）の住居を含むガレージ周辺の二班に分けて、地取りを行う。それぞれ、河川敷担当を捜査一課姫川警部補、ガレージ担当を捜査一課日下警部補、両名を各班の班長とする。それでは、地割りを発表する」

このような本部捜査では、刑事部捜査員と所轄署員を組ませるのが基本だ。

「まず河川敷班から。一区、捜査一課、姫川警部補、蒲田署、井岡巡査部長。車両発見現場」

「えっ」

と思わず漏らしてしまったが、冗談でしょ、のひと言はかろうじて呑み込んだ。

——なんで、よりによって井岡なのよ……。

目の前で橋爪が咳払いをする。

「……姫川。とりあえず返事をせんか、返事を」

「あ、はい……すみません」

「井岡博満、了解いたしましたです。はいィ」

見れば、井岡は腰の辺りで小さくガッツポーズをしている。

「にゃっはっは……愛でんなぁ、愛」

「黙りなさい」

ぶっ叩いてやりたい気持ちを抑え、続きを聞く。

「二区、捜査一課、菊田巡査部長、蒲田署、阿藤巡査部長。二丁目三十から三十三」

「……はい」「はい」

マズい。菊田の様子がおかしい。返事が野良犬の唸り声みたいになっている。

だが、そんな細事にかまう橋爪ではない。発表は続く。

「三区、同じく捜一、石倉巡査部長、蒲田署、吉野巡査長。二丁目三十四から三十七」

「はい」「はい」

玲子は河川敷班の地割りが終わるのを待って、捜査員の円陣を離れた。機材設置のすんだ上座で資料の整理をしている、今泉のもとに向かう。

「……係長」

肩越しに振り返った今泉の頰には、意味ありげな笑みが浮かんでいた。

「なんだ。何か、意見でもあるのか」

整理を手伝う振りで隣に並ぶ。

「……大ありです。当たり前じゃないですか。なんであたしが、またあの井岡と組まなきゃならないんですか」

やはり。可笑しくて堪らないというふうに肩を震わせる。

「仕方がないだろう。橋爪さんが決めたんだから」

「どうやって。何を基準に割り振ったんですか」

「本部組と蒲田組。それぞれ階級順に並べて、引っくり返して組み合わせて、若干の微調整をしたらしい。他の所轄と機捜は、五十音順だそうだ」

まったく。常々いい加減な管理官だとは思っていたが、ここまでとは――。

「んもぉ……分かりました。今日の地取りは仮ってことで諦めますけど、明日からはもうちょっとマシなのと組ませてください」

「ん？　マシとはどういう意味だ。井岡はあれでなかなか、小さいヤマをこつこつ挙げてるみたいだぞ。少なくとも、ここ蒲田では優秀なデカで通っている……らしい。刑事課長の話ではな」

あれが優秀といわれるようでは、ここの刑事課の実力は推して知るべしだ。

「もういいです。ちょっと、資料を確認させてください」

講堂の隅っこでは、蒲田署警務課の一般職員であろう数人の女性が、コピーをとったりそれを山に分けたり、急ピッチで捜査員用の資料作成を進めている。だが、それが終わるのを待っている時間はない。玲子は今泉から受け取ったファイルを手早くめくった。

発見現場調書。それにある現場見取り図を見る限り、放置車両のあった多摩川土手というのは、どうやら一般車両の通行が可能な普通道路であるようだった。そこから下りて河川敷を二、三十メートル進めば、すぐに多摩川の川辺に行き着く。

「係長。この車両から左手首だけが発見されて、その向こうに川があるということは、残りの部位は、すでに水中に遺棄されている、と考えるのが自然ですよね」

「まあ、そうかな。とりあえずここの鑑識が、放置車両を中心に五十メートルの幅で、川辺までの草むらをあさってる。もう今なら本部の班も合流している頃だろう。基本的には靴痕跡と、遺体の運搬に際してついたであろう血痕に留意して拾えといってある。なんせ、車内はこんな有り様だからな」

今泉が別のファイルのページを開く。手首の発見場所となった車両が、様々な角度から撮影されている。

軽のワンボックス。座席は運転席と助手席のみ。その後ろはすべて荷台になっており、積み分けるためか、上下を二分する恰好で棚が設置されている。見たところ材質はベニヤのようだから、たぶん、高岡か誰かの手作りなのだろう。上の段には丸く束ねられたコード、工具か何かのケース、中身の分からない無地の小さな段ボール箱、それに電球を金属製のガードで覆った臨時灯などが載っている。

調書によると、手首の入ったレジ袋は荷台下部の奥まったところに入っていたようである。写真で見ても、棚板で蓋をされた恰好の下段は暗く、特に奥は見えづらい。これが夜の多摩川土手にあったのならば、まあ状況は大体察しがつく。

「ホシは、左手首だけ遺棄するのを忘れたのでしょうか」

今泉は短く唸った。

「あるいは、通行人か何かに見咎められて、遺棄を途中で諦めて逃げたのか。そう考えれば、車両を放置したことにも説明がつく……がな」

ふいに人の気配を感じ、玲子は講堂を振り返った。井岡かと思ったが違った。すぐそこまで日下がきていた。

「……係長。現段階でそのような予断は、先々の捜査の妨げになります」

今泉はふざけたように肩をすくめた。

「そう堅いことをいうな。単なる参考意見だ」

「それで実際に指示を出せば、いずれ捜査は迷走します」

「なんのことをいっている」

日下の目つきが、睨みに近い険しさを帯びる。

「……機動鑑識への指示です。靴痕跡と血痕。そのような対象の限定は、現場の人間の目に色眼鏡をかけさせることになります」

出た。日下理論の根幹。一切の予断は捜査の妨げ。見たもの出たもの、聞いたものしか信じない、先入観排除原理主義。

――っていうか、どっから盗み聞きしてたのよ。

今泉は、苦笑いを浮かべて首を掻いた。

「……そうだな。対象を絞り込むには、まだ早かったな。現場には改めて、色眼鏡で見ないよう指示を出しておくよ」

「そう願います。では」

踵を返し、ガレージ担当の捜査員たちを引き連れて講堂を出ていく。河川敷班も、もう半分くらいは退出しているようだった。

玲子は思わず溜め息をついた。

「……最悪にやりづらいんですよね、あの人。勘の一つも働かせないで、デカが勤まりますか？　セオリーでホシが捕れるなら、捜査専科講習をすませた新米も一人前って話でしょう」

それでもまだ、今泉はニヤニヤしている。

「まあ、そういうな。お前みたいなのがいて、日下みたいなのがいて、それでバランスがとれてるんだよ。組織ってのは。……お前や俺みたいなのばかりだったら、それはそれでやりづらいぞ。みんなで、犯人当てっこ早押しクイズになっちまう」

そう。現場に出ていた頃の今泉は、どちらかというと今の玲子に近い、勘が頼りの刑事だったらしいのだ。

そうまでいわれたら、玲子も笑うほかない。

「それちょっと……ひどくないですか」

「いいからいけ。相棒が待ってる」

出入り口脇に立つ井岡は、しきりに揉み手を繰り返している。

「はい……まあとりあえず、明日の組替え、頼みます」

「ああ。考えておく」

バッグを持ち替えながらコートを羽織(はお)る。

しかしこの季節に、多摩川河川敷とは——。
なんと厄介なことをしてくれるホシだろう。

3

玲子は土手の上から、手前にカーブを描いて左に流れていく多摩川の水面を見渡していた。いま立っているのは、まさに放置車両の発見現場となった一般道である。

枯れ草に覆われた河川敷は現在、ここを中心に五十メートルの幅、川辺まで三十メートルの長さで立入禁止になっている。むろんそれは刑事も例外ではない。今そこは、本部の鑑識課員及び所轄の鑑識係員、計二十名ほどが、まさにルーペと懐中電灯を構えて作業をしている真っ最中なのだ。ただし、周囲はすでにだいぶ暗くなっている。彼らに残された今日という日は、もうさほど長くはない。

しかし、寒い。

けっこう、本気で寒い。

本部庁舎にいる頃は晴れていたのだが、蒲田署に着いた頃から雲行きが怪しくなり始めた。だから、ある程度の覚悟はしていた。でも、ここまでとは思わなかった。

——明日からは、ダウンじゃなきゃ駄目だな……。

来年で三十路（みそじ）。今年辺りでラストかな、と思いつつ購入したバーバリー・ブルーレーベルのトレンチコート。茶に近いベージュは大好きな色だし、デザインも申し分ないのだが、いかんせん、この丈でこの寒さを凌ぐことはできない。お尻から下が、寒くて堪（たま）らない。

「主任、脚震えてまっせ。ワシがあっためて……」

「うう、うるさい。黙ってなさい」

天気予報では、今日は比較的暖かな一日だといっていたのに。

まあ、今そんな恨み言をいっても仕方がない。そもそも、もう時刻も五時に近い。これから暖かくなることはあり得ないのだから、せいぜい足を使って動くしかない。

とそのとき、玲子の携帯に電話がかかってきた。小窓を見ると「東京都監察医務院・代表」と出ている。つまり國奥（くにおく）だ。玲子の法医学知識の源、定年間近の監察医、それでいて玲子を恋人だといってはばからない、飲み友達の、國奥定之助（さだのすけ）からだ。

「……ハイもォーし」

『よお、姫ぇ。いま、在庁中なんじゃろう？　今夜辺り、一杯どうかの。上野に、姫の好きな土瓶蒸しの店を予約……』

「あー、帳場立ったからしばらく無理」

切る。携帯閉じる。

「なんですの主任」

「なんでもない」

さてと。気を取り直して、とりあえずは地取りだ。初動捜査、基本中の基本。現場周辺をいくつかのブロックに分け、片っ端から聞き込みをしていく。

放置車両が発見された河川敷周辺の地取りには、十組二十人の捜査員をもらっている。菊田組、石倉組を含む十四人が土手向こうの住宅地を当たり、玲子、湯田、葉山の組が河川敷を訪れる一般人に直接話を聞く段取りになっている。

「ノリは、あの子たち。いって」

近所の高校の部活だろうか。左に二百メートルほどいったところにある陸上用トラックで、さっきからずっと走り込みを続けている一団がいる。

「はい」

葉山は相方である蒲田署の巡査部長を連れ、道を左に歩いていった。

「コウヘイは、あっちからくる犬の散歩、ジョギング、ウォーキングの人たちを当たって。普段ここらで見かける不審者、昨日今日で何か変わったこと。なんでもいいから、思い当た……」

「分かってますって」

湯田は迷惑そうに眉をひそめ、やはり蒲田署の巡査部長と右手に向かった。

「ほなら、ワシらはあっこら辺ですかな」

井岡が、立入禁止区域の左側一帯を指し示す。確かに、その辺りまできて引き返したり、黄色いテープに沿って土手を上ってくる人たちがいる。だが、玲子はかぶりを振った。

「それより先に、あれいこう」

川岸に一つだけある、白いシートで作られたテント。見たところ、ホームレスの住居らしきものはそれしか見当たらない。

「……ねえ。なんであれ、一個だけなんだろう」

井岡は「あー」と、陸上用トラックの向こうを指差した。

「もっと先までいくと、サイクリングコースとか、野球場とかもありまして、トイレとか水道とか設備も充実してますんで、普通はあっちの方に住みつくんとちゃいまっか。もっとぎょーさんありまっから。青いテントが」

「そう。じゃあますます、なんで一人でいるのか訊かなきゃね」

「いやぁ、人見知りなだけなんやと、思いますけど……」

ぼちぼち土手の道を歩いていくと、やはり立入禁止区域を迂回してきたと思しき、七十代の男性に出くわした。小柄だが、足運びはなかなか達者だ。

「あの、恐れ入ります」

「……は」

キャップを目深(まぶか)にかぶった彼は、背筋を伸ばすようにして玲子を見上げた。玲子の背は百七十センチある。こっちも少し斜めに腰を折り、視線を合わせておく。

「何か」

白く濁った瞳が、シワの多い瞼に半分ほど隠れる。

「はい。つかぬことをお伺いしますが、いつもこの辺りを、お散歩されるのですか？」

声は高く、大きく。それでいて、穏やかさを保つよう心がける。この年代の男性には、孫娘の気分で対するくらいがちょうどいい。

——孫……は、ちょっと図々しいかしら。

果たして彼は相好を崩し、ゆっくりと頷いた。

「ええ、毎日。散歩は、してますよ」

「大体、これくらいのお時間で」

「いや、普段はもうちょっと、早いくらいかな。あんまり、暗くならないうちに、帰るようにしています」

「じゃあ、夜中なんかは、ここには」

「夜中は、きませんよ。だって、危ないでしょう……なんです？　何か、あったんですか」

玲子は「いえ」とかぶりを振り、少し膝を折って、彼に分かりやすいよう大きく指差した。

「あの、あそこに、テント小屋があるじゃないですか」

「あ？……ああ、はい。ありますね」

「あれ、いつ頃からあるんですか」

うん、と彼は小さく頷いた。

「だいぶ前から、ありますよ。一年か、二年か……夏には、呑気に釣りなんかやってやがってね」

急な口調の変化を可笑しく思いながら、玲子は「へえ」と頷いておいた。

「お住まいになってるのがどんな感じの方か、ご覧になったことあります？」

「んー……あったかな。どうだったかな」

「ご記憶には、ない」

「うん、ないねぇ。大体、けしからんよねぇ。夏なんてうっかり近くを通ると、鼻の曲がるような臭いがするんだから。参りますよ」

どうも夏の印象が強いらしい。だがどちらにせよ、昨夜の時点であのテントがあったことだけ確認できれば充分だ。

「そうですか……じゃあ他に、この辺でお散歩をされていて、何か変だな、と思うようなことって、ありませんでした？　不審者でも、なんでもいいんですけど」

彼は、特に心当たりはないとかぶりを振った。立ち止まって寒くなってきたのか、黒い軍手をはめた両手を握ったり開いたりしている。

――そうよね、寒いわよね……。

玲子は懐から手帳を出し、身分証を開いて見せた。

「私、警視庁の者なんですが、実は今日、ここでちょっと事件がありまして。それでお近くの皆様に、ここの普段の様子をお伺いしているんです。もしご迷惑でなければ、お名前とお住まい、伺ってもいいかしら。また何か、教えていただきたいことも出てくるかもしれないから」

いいですよ、と彼は気さくに応じ、田山晋介(たやましんすけ)、西六郷一丁目三十八の△、それと電話番号を告げた。

玲子は、井岡が書き取るのを待って手を出した。

「……ん、なんでっか」

「名刺、一枚ちょうだい」

「ああ、そうでんな」

別に自分の名刺をケチるのではない。玲子のには蒲田署の番号がないので、渡してもあまり意味がないのだ。

「じゃあ田山さん。もし何か思い出されましたら、ここにお電話ください。二十四時間、いつでもけっこうですから」

「ああ、はい……どうも、ご丁寧に」

玲子たちも丁重に礼をいい、少し彼を見送ってから歩き始めた。

横に並んだ井岡が、首を伸ばして向こうを見る。

「……主任。あの小屋、いくんでっか」

立入禁止区域を過ぎ、まだだいぶ枯れ草の残る下り斜面に足を踏み入れる。

「いくわよ。当たり前じゃない。もしかしたら、水中に遺棄する場面を、ばっちり目撃してるかもしれないでしょ」

「はあ……でもぉ、めっちゃ臭いいうてましたやん。あの爺さん」

「大丈夫よ。こんなに寒いんだもん。臭いなんてしな」

とその瞬間、

「きゃっ」

ずるっと靴底がすべった。

「……っと危ない」

右肘を摑まれ、ほぼ同時に腰も抱かれた。線の細い、決して大柄ではない井岡だが、その両腕は硬く、力強く感じられた。

「あ……ごめん。ありがと」

「いえいえ。お安いご用で」

そのまま玲子の手を握り、斜面を下りようとする。

「こら、手は放しなさい」

「そんなぁ。玲子主任に何かあったら、ワシ、死んでも死にきれまへんて」

「そうね……殺しても、死にそうにないもんね」

しかし、井岡は斜面を下りきっても手を放そうとしない。

「……もういいってば」

「またそんなぁ、照れはって可愛いわぁ」

「だから、照れてないから」

ぶんぶん、と二度大きく振ると、ようやく解放された。

「まったく。なに考えてんのよ」

「それは……玲子主任のことで、常に頭は一杯に決まってるやないですか」

「そういうのはいいから。少しは事件について考えてちょうだい」

「無理ですわ、それは……」

かまわず歩を速める。この数分で、すっかり夜の暗さになってしまった。急いだ方がいい。

しかもマズいことに、土手の上からはよく見えた白テントも、近づいてみると川辺に生い茂る背の高い雑草に隠れて、ぱっと見どこにあるのかよく分からなくなってしまった。

「井岡くん、懐中電灯」

「へへ。お任せを」

肩から下げた分厚いビジネスバッグから、意外なほど大振りな懐中電灯が出てくる。

「なんだ、いいの持ってんじゃない」

「でしょ」

「さっさと点けなさい」

「へへ。ただいま」

パッと周囲が明るくなる。だが逆に、闇はさらにその黒を深めたようにも見えた。見渡すと、右手に雑草の切れ目がある。玲子がそっちに歩を進めると、一応明かりもついてはくるのだが、どうも上手く足元を照らしてはくれない。

「ちょっと貸して」

「あー、しどいー」

切れ目から先を照らすと、もうすぐそこ、三メートルほど先に黒い水面が見えた。白テントは左手、ここより一段高くなった地面に張られている。これなら、多少水嵩が増しても浸水することはなさそうだ。電灯を逸らすと、テントには一切の明かりがないことが分かる。

留守か。

「いってみよ」

「げー、ほんまでっか……」

再びテントを照らし、注意深く進む。形としては、一応四角くなっているようだ。

覗くと、川に向いた面の一部が黒く口を開けている。その手前には洗濯したのか、黒っぽい靴下が三足ほどぶら下がっている。

「主任、やっぱ臭うやないですか」

「シッ」

まあ、確かに生ゴミのような臭いは周囲に充満している。

ここにそのまま、手首以外の全部位が遺棄されていたら――。

そんなことを微かに期待しながら入り口を覗く。やはり、暗くてよく分からない。

「ごめんくださぁい」

鼻息を止めたので多少発音は変になったが、いれば返事くらいはあるだろう。だが、ない。

「どなたか、いらっしゃいますかァ」

それでも応答がないので、玲子は電灯を中に向けた。すると、ほぼ正方形の内部は、意外なほど整頓された、立派な居住空間であることが分かった。

地面こそ土だが、右奥にはカセットコンロや調味料棚の据えられた四角いテーブルがあり、その手前にはブラウン管式のテレビが置かれている。他にも稼動はしていないがガソリン式の発電機、雑誌を納めた本棚、整理簞笥までそろっている。

しかし、寝床は――。

そう思った瞬間、正面奥の小山が動いた。

「んっ……なんだ……」

声と同時に、ごそりとニット帽をかぶった頭が出現した。段ボールで覆われていたので、寝床だとは思わなかった。どうやらその下で、布団か毛布にくるまっているようだ。ベッドは手に入らなかったのか、ほとんど地面と変わらないところに寝ている。見た感じ、遺体を抱え込んでいる様子はない。

「あ、ごめんなさい、お返事がなかったから」

「役所か……なんだ……こんな時間に」

ひどいガラガラ声。

「いえ、役所ではありません。警察です」

そこでようやく顔が拝めた。といっても、原形もよく分からないようなしかめっ面だが。おまけに垢か、肌は真っ黒に汚れている。

「勘弁、してくれ……冗談だろ」

「いえ、本当です」

「こんな夜中に、いきなり……処分か？　この寒空に、ここ出て、どこにいけって……」

「あ、別にそういうことではありません」

もう大丈夫かな、と思って密かに鼻腔を開通させてみたが、駄目だった。これが夏だったら、確かに近寄っただけで鼻が曲がるかもしれない。

「あの……ここに、お住まいになってること云々で、伺ったのではなくて、今日、朝早くから、すぐそこで、警察が色々やってたの、ご存じですよね」

男は咳払いをして目を伏せた。

「あのよ……それ、消して、くんねえか。眩しくて……」

「ああ、ごめんなさい」

直接向けているわけではないので大丈夫だと思っていたが、寝起き同然の目には、確かに眩しいかもしれない。

玲子はいわれた通りスイッチを切った。途端、すべてが暗黒に没した。一人だったら怖くていられないが、今は横に井岡がいるから大丈夫だ。

「ご存じでは、ないですか」

「……何が」

「ですから、すぐそこで警察が、草むらをあさったりしてたんですけど」

ごそごそと音だけが聞こえる。だが、立ち上がるわけではなさそうだ。たぶん、最初の姿勢に戻ったのだろう。

「……知らねえな。あいにく、ここんとこ……調子が、悪くてよ。丸一日……寝っ放しだ」

「一日中、ですか？」

「ああ……いや、小便は、した。ちょうど、今あんたが、いる辺りだ」

跳び退きたくなったが、なんとなく、それをしたら負けになる気がしたので堪えた。

「そうですか……では、昨日の夜遅くから今朝にかけて、そこの土手の上の道路に、白い軽のボックス車が停まっていたんですが、それについては」

「……土手に、なんだって」

「昨晩から今朝にかけて、白い小さなワンボックス車が停まっていたのも、ご存じないですか」

そこで、急に男は咳き込み始めた。しかも、ひどく変な咳だ。結核だったら嫌だな、と思ったが仕方ない。落ち着くのを待つ。

「……いや、知らない。夜も、朝も、小便、しただけだ。だから、土手は、見てない」

確かに、この位置から土手の方は見えない。雑草の垣根を迂回するか、川辺ギリギリまで出ないと無理だろう。

「ではこの近くで、何か物音とかは、聞きませんでしたか」

「……いつ」

「昨夜から、今朝にかけて」

うーん、と男は唸り、しばらく黙った。

「物音……どんな」

「なんでも。枝の折れる音でも、足音でも、急ブレーキの音でも」

水面に何か落ちたような音、と付け加えたいところだが、それは呑み込んでおく。

「さあ。音なら、いろいろ、したが……犬も通る。鳥も……くる。カラスが、そこのゴミ、あさったり……ほんと、いろいろだ」

目が慣れ、ある程度内部の様子が見分けられるようになってきた。男は完全にもとの姿勢に戻ったのではなく、頭だけを起こし、顔はこっちに向けているようだった。

「何か、あったか」

そういった途端、男はまた激しく咳き込み始めた。

「……あの……大丈夫ですか？」

応えはない。ただ治まることを知らない咳と、新聞紙や段ボールが、ガサガサとこすれる音が聞こえるのみである。

どうなのだろう、こういう場合――。

人間としても公務員としても、近寄っていって背中くらいさすり、容態を尋ね、できることなら病院の手配とかもしてやるべきなのではないか、と考えなくもない。

だが、はっきりいってそれは刑事の仕事ではないし、個人的にも不潔な人間は大嫌いなので遠慮したい。正直なところ、玲子は生きている不潔な人間より、腐った死体の方がまだマシだと思っている。死体は臭くて当たり前だし、それはもう本人にはどうしようもないことだ。だから、腐乱していようが蛆が湧いていようが、仕事と思えば臭いを嗅ぐことも苦ではない。でも、生きているのにやらない、あるいは放棄してしまうというのは、ちょっとどうかと思う。

体調を崩せば、それは確かに気の毒だとは思う。でもこんな生活をしていたら、健康でいられるはずがないでしょう、ともいいたくなる。また、割れ窓理論というものがある。荒廃した環境はモラルの不在と認識され、犯罪を呼び込む可能性が高くなる、という説だ。その正否はともかく、一時多発したホームレスの殺害事件などは、こういった心理が少なからず働いてのものと考えることができる。

本当に、懸命の努力をした結果、仕方なくここまで落ちてきたという人も中にはいるだろう。でも、もし少しでも甘えや諦めがあってここにいるのなら、早く目を覚まして抜け出す努力をすべきだと思う。健康面でも治安面でも、こういった生活が危険であることはまず間違いないのだから。

ようやく、男の咳が治まった。

「ん……もう、いいだろ。あんたの、知りたそうなことは……俺は何も、知らない……そもそも、今が何時なのかも、よく、分からない……そんな俺に、何がいえる……もう、帰ってくれ……」

聞き取るのがやっとの言葉。だがそんな中に、一瞬耳を奪われる何かがあった。

——そんな俺に、何がいえる……。

何が気になったのかは分からない。声か、その前のタメか。あるいは台詞そのものか。

——案外、キザな言い回しをするのね……。

玲子は、ダメモトで携帯電話は持っているかと尋ねてみた。当然のように、ない、と返ってきた。名前を訊くと、イイヅカタケシ、タケシは武士、と付け加える。最後に、もし何か思い出したら一一〇番をして、蒲田警察署に連絡を入れてくれ、と頼んでおいた。

それに対する返事は、なかった。

鼾(いびき)にも似た荒い息遣いが、聞こえてきただけだった。

4

玲子たちが蒲田署の捜査本部に戻ったのは、七時半を少し過ぎた頃だった。入り口にはすでに「多摩川変死体遺棄事件特別捜査本部」と書かれた紙が貼り出されている。

「姫川、ちょっと」

講堂に入った途端、今泉係長が上座で大きく手招きをした。玲子は中央を進み、バッグとコートを最前列の席に置いてから向かった。

「……はい、なんでしょう」

「現場には、誰を残した」

河川敷周辺の地取り捜査で重視されているのは、主に近隣住民の目撃証言と、夜中に現地を訪れる人のそれである。夕方に聞き込みをするのと、車両が駐車されたであろう真夜中にするのとでは、まるで情報の質が違うはずなので、何人かは河川敷の張り込み要員として残す必要があった。

「ノリの組と、ここの強行犯係の、篠田デカ長の組を残しました。土手のすぐ脇にお寺がありまして、そこにお願いして、現場周辺が見渡せる三階の待合室を貸していただきました。そこを拠点に、交代で見回りに出るよう指示しました。会議が終わったら交代を出します。ノリと篠田デカ長の報告は私が代わりにします」

「そうか。ご苦労。戻っていい」

「失礼します」

席に戻ると、井岡が海苔を巻いたお握りを差し出してくる。帰りに立ち寄ったコンビニで玲子が購入した、梅干のお握りだ。

「もォ、やめてよ。自分でやるっていったでしょ」

「まあ、そう仰(おつしや)らんと。愛ですがな、愛」

本当にこの男といると、要らぬことで神経がすり減る。

「いいから。昆布は自分でやるから」

「ああん、ワシの仕事がぁ……」

突如硬く鈍い音がし、井岡が「あたッ」と頭を抱える。後ろの席に座った菊田が、いきなりゲンコツを喰らわせたらしい。

「なっ、なにすんねん菊田くん」

「すまん。手がすべった」

「んなわけあるかァ、コラ」

「なんだ、やるか出っ歯。表出ろ」

「よしなさいってば」

一瞥すると、菊田は口を尖らせてそっぽを向いた。

――んもォ。子供じゃないんだから……。

そんなこんなしているうちに、捜査員の大半がそろったようだった。日下班も全員戻り、玲子たちの左の列に陣取っている。

まもなくして、今泉係長がマイクを握った。玲子は残りのお握りを慌てて口に詰め込んだ。

「それでは、捜査会議を始める……起立……礼」

鑑識も加わり、会議の参加者は五十名超になった。上座には蒲田署署長の中村警視正、捜査一課理事官の宮川警視、管理官の橋爪警視、蒲田署刑事課長の川田警部、それと十係長の今泉警部。形式上、特捜本部長は警視庁本部の刑事部長ということになっているが、刑事部長が自ら現場に赴くことはまずない。管理官の橋爪すら常時いるとは限らない。実務上、特捜本部のトップは今泉ということになる。

「……ええ、まずこちらから、発見された左手首について報告する。部位は、手首関節の約四センチ下、掌側から、電動ノコギリによって、橈骨と尺骨を同時に切断されたものと考えられる」

資料として渡された写真の中から、手首の写っているものを探す。玲子はあえて洗浄されていない、発見時の一枚を選んだ。

自らの血にまみれたそれは、とても人の肌とは思えない色に染まっていた。なんというか、ちょうど紅生姜のような色合いだ。

「ガレージに残されていた電動ノコギリを検証、骨の断面と刃の形状を照合した結果、これが切断に使用されたと断定するに至った。本体上部のグリップ、及びスイッチ部分から、軍手と思しき握りの跡を検出。指紋は出なかった」

何枚かめくり、今度は電動ノコギリの写真を見る。かなり使い込んだ、古いもののように見えた。電源コードの途中には、断線を修理したような接ぎ目があり、緑色のビニールテープがぐるぐる巻きになっている。

「……何か質問はないか」

特に、なし。

ちらりと横目で見た日下は銀縁の眼鏡をかけ、顔も上げずにメモを取っている。

「では次。本部鑑識から、ガレージについて」

「はい」

刑事部鑑識課、石津警部補が前に出、ホワイトボードの横に立つ。ボードには前もってガレージの平面見取り図が描かれている。

「ガレージ内部、および周辺外部の鑑識結果を報告します。……ガレージ内部は、間口が三メートル七十センチ、奥行き六メートル二十センチの長方形。同じ大きさの部屋が三つ並んだ賃貸ガレージの左端で、前を通る道路からは一メートル六十センチ、引っ込む形で建っています。この、道路から見て左側には窓がありますが、室内の三面の壁にはすべて棚が設置されており、窓は物で塞がれた状態になっています。分かるのは明かりの有無くらいで、内部の様子が覗けるようなものではありません。

壁の棚には工事用の道具、釘や金具などの材料、材木、建材、ベニヤなどの残材が、載っていたり立てかけられていたりします。詳しくは割愛しますが、肉片、血痕があらゆる方向に飛散しており、またコンクリート床の大部分にいき渡るほどの出血があったことから、遺体は完全にバラバラ、最低でも六つか七つの部位に、この現場で切り分けられたのではないかと推測できます」

石津がいったん息をつく。

「……次に、指紋ですが、マル害である高岡賢一、従業員の三島耕介以外の指紋で、採取できたのは六種類です。いずれも照合の結果、前科者リストにあるものとは一致しませんでした。そのうち二つは、棚に収められていた材料の段ボール箱から検出されたものですので、この現場より外部で付着し、持ち込まれた可能性があります。注目すべきは、この、シャッターを閉めるのに使う、金属製のフック棒です」

ビニールに入った現物が示される。

「これには、マル害の高岡とも、三島とも違う指紋、右左ひと組が付着しておりました。犯人がシャッターを閉める際、うっかり素手で使用し、残してしまったものと、考えることができるかと思います」

すかさず日下が手を上げる。

「石津主任。そのような憶測は、できるだけ控えていただきたい」

あえて後ろは見なかったので、石津の反応は分からない。だが、軽く頭くらいは下げたのではないか。そんな間が空いた。

「……ええ、続けます。次は、靴痕跡です。床面のほとんどが血で覆われていたため、採取できたのは三種類でした。三島のスニーカーと、もう一つスニーカーと、もう一つは革靴。三島の証言によると、高岡は平日、ほぼずっとスニーカーを履いていたようですので、この革靴が……」

マル被（被疑者）のものである可能性が高い、といいたかったのだろうが、石津は言葉を濁した。

「……まあ、それ以外の、何者かのものでしょう。また、この靴痕跡は現場前、道路とを隔てるコンクリート部分からも採取できています。しかも、ガレージから出る向きの痕跡には血液が付着しています。現場内で血を踏んで、そのまま出てきたものと思われます。この靴痕は、放置駐車車両のペダルから採取されたものとも一致します」

ここまでの質問を今泉が募る。特になし。

「それとガレージ内には、建築作業中に、何かにかぶせて埃を防いだり、汚れをつけたくない材料に巻くのであろう、長尺のビニールロールがありまして」

「長さは」

挙手もなく、日下の声が講堂後方に放たれる。

思わず振り返ると、石津は眉をひそめ、歯を喰い縛っていた。

「……二メートルちょうどです。それにも軍手の跡がありました。切断した部位は、このビニールでラップされて運搬された可能性があると、私は、思います」

若干自棄(やけ)になったような石津の口調だったが、それに対する日下の突っ込みはなかった。

さらに細かい報告がいくつか続いたが、あとはどれも目ぼしい情報ではなかった。

「特に質問がなければ……次。車両の鑑識結果」

「はい」

やはり本部鑑識課の、峰尾(みねお)巡査部長が立ち上がる。だが、車両に関しては既出の情報以上に有益なものはなかった。

運転席から採取できた指紋に、マル被のものと思われるようなそれはない。出たのは、たっぷり血を吸った軍手の跡だけ。それもだいぶすべったのだろう。ガレージから押収した電動ノコギリほど、綺麗には採れなかったそうだ。また同様の軍手跡は、運転席側のドア、左側面のスライドドア、及びハッチバックの開閉スイッチ部からも採取されたようだが、そんなものは、せいぜいマル被の動きを確認する程度の物証にしかなり得ない。役に立つとしたら、それはホシを逮捕したあとだ。ちなみに発見時、すべてのドアは施錠されており、キーも車内にはなかった。

つまり、ガレージで高岡の遺体を解体した何者かが、部位をそれぞれビニールで包み、あるいはレジ袋に入れ、件(くだん)の車両に積載し、自ら運転して多摩川土手まで運んだ。どのタイミングで施錠をしたのかは分からないが、なんらかの理由で車両を放置して現場から立ち去った、ということなのだろう。その先はまだ分からない。日下ではないが、現状でこれ以上の予断は危険だ。

「じゃあ、次。河川敷の鑑識結果」

同じく本部鑑識課の森井(もりい)巡査部長が立つ。報告の主な内容は、草むらで採取された血痕についてだった。

犯行当夜は夜半まで小雨が降っていたため、その多くは流れてしまっただろうと思われていたが、かろうじて放置車両から、ほぼ真っ直ぐ川辺に向けた直線上に、いくつかの血痕を発見することができたようだった。

その分布は、幅約四メートルの範囲に納まっており、ホシは車両と川辺をごく直線的に、数回にわたって往復し、遺体を遺棄したものと推測できた。ただ、その靴底に付着していた血液は雨水で流れてしまったのか、遺棄後に向かった方角までは特定できないということだった。

遺留品かと思われるものは、小さな白いボタンが一個、ナイロンの繊維片が何種類か、なんのものか分からない赤いプラスチック片が一つ、卵の殻が少々、フランクフルトなどに刺す太めの串が一本、犬の首輪が一つ、壊れた携帯電話が一台、十円玉が一つ、一円玉が二つ――。

「……いずれの品にも、血痕、指紋は付着しておりませんでした。河川敷の鑑識結果は、以上です」

「何か質問は」

挙手なし。

「では次。ガレージ周辺の地取り、一区」

「はい」

日下が立ち上がる。隣に座っているのは蒲田署の、確か里村とかいう巡査部長だ。

「一区は仲六郷二丁目、一番地から五番地を聞き込みしました。まず高岡が借りていたガレージ隣の賃借人、タナカヒデユキ、三十二歳、郵便局員の証言から報告します。住所は仲六郷二丁目三の△、一軒家で両親と同居。訪問時には両親も在宅。タナカマサユキ、六十八歳、無職。妻シズコ、七十一歳、主婦。ヒデユキはその一人息子。二つ上の姉、メグミは四年前に嫁ぎ、夫の転勤で現在愛知県に居住。ヒデユキの所有する自家用車、マツダ・デミオ、色はアイリスブルーマイカという、やや紫がかった水色……」

そう。日下の地取り報告というのは、とにかく見たこと聞いたこと、すべてを逐一並べて報せるのが常なのだ。

むろん、玲子は何度も文句をいった。そんな余計なことまで報告しないで、捜査に関係ある点だけをまとめてしてほしいと。だが日下はまったく聞き入れなかった。この段階で何が余計なのかを判断することは誰にもできない。今の例でいえば、隣の賃借人の姉が四年前に嫁ぎ、現在愛知県にいることを知らなければ、それを捜査対象に入れることも、はずすこともできない、というのが彼の主張なのだ。

あるとき玲子はやり込められ、苦し紛れにいったことがある。

――じゃあ時と場合によっては、隕石が墜落した可能性まで考えなくてはいけませんわね。

日下の反撃はこうだった。

——俺は捜査に当たる際、必ず現場周辺の一時間ごとの気象データを頭に入れてからいくようにしている。現場に隕石が墜ちたかどうかは見れば馬鹿でも分かるだろうが、念のためにいっておくと、今回の現場付近にその手の怪現象があったという記録は今のところ見当たらない。落雷と竜巻がなかったことは、確認できている。

悔しかった。腹の底といわず、足の裏から頭の天辺まで、瞬間的に沸騰して気化してしまうほど悔しかった。

——ほんと、まるっきり嫌味も冗談も通じないのよね。

自分の手の届く範囲にあるものは、とりあえずなんでも片っ端から篩にかけて、最後に残ったひと粒をすくい取る。それが玲子のイメージする、日下の殺人犯捜査だ。間違っても玲子のように、篩の中身をちょちょいと指でほじくって、目ぼしいものをつまみ上げる、などということはしない。

さらにもって悔しいのは、それだけ全方位に目を配って捜査しているにも拘わらず、決して仕事の進みが遅くなることはない、という点だ。むしろ正確で速い。それが日下に対する警察及び検察関係者の評価であり、ついた渾名が「有罪判決製造マシン」。言い得て妙だが、周囲からそれだけの信頼を得ていることは、残念ながら玲子も認めざるを得ない事実だった。

——ま、嫌いな理由は、他にもあるけどね。

日下の報告は続いている。ここまでを玲子なりに要約すると、つまりこういうことだ。近隣住民の証言を総合すると、ガレージで男の怒声がしたのが夜九時半頃。向かいの家の浪人生が、ノコギリの音がうるさくて時計を見たのが十時四十分。その頃現場前を通った住民は、軽のワンボックスが表の道路に出されていたのを目撃している。

——これだけのことというのに、一体何分喋るのよ。

聞き込んだ家に犬がいれば、その種類と色まで報告する。家人に病人がいれば、通っている病院の名前、住所まで。

——こんなに並べられたって、誰も書き取れないっつーの。

隣を見ると、井岡は日下の報告を、なんと漫画に描き起こしていた。それが、妙に上手かったりする。

——こういう、まるっきり冗談で生きてるみたいなタイプも、どうかと思うけど……。

ようやく日下の報告が終わった。むろん、誰も質問などはさみはしない。

「じゃあ次、二区。遠山(とおやま)巡査部長」

「はい」

以後の報告も、内容は似たり寄ったりだった。

所轄組までガレージ担当の報告が終わり、ようやくこっちに順番が回ってくる。

「では、河川敷周辺の報告に移る。姫川」

「はい」

日下への反発というわけではなく、玲子はもともと、手早く要点だけをまとめて報告する主義である。こっちはこっち。自分の流儀でやらせてもらう。

「周辺住民への聞き込みを担当した葉山巡査長の組と、蒲田署篠田巡査部長の組は、現場張り込みのため現地に残っておりますので、代わって私が簡単に報告いたします。

夕刻の河川敷には犬の散歩、ジョギング、部活をする大田実業高校陸上部の生徒など、多くの利用者の姿がありましたが、いずれも夕刻にしか現場を訪れることはなく、昨夜の放置車両について知る者はありませんでした。また、川辺に一軒だけホームレスの小屋があるのですが、そこに住みついている飯塚武士という男も、ここ数日体調が優れないということで、今日も一日床に入っており、ほぼ真裏で鑑識作業が行われていたことも、放置駐車についても知らないようでした。また不審な物音についても尋ねましたが、特に心当たりはないようでした。

篠田デカ長の報告によりますと、西六郷三丁目八の×、石川明夫、二十二歳は、昨夜車で帰宅する途中の零時過ぎに、件の放置車両を目撃しています。自分の車を車庫に入れ、実際に家に入ったのが零時半頃。逆算すると、車両を見たのは遅くともその五分前。零時二十五分頃には発見地点に停められていたことになります。その際、周囲に不審者がいたか、また車内に人影があったかどうかは、まあ、雨が降っていたというのもあり、はっきりしないとった。

「質問はないか」

日下は眼鏡の真ん中、ブリッジ部分を人差し指で押し上げただけで、特に何も発言しなかった。

「……こちらからは、以上です」

他にも近隣住民は、各々家の窓などから車両を目撃しているが、時刻がはっきりしなかったり、また石川明夫より遅い時間であるため、参考までにと簡単にいってすませた。

最後に全員が自己紹介をし、情報の漏洩にはくれぐれも注意するよう管理官が教示し、初回の捜査会議は終了となった。

多くの捜査員はそのまま講堂に残り、車座になって蒲田署の用意した弁当を食べ、ビールなどを飲み始めた。

こういう席が好きでない玲子は、いつも菊田や他数人を連れて近所の居酒屋にいってしまうのだが、今日はそうもいっていられない。幹部会議に出席し、地割りのし直しや、明日から始まる敷鑑（被害者の関係者に対する聞き込み）捜査の割り振りをしなければならないのだ。

別の会議室が確保できればそっちでやるのだが、蒲田署も忙しいのか、あるいは単に気が利かないのか、他に使える部屋はないということなので、結局みんなが飲んだり喋ったりしている講堂の端っこでやることになった。参加者は橋爪、今泉、蒲田署刑事課長の川田警部、同刑事課強行犯係長の谷本(たにもと)警部補、それに日下と玲子の六人だ。

ここでも中心になるのは今泉である。橋爪管理官は、あくまでもオブザーバー的立ち位置から踏み込んではこない。たぶん、理解ある寛容な上司と見られたいがためのポーズなのだろうが、玲子の目にはサボっているようにしか映らない。この点に関しては、おそらく日下も同意見であろう。

今泉が、捜査員の名簿をボールペンでつつく。

「……鑑(敷鑑)は、だいぶ厚くしないと回らないだろうな」

日下が「ええ」と頷く。

「仕事関係だけで、以前勤めていた建設会社、現在付き合いのある工務店、設計士、架設業者、水道、電気、ガス、金物屋、道具屋、鉄骨、内装、建材屋、材木屋、左官、塗装、瓦にサッシ、解体屋に廃材処理業者、それに施主と……個人でやっていただけあって、それなりに付き合いも広いですからね」

いま日下が読み上げたのは、蒲田署の川田刑事課長が作成した三島耕介の供述調書の一部だ。つまり今日、発見者である三島に事情聴取をしたのは、その川田であるわけだ。

「あの、明日からは三島耕介の……」

取り調べは私にやらせてもらえませんか、と玲子はいおうとしたのだが、邪魔が入った。日下だ。

「その前に姫川、お前に訊きたいことがある」

非常に嫌な予感がしたが、六人しかいないこの小さな幹部会議で、発言を無視して流すのは極めて難しい。

「……はい。なんでしょう」

「河川敷班の報告には、どこからもマエカワヒロシの名前が出てこなかったが、どういうことだ」

「ハァ?」

誰だ、マエカワヒロシって。

「その顔では、まったく心当たりはなさそうだな」

マズい。なんかすごく、マズいことをやってしまったような気がする。

「なんですか……その」

「前後のマエに三本ガワ、博士のハクで、前川博だ。俺の担当地域内に居住する七十四歳の老人で、お前らが聞き込みをしているはずの河川敷に五時半頃ウォーキングにいって、六時半過ぎに帰宅した男だ」

それが、なに。

「前川博は河川敷に出向いたにも拘わらず、警察関係者から声はかけられなかったといっていた。つまりお前らは、現状、死体損壊現場と考えられる場所の近くから、遺棄現場にいって帰ってきた男について、まったくのノーマークだったことになる。こんなザルな地取りがあるか」

カチンときた。あの河川敷に、ちょっとでも足を踏み入れた人間すべてをチェックして、漏らさず調べ上げろというのか。

「そんな」

「反論できるのか。二つの現場を、事件が起こって二十四時間経たないうちに、いったりきたりしていた男だぞ。警察の捜査がどうなっているのか、自分が落としたものが現場に残っていないか、そういうことを確認にいった可能性だってあるとは考えられんのか」

「その前川に、マル容(容疑者)の感触があるとでもいうんですか」

「そんな予断の話をしているんじゃない。だが幸い、アリバイがあるのでシロであることは分かっているから安心しろ。昨夜、前川博は警備員のバイトにいっていた。電話でだが関係者には確認をとってある。むろん他に疑わしい点が出てくれば、そのアリバイについては改めて精査する。だがそれで、お前の予断と失態が帳消しになるわけではないぞ」

出た。予断は即ペケ。馬鹿の一つ覚え。

「……だったら、封鎖を解いたあの土手の一般道はどうなんですか。あそこを通った車両をどうやって足止めし、どうやってチェックしろというんですか」

「それは、現実問題として可能か？」

「ハァ？」

「俺は、実際に不可能な要求をしたつもりはない。お前の好きな喩え話でいうなら、宇宙人が犯人である可能性まで考慮しろとは、俺はいわない。ただ、二つの現場を行き来した男だ。それをナンバー課の主任であるお前が、取りこぼしてどうする」

ナンバー課。即ち、刑事部捜査第一課、二課、三課。警視庁、刑事捜査の最前線。その主任たる者に課せられる責は、極めて重い。

――くっそぉ……。

玲子は深く息を吐き、頭を下げた。

「……申し訳ありませんでした。以後気をつけます」

不幸中の幸いというべきか、日下はこんなときでも、決して声を荒らげたりはしない。周りで飲んでいる連中も、まさか玲子が吊るし上げを喰っているとは思うまい。

ふいに日下は、玲子から顔を逸らした。

「係長。明日から、三島耕介の事情聴取は私が担当します」

――えっ……。

まったく、遮る間もない絶妙のタイミングだった。

――ちくしょう。まさか、最初からそれが狙いだったんじゃ……。

川田の作った調書を読む限り、殺された高岡賢一は毎日、それもほとんど朝から晩まで、三島耕介と行動を共にする生活を送っていたようである。

そんなマル害について知るなら、三島に訊くのが最も手っ取り早いに決まっている。怨恨にせよ、女性問題にせよ、はたまた金銭トラブルにせよ、近しい者は何かしらその兆候を感じ取っているものだ。

その三島担当を日下に奪われるのは、はっきりいって悔しい。だが今の流れからすると、いいえ私が、と無理やり玲子が割り込んだところで、相手にはしてもらえないだろう。こんな重要なネタを与えて、また取りこぼしをされては敵わない。そんなふうにいわれ、潰されるに決まっている。

今泉とて、いくら玲子に目をかけているからといって、あからさまに依怙贔屓(えこひいき)をする男ではない。駄目なものは駄目、できないことはできない。そういう上司だ。

「ただ、姫川」

眼鏡をずらした日下が、上目遣いでこっちを見る。

「はい、なんですか」

「三島には付き合っている女性がいる。犯行時刻と思われる時間の前後、三島はその女の勤め先にいっている」

同じ調書のコピーを見ているのだ。それくらい玲子にだって分かっている。

中川美智子、十九歳。美容専門学校の学生にして、ファミリーレストランの店員。

「係長、その担当を、姫川にやらせてはどうでしょう。向こうは若い女性ですし、打ってつけではないですか」

「そう……だな」

日下は他にも同意を求める。

「そういうことで、かまいませんね。川田課長」

川田は警部、日下は警部補。だがこういう本部捜査の場合、主導権はあくまでも捜査一課側にある。一つくらいの階級の上下は、あってないようなものだ。

「ええ、私は……はい。かまいません」

「では、そういうことで」

あれよあれよというまに三島の担当は奪われ、玲子は、中川美智子などという、脇役の担当を押しつけられてしまった。

——だからイヤなのよ、この人と一緒は……。

結局、幹部会議は午前零時頃まで続いた。

5

翌十二月五日金曜日、午前十時七分。捜査本部設置、二日目。

日下守は朝の会議終了後、すぐに三階の刑事課に下りてきた。参考人の三島耕介が任意出頭してくるのを待つためだ。

「まもなく、くると思います……どうぞ」

今朝の発表で正式に相方となった、里村丈彦巡査部長がお茶を淹れてくれた。物腰の穏やかな男だ。年も日下の二つ下、四十二歳と近い。

「ああ、すみません。いただきます」

向かいには刑事課長の川田警部がいる。指先にタバコをはさんだまま、やはり里村から湯飲みを受け取る。

「しかし……あの姫川という女主任は、なかなか……」

ひと口、音をたててすする。

「なかなか、なんですか」

「いや……背は高いし器量もいいが、それにも増して気が強そうですな」

日下は苦笑いをしてみせた。

「気の強さは、天下一品です。そして、優秀なデカですよ」

川田は、また「しかし」と漏らした。

「……あなたとは、あまり馬が合わないんじゃないですか」

「なぜ、そう思われるのです」

「いや……目がね。なんというか、あなたを見る目が、きついというかね。上手(うま)くいってないのかなと、ちょっとね……」

意味ありげな含み笑い。一課員同士の不仲は、退屈しのぎの茶飲み話には打ってつけ、ということか。

「そんなことはありませんよ。捜査の場において意見の衝突は常ですが、それと馬がどうこうの問題は違います。むしろ、仲好し小好しで勤まるほど、ナンバー課の捜査は甘くないということです」

川田は「それは失敬」と肩をすくめ、湯飲みを置いた。

とはいえ、姫川玲子が何かにつけて自分を敵視しているのは否定し難い事実だった。その理由は、今もって日下にもよく分からない。

別にセクハラじみた発言をした覚えはないし、意識的に蹴落とそうとしたつもりもない。特にいつから、というような転機も思い当たらない。そういった意味では、たぶん彼女が、殺人班十係に配属されてきた初日からだ。最初からずっと、自分たちは打ち解けられないまま今日に至っている。

だから、会議で衝突したからとか、何かきつい指摘をしたからとか、それを揚げ足を取ったように受け取られただとか、そういうことではないのだと思う。むしろ自分が、元来彼女の嫌いなタイプであるとか、そういうことなのだろう。まあ、日下自身はそれでもかまわないと思っている。仕事さえちゃんとしてくれれば文句はない。逆にいえば、馬が合おうが合うまいが、気になる点があれば遠慮なく指摘するし、無理だと判断できれば、即座にポジションを奪うことも厭わない。

ただこんなふうに、外部の人間に指摘されるのはどうかと思う。ある程度庇うのは吝かでないが、度が過ぎるとそれもできなくなる。

——まったく。自分の挙動や言動が、どれほど周囲に悪影響を及ぼしているのか、まるで分かってない。あのじゃじゃ馬は。

それでも、彼女を優秀な刑事だと評した気持ちに嘘はない。自分とは正反対の原理で動く、まったく相容れない異性であるとしても。

「……きましたな」

川田が刑事課の入り口を見やる。振り返ると、免許証の顔写真とは若干異なる印象の青年が立っている。

三島耕介。決して背は高くない。百七十センチ、ひょっとしたらないかもしれない。髪は今ふうの茶で短め。柴犬を髣髴させる純日本人的な顔立ちをしている。大工をしているだけあって、体には厚みがあり、一見してかなり逞しいと感じさせるものがある。

資料を持って立ち上がり、日下が入り口の方に進むと、あとから川田と里村もついてくる。

「……お忙しいところ、ご足労願いまして申し訳ない」

会釈していうと、三島は少々面喰らった顔をした。昨日事情聴取をした川田ではない、別の人間に声をかけられたことに戸惑いを感じているようだ。

「今日お話を伺う、日下です。とりあえず、こちらにお願いします」

いったん廊下に出て、向かいにある第三調室にいざなう。一般人にはやや抵抗のある場所だが、外野のやかましい刑事課では何かと不都合が多い。

三島は日下と川田を見比べ、おずおずと頷いた。川田は軽く頭を下げただけで、廊下には出てこない。ノートパソコンを抱えた里村がドアを開け、三島、日下の順で中に入る。

「どうぞ、そちらにお掛けになってください」

奥の席を勧め、自分は手前に座る。部屋の広さは三畳ほど。取調室としては標準的なものだ。

パソコンを置き、里村はまたすぐに出ていった。茶を淹れにいったのだろう。

「……早くから、申し訳ないです。お仕事、ご予定があったのではないですか」

あまり沈黙が積もらないうちに、軽い話題を振っておく。マル被ではない三島を、いたずらに緊張させるのは得策ではない。

「ええ、まあ」

「今日の現場は、この近所ですか」

「いや、川崎です。キッチンのリフォームの見積りを、頼まれてたんすけど、おや……」

オヤジ、あるいはオヤジさん。そんなひと言を呑み込むと、三島の顔は微かに歪んだ。

「高岡さんが、こんなことになって……ちょっと、そこも、分かんないっすね」

「三島さんが引き継ぐわけには、いかないんですか」

「俺、そんな、一人前じゃないすから」

戻ってきた里村が湯飲みを配る。三島は小さく頭を下げ、目線の逃げ場とするように、ゆるく立ち昇る湯気を見つめた。

「そうですか……では、ほとんどのお仕事は、高岡さんとお二人で？」

「はい……まあ、工務店っていっても、俺らんとこは、ほんと小さいんで。前にやった施主さんとこを回って、また何かないか、訊いたりして。あと、その人の紹介とか。……今回の川崎も、そういうアレで、キッチン直してくれって、頼まれて。たまに、もっと大きな工務店とかに呼ばれて、助っ人みたいな……そういうので、大きい現場にいったりはしますけど。ほとんどは、二人でできる、小さい現場で……だから、俺一人で、っていうのは、あんま、なかったっすね」

後ろで、里村のパソコンが微かな起動音をたてる。

「じゃあ、ほとんど四六時中、高岡さんと一緒だったわけですか」

「まあ……大体」

「別々になることも、たまにはあった？」

「まあ、その……直接とった仕事は、集金とかも、高岡さんがしてたし。現場の下見とか、見積りは、やっぱ高岡さんだったんで。そういうときは、俺一人が現場に残ることも、ありましたけど」

集金、か。

「工事は金額的に、どれくらいの規模のものが多かったのですか」

「規模……」

三島は小首を傾げた。

「そういうの、俺あんま、分かんないんすけど、でも、何千万もする工事なんて、なかったと思います。せいぜい三百、四百、いっても五百とか、そんなもんだったんじゃないすかね」

「その集金は、上手くいっていた？」

微かに息を呑み、姿勢を正す。

「上手くって……何がっすか」

「たとえば、工事代金が回収できず、トラブルになっていた、とかいうことは」

「まあ、なくは、なかったすけど……」

そこで、三島ははっと顔を上げた。

「もしかして、そういう関係でおや……高岡さんが、殺されたってことっすか」

日下は、できるだけ穏やかに微笑んでみせた。

「それは、まだ分かりません。……三島さん、いいですか。我々は、高岡賢一さんという方がどういう人物なのか、昨日まで、まったく知りませんでした。今日の段階でも、まださしたる進展はありません。高岡さんがどういう方で、普段何をしてらして、どういう人と付き合い、何に困っていたのか。まず我々は、そういうことを知りたい。昨日伺った限りでは、最近の高岡さんについて最もよく知る人物が、あなた、三島さんであるというのは、まず間違いないようですし。ですから、教えていただきたいのです。高岡さんがこういうことになる、原因でも、きっかけでも、兆候でもいい。そこまでいかなくとも、何か変わった点、高岡さん自身についてでも、周りでもいい。細大漏らさず、ご存じのところを、お教えいただきたい」

三島は一度頷き、だがすぐに首を傾げた。

「……でも、代金の回収は、そんな、大問題じゃないと思います。そりゃ、五百万丸々もらえなかったら、問題っすけど、そういうことはなかったみたいだし。あっても、二十万負けろとか、十万以下の端数を切れとか、あとは……」

　数秒、いいづらそうに口ごもる。

「……あとは、ちょっと、突きつけとか仕上げが悪いとか、工事が終わったら、既存の床に傷がついてたとか、なんか、そういうので値切られたり……でも、そういう失敗って、やったのは大体俺で。高岡さん、それで三十万とか五十万とか値切られても、俺の日当だけは、必ずくれて……高岡さんだって、生活、全然楽じゃなかったのに、そういうとこ、かなり頑固で。俺がシクったんすから、俺の日当から引いてくださいっつっても、絶対、そうはしないで。お前がそんな心配するな、大丈夫だからって、そういうばっかで……」

　だからといって、即座に金銭トラブルの線が消えるわけではないが、三島からその感触はとれない、というのは、一つの結論として認識することはできる。

「では、これは昨日の繰り返しになるかと思いますが」

　日下がファイルを開くと、三島は目を見開き、奥歯を固く喰い縛った。顔色も、にわかに蒼褪(あおざ)めてくる。

「……し……写真、ですか」

　三島が昨日、左手首を見た瞬間に嘔吐(おうと)したことは、川田から聞いて知っている。

「こういうものを関係者の方に確認していただくのは、大変心苦しいのですが……高岡さんにご家族がいない以上、三島さんに確認してもらうほかないんです。ご了承ください。……傷になっているところは、私が手で隠しますから」

日下は写真を抜き出し、切断面を右手で隠して三島に向けた。

「あなたはこの手のどこを見て、これが高岡さんのものであると、断定されたのですか」

三島はしきりに唾を飲み込んでいる。

「こ、この……付け根の、傷です」

親指と人差し指の、股の部分にある傷だ。

「これは、なんの傷ですか」

三島は呪縛（じゅばく）を振り払うように写真から目を離し、ハッと強く息を吐いた。

「それは……もう、二年くらい前に、ちょっと、改築の、現場で……古い柱を、丸ノコで切ってたら」

丸ノコ。つまり、円盤状の刃を使う電動ノコギリのことだ。

「釘が、まだ入ってたみたいで。それに、刃が当たって、ガンッ、て、丸ノコが跳ね返って……それが、運悪くおやっさ……高岡さんの、左手に当たっちゃって……そんときの、傷です」

「その怪我をしたとき、三島さんはそばにいましたか」

「ええ、いました。すごい血も出て、怪我したの高岡さんなのに、俺の方が吐いちゃって……そんで、ちょっと神経も切っちゃってて、しばらく左は不自由してて。今も、あんま人差し指は強く握れないんすけど、でもまあ、左だからって……」

なるほど。印象の強い傷跡ではあるわけだ。

「他の特徴はいかがですか」

「他……」

ちらちらと写真を見る。もうどうあっても、直視はしたくないという様子だ。

「他は、まあ……爪、とか……あの、俺ら職人って、やっぱ素手で直接、硬いものとか重いものとか、触っちゃうんで。それで、どうしても手の皮は厚くなるし、爪も分厚く、硬くなっちゃうんすよ」

三島が自らの手を出して見せる。確かに親指の爪などは、厚みが日下の三倍くらいはありそうだ。見ると、なるほど写真の手の爪も似た状態になっている。

「でもそれは、職人さんの、一般的な特徴ですよね」

「あ……ええ、まあ」

「では、これが高岡さんであるという確証は、主にこの傷を見て、ということで、よろしいですか」

「それだけじゃ、駄目っすか」

酸っぱそうに口を尖（とが）らせた三島の顔には、まだ充分に少年の面影が残っている。

「いえ、けっこうです。どこを見てそう思われたのか、その確認ですので」

写真をしまい、少し気分を変えるために、天気の話をした。

今日は少し曇っている。三島は雨が降らないか心配だと語った。知り合いの瓦屋が今日、近所の現場の屋根を剝がす。つまり屋根のリフォームだが、その状態で雨が降ってきたら面倒なことになる。夕方までもってくれればいいのだが、と。

日下は茶を飲みながら、なるほど、と相槌(あいづち)を打っておいた。

「ちなみに、高岡さんとは、どうやってお知り合いになられたのですか」

三島はすっと背筋を伸ばし、遠い目をしてみせた。

「俺の親父は、俺が小五のときに、建築中のマンションから転落して死んだんです。当時は、鳶、やってました。で、同じ現場に高岡さんもいて……高岡さんは別の会社で、普通に大工でしたけど……そんで、俺が現場に親父の荷物を引き取りにいったとき、声かけてくれて……親父が死んで、俺に身寄りがなくなったこと、知ってたみたいで。それでなんか、可哀想に思ってくれたみたいです」

父親が勤めていた会社の名前を訊く。木下興業株式会社。ちなみに当時高岡がいたのは、中林建設という中堅ゼネコンだという。つまり、中林建設の下請けとして、木下興業が現場に入っていた、と考えればいいのだろうか。

三島はひと口茶を飲み、深く息を吐き出した。

「……俺、そのあと中学出るまで、品川の施設にいたんすけど、そこにも、しょっちゅう遊びにきてくれて。休みの日なんか、遊園地連れてってくれたり、飯奢ってくれたり」

施設の名前を訊くと、三島は「品川慈徳学園」と答えた。

「で、中学出る、ちょっと前になって、卒業したら、一緒に働かないかって、誘ってくれたんです。今は一人で、あちこち現場を渡り歩いてるけど、色々繋がりもできてきたんで、高岡工務店って名前出して、やろうと思ってるって。俺、すごい嬉しくて……親もいない、勉強もできない、取り得なんてなんもない俺を、そんなふうに、親身になって……俺、やります、お願いしますって、ソッコーいいました。俺もう、そんときには高岡さんのこと、ほんとの親父っつうか、兄貴っつうか……なんか、他人とは思ってなかったんで、ほんと、嬉しかったっす」

それからはしばらく、仕事関係について詳しく聞いた。前日に川田が聞いた以外の取引先も出てきた。施主については、顧客名簿代わりにしていた高岡の手帳がないと分からないというが、三島の覚えている範囲で、大体の住所と名前は挙げさせた。

「じゃあ、もう五年、高岡さんのもとで、働いていたわけですか」

「そう……っすね。もう、そんなになるんすかね」

「高岡さんには、付き合っている女性は、いらっしゃらなかったですか」

また首を傾げる。

「それ、どうだろ……俺もちょっと、不思議には思うんすけど、まるっきり、なかったみたいなんすよね」

現在捜査本部が入手している高岡賢一の写真は、運転免許更新センターが管理している顔写真一点のみである。今頃、高岡の自宅アパートを家宅捜索している遠山らが別のものを発見しているかもしれないが、それはまだこっちには回ってきていない。

「ああ、そういえば三島さんは、高岡さんの写真を、何かお持ちではないですか」

「いや……どうかな。部屋に帰って、探さないと、ちょっと分かんないっす」

「お持ちでしたら、ぜひ見せてください。複写して、すぐにお返ししますから」

「はい、分かりました」

まあ、その高岡だが、免許証の写真を見る限り、なかなか端整な顔立ちをしている。少なくとも女性にモテない、ということはなさそうだ。それなのに女の影がない、ということは、別の線を疑わざるを得ない。

「ちなみに、女性はまったく……ですか」

若い三島には、それで充分通じたようだった。

「いや、だからって、こっちじゃないっすよ」

右手の甲を、左頰に持っていく。

「そりゃ、ちょっと金が入れば、キャバクラとかいったりしたし、何回かは……風俗も、一緒にいきましたし。女は、普通に好きでした……それは、間違いないっす」

「いや失敬。そういう意味ではなかったのですが」

そういう意味だが、まあいい。

「特定の店の、決まった娘に入れあげていた、などというのは」

「いや、なかったっすね……そりゃ、俺が知らないだけで、密かに、通ってたのかもしんないすけど」

「夜は、別行動？」

「ああ、まあ、ときどきは、夕飯も一緒に……っつっても、いつも近所の定食屋か、焼き鳥屋とか、居酒屋ですけど」

これも具体的に訊いておく。食事処まんだ亭、串焼き岡田、居酒屋ふじかわ。

「それ以外は、まあ、別々っすね。ホモじゃないんで」

だいぶ気を悪くしたようだが、謝ると余計おかしなことになるので黙っておく。

「そういえば、三島さんには、付き合っている方がいらっしゃるそうですね」

彼は、微かに気まずそうな顔をした。照れか、あるいはまったく別の理由があるのか。今のところはなんとも判断できない。

「いや、そんな……付き合ってるってほどじゃ」

「中川美智子さん。十九歳の、美容専門学校に通っている方だとか。もう、知り合われて長いのですか」

凛々（りり）しい眉がぴくりと跳ねる。

「なんすか、そんなことまで訊くんすか」

「ええ。何しろ、高岡さんが事件に遭われている頃、ちょうどその方と一緒におられたと聞いておりますので。ある程度は、その辺りの関係をクリアにしておかないと、私はともかく、別の捜査員に説明ができませんので」

怒ったように鼻息を吹き、口を尖らせる。だがこれは致し方ない。関係者のアリバイは、すべて確認しておくのが刑事捜査の鉄則だ。関係の如何（いかん）によっては偽証の可能性も疑わなければならない。それが男女ともなれば、なおさら確認の必要が生じる。

「会ってからは、まだ……一ヶ月と、ちょっとくらいです」

「どこで、ですか」

しばし言い淀み、三島は視線を脇に走らせた。一ヶ月ちょっと前の出会いは、そこまで考えなければ思い出せないものだろうか。

「彼女の、バイトしてる店です……十五号沿いの、川崎区役所のちょっと先の、ロイナです」

ロイヤルダイナー、川崎店。そこまではこっちも確認済みだ。

「ご自宅からは、ちょっと遠いですね」

「仕事帰りに寄ったんすよ」

「それで、知り合われた」

「ロイナ、もともと好きなんで。川崎の現場んときは、まあ、そこに寄るんすよ」

「川崎方面から帰ってくるとすると、走行車線の反対側になりますが、ちょっと不便ではないですか」

三島は眉をひそめた。

「なんすか、そんなこと疑ってんすか」

「いえ、疑うとかではなく、ちょっと地図で確認したので、疑問に思っただけです。私だったら、もう少し走って、帰り車線の側にあるレストランに入るかな、と」

「俺はいくんすよ。ロイナが好きなんすよ」

「まあ、目当ての女性がいるとなれば、そういうことがあっても、不思議はないですが」

面白くなさそうに溜め息をつき、三島は背もたれに身を預けた。

「……声をかけたのは、三島さんですか」

「もういいでしょう。勘弁してくださいよ」

「そこだけ、お願いします」

「なんでですか」

特に理由はない。あえていうならば、三島が拒むから、逆に訊いておこうと思うだけだ。

「……ですから、関係を明確にしておかないと、あとから疑問が出たときに、不都合が生じるんです。お願いします」

三島は渋々、俺っすよ、と答えた。

「……何度かいって、可愛いなと思ってたんで。向こうも、顔覚えてくれてたみたいで。ちょっと話とかするようになって……まあ、そんな感じっすよ」

「高岡さんも、ご一緒にいかれた」

「まあ、一回くらいは、いきましたかね」

「仕事帰りは、大体一緒なのでは」

「ん、んなこたァ忘れたよッ」

急に背筋を伸ばし、椅子から尻を浮かせ、鼻の穴を膨らませる。

「なんだちくしょう。二度だったかもしんないし、三回だったかもしんないよ。いいじゃねえか別に。そんなこと、おやっさんの事件に関係あんのかよ。アア？」

日下は中腰になった三島をなだめ、椅子に座らせた。

「……ですから、関係あるかどうかが分からないから、お尋ねしているんです。どうか、お気を悪くなさらないでください」

またインターバルを置くために、今度は車の話題を振ってみた。

三島は今、スバル・インプレッサに乗っているらしい。ローンかと訊くと、組んでもらえなかったので現金で買ったという。高かったでしょうと続けると、中古だからそうでもない、ということだった。

第二章

1

役所の都合なのかなんなのか、俺は品川区の児童養護施設に入れられることになった。品川慈徳学園。建物は古いけど、まあ悪くない施設だった。

飯も食えるし、服ももらえる。学校を替わったお陰で虐めもなくなった。俺にとってはありがた尽くめの毎日だった。

「思ったより早く慣れてくれたんで、安心したよ」

当時の園長はそんなふうにいったけど、本当は園内でも、虐めとか色々あったんだ。

上級生男子にひどいことされてた女子は何人もいた。おやつも溜めてた小遣いも全部取られちゃう弱い男子もいた。高校生になると、園とは別の一戸建て住宅で共同生活をするようになるから、園で一番幅を利かせるのは中三ってことになるんだけど、俺はそういうのにもできる限りの抵抗をした。

「……耕介。オメェ、新入りのくせにでけぇツラしてんなよ」

「っつーか浩樹さん、学校じゃシカトされてるらしいっすね。そういうムシャクシャを小三の女子で気晴らしって、かなり情けなくないっすか」

「……あんだとコノヤロウッ」

こっちから売った喧嘩だ。くれてやるもんくらい最初から用意してる。そんときは学校の帰り道でたまたま拾った、三十センチくらいの、手摺り棒の切れっ端だった。いま思い返しても、あれはいい武器だったと思う。硬いし握りやすいし、ノコギリで切れば長さの調節も簡単にできた。

尻のポケットに差しといて、抜き出したらまず向こう脛に一撃喰らわせる。もうその時点で勝負はついていた。あとは踏みつけて、泣かせて謝らせて、みんなを呼んで集めて、そいつにズボン脱がさせて、土下座でもう一回謝らせて、仕上げにスクワット千回。むろんフルチンのまま。へばったらまた手摺り棒で脛打ち。みんなそいつのこと、大なり小なり迷惑に思ってたから、誰も職員に告げ口したりはしなかった。

だからって、俺がそいつに成り代わって威張ったりとか、そういうことはしなかった。まあ、少しは権力っつーか、そういうのを握った感じはあったけど、でも少なくとも俺は、下級生を虐めたりはしなかった。それだけは、うん。誓ってしなかった。

俺がそういう、心の平穏っつーか、あんま荒れずにすんだのは、偏におやっさんの存在があったからなんだと思う。

他の子はいきたくてもいけないディズニーランドに連れてってもらったり、ビーフステーキ食わせてもらったり。そういうの、施設の仲間には悪いなと思ってたから、俺だけ恵まれてんなって思ってたから、だから他のことは、けっこう譲ったりできた。正直おやっさんがいなかったら、俺もあの浩樹みたいなことしてたかもって、今になって思う。

そんでもってあれは、中学三年の冬のことだった。

「……耕介。お前、ちゃんと受験勉強とか、してんのか」

むろん、いつもステーキ食わせてもらってたわけじゃない。大体はラーメン屋とかで、そんときはお好み焼き屋だった。おやっさんは生ビールで豚玉天、俺はウーロン茶で牛玉天。

「いや、勉強は……あんま、してないっすね」

今はもう潰れちゃってないけど、あの店のお好み焼きは旨かった。

「高校、どうするんだ」

「ああ、高校……どうなんすかねぇ」

正直、もう勉強はうんざりだった。因数分解ってなんだよ、二次関数ってなんの役に立つんだよ、って感じだった。むしろ、とにかく親父みたいにはなりたくなかったから、早く自分で稼げるようにならなきゃって、ガキなりに焦ってるところがあった。

「なんだそりゃ……高校いかないで、どうするんだ」

「いや、なんか、働こうかなって……ちょっと、思ってます」

「ちょっと思って働けるほど、今の世の中は甘くないぞ」

それは分かってた。中卒で生きていくのは、よほど特別な能力か野心か、手に職でもつけなきゃ難しいってのは理解してた。だから、できることならおやっさんみたいな職人になりたいと思ってた。特に大工なら、ちょっとした道具と腕だけで、全国どこででも食っていける。専門学校とかいかなくても、働きながら一所懸命修業すれば、そんなに何年もかからないで一人前になれる。

もしかしたら、そういうことをすり込むために、おやっさんは俺を飯に誘って、話す機会を作ってたのかも、と今になって思う。でも、それならそれでもいい。誘導はされたのかもしれないけど、決して強制されたわけじゃなかったから。

「……耕介。もしお前が、大工でもいいって思うなら、俺のところにこい。俺もここんとこ、ちょっと思うところあってな。いまさら照れ臭いってのも、なくはないんだが……高岡工務店、って名乗って、独立して、仕事とろうかと思ってる」

目の前の鉄板から、もわもわと熱気が天井に昇っていく。なんか俺の中にも、それに似た盛り上がりがあったっていうか、希望みたいなものが、体の中に湧いてくる感じがした。

「えっ、俺を、使ってくれるんすか」

でも、テーブルに両手をついた勢いでグラスが倒れ、鉄板にウーロン茶が――。

「はわッ」

「……ば、バカッ、うわちッ」

ものすごい勢いで湯気が上がった。店中大騒ぎになって、火災報知機も鳴っちゃって、まあ消防車がくるほどじゃなかったけど、俺とおやっさんは、とにかく店の人に何度も何度も頭を下げた。ほんとにこいつは、とおやっさんが俺の頭を小突き、俺はされるがままにしていた。

でも店を出た途端、二人で大笑いした。

あの幸せな気分。俺は絶対、一生忘れない。

俺は卒業が待ちきれず、その年の冬休みから大工の見習いを始めた。

といっても、正月は現場も休みになるから、ちょっとしたゴミ片づけや、当時おやっさんが世話になってた会社の大掃除に参加する程度だったけど。

「あれ？　ケンさんて、こんな大きな子いたっけ」

この業界で、息子を現場に連れてくるのは決して珍しいことではない。おやっさんはそのとき、「いや、親戚の子だよ」とかいってたけど、俺が預かることになったんだ、とも付け加え、それなりに自慢げだった。

ただ当時の記憶で、ちょっと引っかかってることがある。

「……この説明書、捨てちゃっていいんすか」

ドアかなんかの施工説明書がゴミ袋に入ってるのを見つけた俺は、捨てちゃマズいんじゃないかと思い、おやっさんに確認をとった。でも、返事がない。聞こえなかったのかと顔を覗くと、おやっさんはひどく険しい、まるで獲物を狙う狼みたいな目で、正面を睨んでいた。

新築住宅のドアの外。その薄暗い歩道に立っていたのは、俺が親父の荷物を引き取りにいったときに香典をくれた、あの男だった。

ちょっと洒落た黒いコートの襟元に、派手な赤が覗いていたのを覚えている。夕方にも拘わらず、そのときもサングラスをかけていた。小学生の頃は気づかなかったが、わりと背が高いのだなと、そのときは思った。

数秒しておやっさんに気づいたのか、男はこっちにニヤリと笑いかけてきた。でも、それだけだった。男は「そんじゃ」と表の誰かに挨拶をし、どこかにいってしまった。

おやっさんは、ふいに正気に戻ったみたいにこっちを向いた。

「……あ、それ、探してたんだ」

俺の手から説明書を引ったくり、そのまま梯子を上って二階にいってしまった。

いま考えると、あの二人は、ずっと以前からの知り合いだったのかもしれない、と思う。

卒業と同時に、俺は品川の施設を出て、おやっさんのところに居候することになった。大田区仲六郷のアパート。八畳と六畳のふた間。ボロはボロだったけど、風呂も便所もあるし、俺には充分居心地のいい「家」だった。

大工という仕事は、確かに甘いものではなかった。やることなすことすべてが力仕事。しかも、技術の要る力仕事だ。ただ材料を運ぶにしても、どっかにぶつけて傷をつけてはいけないし、石膏ボードなんて、デカくて重たい上にもろい代物だから、ちょっと雑に置いたりすると、すぐにバキッと折れてしまう。

「耕介、もっと丁寧にやれ。材料はタダじゃないんだぞ」

「はい、すんませんしたッ」

おまけに現場の空気ってのは、とにかく始終埃っぽい。一日の仕事が終わって鼻の穴をタオルで穿ると、文字通りの真っ黒。目にもよくゴミが入った。丸ノコとかの機械音も、けっこうキンキンうるさいんで、中には耳栓してやってる人もいた。まあ、あの人は趣味がオーディオだったから、特別だったのかもしれないけど。

「釘は、真っ直ぐ打てば真っ直ぐ入る。斜めから打ってっから曲がっちまうんだよ。そもそも玄翁の持ち方が違う」

「道具はなんでもそうだが、差し金は特に大事にしろ。これが曲がっちまったら、仕事が全部曲がっちまうんだからな」

「丸ノコはまだお前には早い。普通のノコで、腕の力を使って切れ」

「メジャーの先っぽは、遊びがあるから当てにするな。計るなら、十のところをゼロにして計れ」

知るべきことは山ほどあった。道具の使い方、材料の切り方、組み方、釘の打ち方、建材の種類、材木の種類、仕事の手順、他の下職さんたちとの付き合い、専門用語、建築力学、綺麗な仕上げの仕方から、ちょっとした誤魔化し方まで。でも、それがなんの役に立つのかが分かっているから、すべては目の前の出来事だから、学ぶことは苦にならなかった。勉強って、実は楽しいんだって、そのとき初めて思った。

「へえ。お前、帳面なんてつけてんのか。案外マメなんだな」

見つかったときはちょっと恥ずかしかったが、毎日おやっさんが風呂に入ってる間に書く「大工日記」は、いつしか俺の宝になっていった。

「おやっさん。堅木のタモって、漢字でどう書くんすか」

「タモは……カタカナでいいだろ」

そう。おやっさんは、俺よりさらに漢字が苦手だった。

「木下興業の『コウ』って、どうしてこの字なんすかね」

「知らないよ。今度社長にでも訊いてみな」

「社長って誰っすか。俺、会ったことありますか」

「ないだろうな。俺もほとんど見たことない」

「じゃ、駄目じゃないっすか」

日当は最初、五千円だった。半月に一回、まとめてもらった。

「……ま、家賃を払えとはいわないよ。その代わり、早く自分で道具をそろえろ。自分で買わないとな。なかなか、大事にしないから」

一年経って八千円に上げてもらった。それを機に、俺はおやっさんのところを出て、一人暮らしをすることになった。部屋は、おやっさんが一緒に探してくれた。六畳ひと間のユニットバス付きで、月六万二千円。おやっさんとこより新しくて綺麗なんで、なんか、申し訳ない気がした。

「ま、独立の記念だ。敷金の足しにでもしろ」

そういって差し出されたのは、二種類の封筒だった。

「あ、ありがとうございます……って、こっちはなんすか」

普通のお祝いの袋に添えられた、いま流行りの、外資系生命保険のロゴが入った封筒。

「ああ、それな……俺に何かあったら、お前、受取人になってるから。少しだけどよ、請求して、もらってくれや」

なんか、あったかいもんと冷たいもんが、ぞぞっといっぺんに襲ってきた気がした。

「そんな、おやっさんに、なんかって……」

こんな俺を、なんかそういう、家族みたいに思ってくれてるのかと思うと、嬉しくはあったけど、でも何かあったらって、そういうこといわれるのは正直嫌だったし、怖かったし、寂しかった。

「そんなの俺、駄目っすよ……こんな」

だがおやっさんは、封筒を持つ俺の手を握って、えらく真剣な目で見つめてきた。

「いや、この中には、お前のだけじゃなくて、もうひと口、別の人が受取人になってる分の証書も入ってるんだ。ちょっとワケありでな、その人にこのことはいってないし、下手したら俺が死んでも、その人のところには知らせがいかないかもしれないんだ。だから、これをお前に、預けておきたい……それで、俺に何かあったときは、これを開けて、その人に知らせてほしいんだ。あなたが受取人になってる保険がありますから、請求して受け取ってくださいって。そう、伝えてほしい。それを、お前に頼んでおきたいんだ」

生まれてこの方経験したことのない、複雑な心境だった。

信頼。保険金。死。不安定な未来。そして、謎――。

でも、嫌だなんていえなかった。拒否する資格なんて、俺にあるはずがない。おやっさんは、仕事面でも生活面でも、まさに俺の「親」だった。そんな人が「頼む」と頭を下げているのだ。

「……分かりました。でも……なんか、そういう、おやっさんが、もしもとか、そういう話、俺……」

するとと、思いきり強く肩を叩かれた。

「なァにガキみてえなことといってんだ。生命保険なんてな、むしろ入ってる方が普通なんだよ。お前も嫁さんもらったら、自然と考えるようになるって」

むろん、おやっさんに女がいないことは不思議に思っていた。だから、おやっさんのいう「ワケあり」というのも、つまりそういうことなんだと納得して、このときの俺は、すませてしまったんだ。

あれは、十八になる直前。確か、現場近くの蕎麦屋で、カツ丼を食ってたときだ。

「……耕介。お前、免許取れよ。車の免許」

それについては、俺も考えていた。蒲田駅前から送迎バスが出てる教習所があるのは知ってたから、いくならあそこかな、とは思っていた。

「でも……仕事終わってから通うの、けっこうダルいんすよ。日曜とかは、きっと混んでるだろうし」

「いや、合宿免許なら、早いし確実だし、おまけに都内で取るより、安上がりらしいぞ。サトルさんの娘さん、この前、岩手までいって取ってきて、宿も案外よかったって、いってたらしいぞ」

サトルさんというのは、左官屋の職人さんだ。

「お前が運転してくれたら、俺も何かと助かるし」

「はあ……材木屋とか、俺一人でもいけますしね」

「そうそう。仕事帰りに、俺が一杯飲んじゃってもいいわけだし」

「……なんだ。それが狙いっすか」

なんか、おやっさんはその件に関してやけに乗り気で、金は貸してやるからさっさと申し込めと、パンフレットから申込用紙から、一切合財をそろえて俺に押しつけた。

あれよあれよというまに、俺は福島県の自動車学校にいくことになってしまった。

まあ、結果的にはそれでよかったんだと思う。一度もミスらなかったんで、最短の十六日で取れたし。初めて旅っつーか、東京以外のところに長く滞在できたんで、気分転換にもなった。

その代わり、帰ってからが大変だった。

「耕介。ホームセンターいって、ドリルの刃ぁ買ってきてくれ。これ、この太さのやつ」

「おーい、耕介ェ。マルヨシに廻り縁と巾木(はばき)が入荷したってから、急いでもらってきてくれ」

マルヨシってのは、馴染(なじ)みにしてる建材屋だ。

「あのなぁ耕介、この色の釘じゃ、打ったあとに頭が目立っちまうだろう。釘は溝に打つんだからさ、もっと黒っぽい、ブラウンとかチョコのやつじゃなきゃ駄目なんだよ。……ほれ、交換してもらってこい。ついでにタルキも二束もらってこい」

「……タルキって、インニッサンすか、それともイッサンインゴっすか」

インニッサンは「一寸二分の一寸三分」の略、イッサンインゴは「一寸三分の一寸五分」。どっちも細めの角材を意味している。建築業界は、いまだに尺だの寸だので長さをいうことが多い。

「馬鹿。今この現場のどこにイッサンインゴ使うんだよ。これからリビングの野縁(のぶち)打つんだろ。インニッサンに決まってんだろ」

「あ、はい……すんません。すぐいってきます」

「まったく」

その直後だ。ギィンッ、と不気味な音がして、おやっさんが、突然丸ノコを放り出して、床にうずくまった。

「あっ、ケンさんッ」

「……おやっさん？」

急いで電気屋の松本さんと駆け寄ると、おやっさんの、左手が——。

「くっそ……やっちまった……」

「おい、でえじょうぶかよ」

大丈夫なはず、なかった。親指と人差し指の股が、ザックリ裂けてて、そこに肉が、ぐちやっと——。

「耕ちゃん、救急車ッ」

「いや……大丈夫だ、まっつぁん」

「んなわきゃねえだろがその傷で。とにかくタオル、綺麗なのないのかよ耕ちゃんッ」

血が、たらたら、たらたら——。

「耕ちゃんッ、なにボーッとしてんのッ」

急激に冷たいものが、俺の腹から胸、首から顔へと這い上がってきて、ほとんど同時に、胃の蓋も開いちまって——。

「……ウウーェ」

「うわっ、なになに」

駄目なんだ。親父の、あの緑色の死体を見てからこっち、俺、傷とか血とか、そういうの見ると、もう一秒も堪えられないで、ゲボォーって——。

「おいおい、どっちが救急車だか分かんねえな、こりゃ」

結局おやっさんは、松本さんに付き添ってもらって、歩いて現場近くの形成外科にいった。

俺はその間、畳を剝がした状態の板の間に寝転がって、額に濡らしたタオルを載っけて、天井板もない、梁や母屋(もや)が丸見えになった天井裏を、ずっと見上げていたんだ。

2

玲子は敷鑑捜査で、高岡賢一の過去を当たることになった。ただ昨夜の幹部会議で言い渡された通り、その前に三島耕介のガールフレンド、中川美智子に話を聞きにいかなければならない。

住まいは川崎市川崎区渡田向町(わたりだむかいちょう)のワンルーム。京急蒲田から四駅乗って八丁畷(はっちょうなわて)、南武線に乗り換えて一つめの川崎新町が最寄り駅だ。アポイントは、あらかじめ電話でとってある。

「……玲子主任てぇ」

小学校の塀沿いを歩いていると、垢抜けない革手袋をこすり合わせながら、井岡が話しかけてきた。

「だから、名前で呼んじゃ駄目だっていってんでしょうが」

ちなみに、ペアの組替えは認められなかった。

「日下主任とぉ、仲悪いんでっか」

冷たい風が襟元に忍び込む。短い震えに首筋が強張る。

「……なんで、そんなこと訊くの」

「いやぁ、ゆうべのデスク会議でんがな」

デスク会議、幹部会議。意味は同じだ。

「なにあんた、盗み聞きしてたの」

「ちゃいますよ。たまたま、この大きなお耳に入ってもうただけですがな」

わざわざ鞄を脇にはさんで、両手で耳を弾いてみせる。ぷるるん。

「このお耳は、玲子主任の情報なら、どんなに小さなものでもキャッチしますのや」

「あんたは赤頭巾の狼か」

乗って遠吠えの一つもするかと思いきや、しない。寒いでんなぁ、と軽く流す。こういうリズムの一定しない芸風が、少しずつ玲子にストレスを与え、ダメージを蓄積させていく。

「で、なんで仲悪いんでっか」

ああ疲れる。本当にしんどい。

「……別に。そんなの、さして特別なことじゃないでしょ。隣近所の仲ってのはね、たいがい悪いもんと相場は決まってるのよ」

「隣てぇ、同じ十係やないですか」

「係が同じでも班が違えば敵も同然。うかうかしてると、こっちが泣きを見るのよ」

なぜか、そこでニヤリとする。

「いやぁ、日下主任、ああいう言い方してたら、女子にはモテへんやろなぁ、と思いまして」

「……何よ、気持ち悪い」

そういうあんたもたいがいモテそうにないわね、と喉元まで出かかったが我慢した。何かの誘い水で、また色恋の話に引きずり込まれるのはゴメンだ。

ただ、こういう色情狂アメーバみたいな男も、場末のキャバクラ辺りでは逆にモテるのかも、などと考える。

――ま、そんなことはどうでもいいんだけど。

目的地に着いた。サンハイツ渡田向町。三階建て。郵便受けを確認。戸数は十二。

「ほへぇ、オッシャレでんなぁ」

確かに。新しくて綺麗だし、外壁に貼ってある、紅葉を思わせる色とりどりのタイルなんかは、なかなか洒落たチョイスだと思う。

「いこう」

腕時計は十時二十八分を指している。時間もちょうどいい。

一階の奥から二番目、一〇二号のチャイムを押す。

『……はい』

十九歳のわりには、声が低くかすれている。飲み過ぎか、風邪か、それとも機嫌が悪いのか。

「今朝ほどお電話いたしました、警視庁の、姫川です」

『ああ、はい……今、開けます』

まもなくチェーンをはずす音がし、細くドアが開いた。女性の部屋らしい匂いが暖気と共に漏れてくる。

「はい……」

「恐れ入ります」

こういう一人暮らしの若い女性には、真っ先に身分証を提示しておく。できるだけ早く警戒心を解く必要があるからだ。

「……電話で申し上げました通り、お友達の、三島耕介さんについて少々、お尋ねしたいことがあるのですけど、よろしいかしら」

「ああ、はい……どうぞ」

ドアを大きく開け、井岡を見た瞬間はぎょっとしていたが、それでも彼女、中川美智子は慌てることなく、玲子たちを中にいざなった。

三島耕介から連絡が入っているな、と感じた。二人はどの程度の付き合いなのだろう。いっぱしの男と女なのか。それとも、まだそこまではいってないのか。深い仲ならば証言も夫婦同様、信憑性の薄いものと考えざるを得ない。

玲子たちを小さなテーブルにつかせてから、彼女はミニキッチンに向かった。

「どうぞ、おかまいなく」

「あ……はい」

六畳ひと間。ベッドとテレビと整理箪笥を置いたら、あとはこのテーブルで一杯の部屋。美容師の専門学校に通っているだけあって、専門書や雑誌が壁際に積んである。だが、その他はむしろ質素なもので、お洒落の趣味が高じて美容師を夢見ているのとは、ちょっと違う印象を玲子は受けた。

よくいえば堅実、悪くいえば切羽詰まっている。この年の少女らしい、甘さやゆるさ、遊びのようなものがどこにも見受けられない。ちょっとひどい表現かも知れないが、刑務所の独居房を髣髴させるものがある。ミッキーもミッフィーも、亀梨もブラピもいない部屋。

それでも彼女は、電気ポットからお湯を注ぎ、紅茶を出してくれた。リプトン。

「どうぞ……」

「恐れ入ります」

「すんません。いただきますぅ」

ちらりと、玲子の脇に目をくれる。

「あ、気がつかなくて……コート、お預かりします」

丸めて置いてあったそれを、どこかに掛けてくれるということらしかった。だがこれのポケットには、それなりに大事なものも入っている。

「いえ、ありがとうございます。大丈夫です」

それ以上はいわず、彼女もなんとなく会釈をするようにしてすませた。そこそこ気がつくタイプ、ではあるようだ。

美智子は中背の、実に華奢な体つきの少女だった。ニットの下に隠れた胸は薄く、デニムに包まれた両脚はとても魅力的とは言い難い細さだ。顔立ちは整っている方なのだが、惜しい。口を開くと、井岡ほどではないが大きな前歯と歯茎が目立つ。

——あ、でも大塚……。

そう。亡くなった大塚は、ちょっと歯が出てるとか、鼻が上を向いてるとか、若干コンプレックスに思うようなパーツがある娘の方が、可愛げがあって好きだといっていた。

——そのとき確か、ごめん、あたしそういうのないから、とかいったのよね……。

なるほど。そう思って見ると、喋ってすぐ几帳面に閉じる口元や、その前後の遠慮がちな視線は、コンプレックスが醸し出す特有の可愛らしさ、といえなくもない。

紅茶を飲んだ井岡が、ほぉと溜め息をつく。

「ああ、あったまりますわぁ」

玲子もカップを取り、ひと口飲んでから切り出した。

「……朝早く、お電話してごめんなさいね。今日、何かご予定があったんじゃないですか？」

美智子は小さく頷き、自身もカップに手をやった。表情に変化はない。

「学校、でしたけど。休みました」

「あら、ごめんなさい。だったら……」

いえ、と遮るようにかぶりを振る。

「ちょっと、朝だるかったんで、休むつもりだったんです」

「そう……でもどっちにしても、ご迷惑だったわね。今は、大丈夫なの？」

「はい。もう……大丈夫です」

とはいえ、あまり長居はされたくないだろう。玲子は「じゃあ早速」と前置きして始めた。

「……最初に、三島耕介さんとはどういうご関係か、伺ってもいいかしら」

美智子は、照れるふうもなく頷いた。

「なんていうか……まあ、友達です」

「どういうお友達？」

ちょっと、考えるように首を傾げる。

「もともとは、私がバイトしてる、ファミレスのお客さんで、まあ……よくきてくれるし、年も近かったんで、そのうち、友達になったたっていうか」

「そうですか……で、一昨日は？」

一瞬、顎を引くような反応があった。微細な挙動だったが、美智子の心に何か動きがあったことは間違いない。

——何かしら……。

玲子は黙って答えを待った。

「一昨日は……ちょっと、遅めのシフトに入ってたんで、夜の、十時からでした。それで、すぐ……だったと、思います。三島くんが、入ってきたのは」

呼び名は「三島くん」か。でも普段は「耕介」「耕ちゃん」などと呼んでいるのではないだろうか。

「何時頃までいました？　三島さんは」

「十二時、ちょっと前、かな……たぶん、それくらいだったと思います」

「一人だった？」

「ええ、一人で……本、かなんか、読んでたかな……」

あまり質問攻めみたいな雰囲気もよくないので、頃合いを見計らって、笑顔で頷いておく。

「……ちなみに、オーダーがなんだったか、覚えてるかな」

「あ、えーと……コスモドリア、だったかな……あと、コーヒー。そんな感じだったと思います。うち、ドリンクバーないんで」

「それ、お店にいったら、確認できるかしら」

「え、何をですか」

「三島さんが一人で来店されていたのかどうか」

それは大丈夫だと思う、と美智子はいった。一昨日の会計データを見れば、人数や性別、年代などで、おおよそのところは確認できるはずだという。まあ、責任者がどういうかは、また別問題なのだが。

美智子は、玲子と井岡を交互に見比べた。

「あの……何が、あったんですか」

知っていて訊いているのだろうか。それとも、耕介からは何も聞かされていないのか。どちらにせよ、今こちらからいえることは限られている。

「ええ……実は、三島耕介さんと一緒に働いていた、高岡賢一さんという方が、お亡くなりになったんです」

美智子の顔色。特に、大きな変化はない。これはどう解釈すべきなのだろう。

「……高岡さんて、三島くんの、親代わりみたいな人ですよね」

「ええ、そう」

「亡くなったって……もしかして、殺されたんですか」

玲子は少し間を置き、ゆっくり頷いてみせた。

「現段階での断定はできませんが、私たちはそうだろうと、考えています。でも、まだ捜査は始まったばかりですから。あまり多くのことは分かっていないんです」

いったん話を区切り、紅茶を飲む。

美智子は力を抜くようにして、長い息を吐いた。

――なに考えてるの、この娘……。

なんとも、灰色な印象の少女だった。

この、ちょっとおどおどした感じは、何か隠しているからなのか、それとも彼女の性格ゆえなのか。質問に対する答えは思いのほか明瞭だし、目を見てちゃんと話すことから、実はそこそこ気は強い方なのではないかと見ていたが、そこはウェイトレスという職業柄、あとから身につけた「人あしらいの術」と解釈することもできる。

もう少し、つついてみようか――。

「そういえば、お一人で、住んでいらっしゃるのね」

部屋を見回しながら訊くと、美智子の顔に、微かに影が差したように見えた。

「ええ……ふた月ほど、前から」

「ご両親は？」

「母は、早くに亡くなりました。父は」

妙な間がはさまる。

「……ですから、十月の初めに」

「あら」

玲子が手をそろえて頭を下げると、井岡も隣で倣(なら)った。

「それは、ご愁傷さまです」

「はぁ……どうも」

「ちなみに、ご病気か何か」

美智子は、特に表情もなくかぶりを振った。

「仕事中に、事故で」

「まあ……」

意地悪なようだが、そこで玲子は黙った。喋らせるためだ。わざと沈黙を作り、続く言葉を待つ。

果たして、美智子は乗ってきた。

「……工事現場での、転落事故です。十階の、外の足場から、足をすべらせて。方々にぶつかりながら落ちたらしくて、遺体はかなり傷ついていたんですけど、かろうじて、顔は傷が少なくて……そこだけ、確認して」

工事現場――。

高岡や三島が大工であることと、何か繋がりがあるのだろうか。

とりあえず、そう、と同情したように頷いておく。

「お父様、それは何をしてらしたの？　外壁か何か、貼ってらしたとか」

「いえ。鳶、っていうんですか、そのときは、足場を架ける、架設工事をしていたらしいです」

「そのとき、というと……それまでは、違うお仕事をしてらしたの？」

美智子が眉をひそめる。どこまで訊くの、という不快感の表われなのだろうが、ここで引くわけにはいかない。

再び黙って答えを待つ。

やがて美智子は、根負けしたように息を吐いた。

「……以前は、マンションを建てて売る会社で、営業をしてました。亡くなるちょっと前から、現場関係の仕事に移って」

その転職は、何かきっかけがあってのこと？　と訊きたいところだが、やめておく。まあ、これ以上は遠慮すべきだろう。中川美智子は現状、第一発見者のアリバイを立証するための、一参考人にすぎないのだから。

すると、ふいに井岡が口を開いた。

「あのぉ、参考までに一つ。そのぉ……お父様が、最後に勤めてらした会社の名前、伺ってもよろしいですかな」

いつもの、まの抜けた口調。だが美智子は微塵も表情を崩さず、むしろ玲子と井岡の間に、いるはずのない誰かを見据えるような目でいった。

「……キノシタコウギョウって、会社です。確か、世田谷区の……私も、詳しくは知らないんですが」

「木の下で、『工』工業でっか」

「いえ。興す、の興業です」

「はあ、木下興業。へへ、了解ですぅ」

それで話を切り上げ、井岡が紅茶を飲み干すのを待ち、玲子は暇を告げた。今回は自分の名刺を出し、名前の脇に、捜査本部直通の番号を書き添えて渡した。

帰り際、美智子は「あの」と、外に出た玲子たちを呼び止めた。

「はい、何か」

「あ、その、三島くんは……大丈夫、なんでしょうか」

解釈は、幾通りも考えられた。三島が犯人として疑われているのか否か。あるいは親代わりの師匠を失って、精神的に参っていないかどうか。彼自身が以後、危険に晒される心配はないのか――。

ここまで話してみて玲子は、美智子と三島は、さして深い仲ではないのだろうと察していた。そんな彼女が、わざわざ玲子たちを呼び止めてまで発した「大丈夫なんでしょうか」のひと言。玲子はそれを、何かとても、尊いもののように感じた。

だから、こっちも色々な意味を込めて、微笑んでみせた。

「大丈夫よ。……でも、もし心配なら、電話してあげて。彼、きっと喜ぶと思うな」

もう一度微笑むと、美智子も、安堵したように笑みを見せた。

可愛い娘だなと、素直に思った。


いったん蒲田に戻り、あらかじめ用意しておいた捜査照会書を区役所に提出し、高岡賢一の住民票を出してもらった。住所の履歴を見ると、高岡が今の住所に越してきたのが十二年前。それ以前は足立区の南花畑に住んでいたようである。明日辺り、実際にいってみる必要があるだろう。

「玲子しゅにぃん、いい加減、お腹減りまへんか」

「ああ、もう一時半か……そうだね。なんか食べとこっか」

井岡は嫌がったが、

「嫌ならいいのよ。あたし一人でいくから」

牛丼の松屋に入った。

「ワシ、もっと、デート気分が楽しめるとこが……」

「それが嫌だっていってんのよあたしは。……ほら、さっさと食べて、さっさと出るわよ」

その後、またすぐ川崎に戻った。

ロイヤルダイナー、川崎店。

わざとランチ時をはずした甲斐があり、客の入りは三割程度だった。

「いらっしゃいませ。二名様ですか？」

とりあえず頷き、美智子と同年代のウェイトレスに席まで案内してもらう。

促されるまま座り、だが「ご注文がお決まりに」の決まり文句を途中で遮る。

「すみません。店長さんか責任者の方、ちょっと呼んできていただけません？」

怪訝な顔をする彼女に、そっと警察手帳を提示する。彼女は、見る見る表情を強張らせ、短くお辞儀をし、早歩きでバックヤードへと引っ込んだ。

すると一分足らずで、斉藤と名乗る男性マネージャーが席まできた。

井岡と二人で立ち上がる。

「お忙しいところ、お呼び立てして申し訳ございません。警視庁の、姫川と申します。こちらは、井岡です」

「ども」

互いに頭を下げ合い、勧めると、斉藤は向かいの席に座った。

「あの、私に、何か……」

「いえ、斉藤さんではなくてですね、こちらで、中川美智子さんという方が、働いていらっしゃいますよね」

「あ、ええ、おります」

反応は、まだ特にない。冷静といっていい態度だ。

「その、中川さんのお友達で、三島耕介さんという方、ご存じですか」

「三島、耕介……」

容貌を説明すると、斉藤は納得した顔で頷き、だがすぐに表情を曇らせた。

「中川くんの彼氏が、何か」

ここでは、そういうふうに認識されているのか。

「いえ、別に彼が、ということでもないんです。ただ、一昨日の夜、彼がこの店にきたか、きたのなら何時頃だったのか、できれば会計データを確認していただいて、お教えいただければと思いまして」

斉藤は困った顔で頭を下げた。

「申し訳ございません。そういったデータは、令状か何かをご提示いただきませんと、公開できない規則になっておりまして」

まあ、そうだろう。それくらいはこっちも織り込み済みだ。

「そうですか……ちなみに斉藤さんは、一昨日の夜十時頃、このフロアにいらっしゃいましたか」

「ええ。一昨日は、朝までおりました。何度か休憩などで離れはしましたが、店内にはおりました」

「では、その青年がきたかどうか、お分かりになりませんか。ご記憶の範囲でけっこうですので」

少し考え、斉藤は「ああ」と頷いた。

「一昨日の夜は、確かにいらっしゃいました。というか、私はてっきり、中川くんと一緒だったのだと思っていましたが」

美智子と一緒？

「それは、どういう」

「最初に、店に現われたのが彼の方だったんです。私は、中川くんはまだなのにな、と思っていたら、いつのまにか彼女もきていて、ドリンクのセットをしていたんです。そのタイミングを見て、ああ、一緒だったのかなと。着替える時間だけ、彼女の方が遅かったんだなと」

いわば、同伴出勤、というわけか。

「彼が何時頃までいたか、お分かりですか」

「何時……んん、大体いつも、一時間半か、二時間くらいいるので、あの夜もそれくらいだったんじゃないでしょうか。もっと短かったら、ああ、早いなとか、思うはずですから」

「彼が帰るとき、斉藤さんはフロアにいらっしゃいましたか」

「ええ、いました……そう、いましたね。他の普通のお客さんだったら覚えてませんけど、中川くんの彼氏ですからね。多少は、気にして見てますから」

それはまた、どういう意味だろう。

「……店員と客が付き合うというのは、お店的には、ペケですか」

玲子が、小さく左右の人差し指を交差させると、斉藤は笑みを漏らし、「いえ」とかぶりを振った。

「そんなことはないです。そりゃ、仕事中にぺちゃくちゃやられたら注意はしますが、中川くんはそういう娘ではないですし。ああいう年代の子ですからね、出会いがあるのは、いいんじゃないでしょうか」

だが、なぜだろう。そういった直後に、彼は眉をひそめた。

「何か、気になる点でも？」

斉藤は「いえ」と漏らし、しばし難しい顔をしてみせた。

「……いや、これは、私の思い過ごしかもしれませんが、あの夜、ちょっと彼女、様子が変だったかな、と、思いまして」

「変、と申しますと」

「ええ……まあ、大したことじゃないんです。呼んでも、ちょっと返事が遅かったり、普段だったら真っ先にやる仕事を、他の子が片づけて、あとで気づいて、ああ、ありがとう……

みたいな」

さらに斉藤は「ああ」といって付け加えた。

「それと、音に、過剰に反応するようなところが、あった気がします。お客様がグラスを落とされたとき……我々は別に、そういうのは慣れっこですから、さして驚きはしないんですが、あの夜の彼女は、やけにそれに驚いて……というか、怯えているふうにも見えました。……いや、あとから思えば、ですから、何か、ちょっと違うのかもしれませんけど」

音に、過剰反応。驚き、怯え——。

確証というのではないが、ピンとくるものはあった。それによく似た状態なら、玲子も過去に経験がある。

——中川美智子は、何かの被害に遭っている……。

それも十中八九、直接暴力に係わることでだ。

3

三島耕介の事情聴取を終え、日下は相方の里村と署の食堂で昼食をとっていた。中華丼とかけうどんのセット。里村は、見ているだけでこっちの顔がピリピリしてくるほど七味唐辛子を振りかける。

「……いかにも、今どきの若造って感じですね。キレやすいっていうかなんていうか」

ここの食堂は割り箸ではなく、塗り箸を出すスタイルをとっている。あれを割るのが苦手な日下には、むしろありがたい。ただ、麵類を食べるにはすべりがよすぎる。

「今どき……まあ、そうですかね」

ふと、十四歳になった自分の息子の顔を思い浮かべる。数年経ったら、芳秀もあんなふうになるのだろうか——。

いや、まずなるまい。

良くも悪くも息子は、闘争心というものを育まずにここまできてしまったきらいがある。苦境を自らの力で跳ね返す精神力というか、心にコシの強さがない。むろんそれに関しては、男親である自分の責任も少なからずあることは承知しているが。

「……主任は、どう思われましたか」

「どう、といいますと」

「三島が、犯行に関与した可能性です」

日下は小首を傾げ、黙って箸からレンゲに持ち替えた。他人の耳のある場所で捜査の話はしたくない。里村にしてみれば、ここにいる人間はすべて身内なのかもしれないが、日下にとっては赤の他人、単なる捜査本部部外者でしかない。また、安易に個人的見解を述べることも、できるだけ差し控えたい。

「それに関しては、あとにしましょう。里村さん」

それで彼も察したようだった。あとは食べ終わるまで、適当に世間話をするに留まった。

少し休もうと提案し、里村はいったん刑事課に、日下はそのまま講堂に戻った。今朝読みきれなかった、主要五紙に目を通しておきたかったのだ。

殺人班十係が動いたことは、警視庁番記者なら誰もが分かっているはずである。問題はどこまで彼らが知っているかだ。帳場が蒲田に立ったことは分かっているのか。多摩川河川敷で大掛かりな鑑識作業が行われたことについてはどうか。

少なくとも今朝の五紙に、それらしい記事は見当たらなかった。記事として扱えるほどのネタは、まだ漏れていないと考えていいだろう。

捜査本部は現在、可能な限りこの案件の情報は表に出さないという方針を打ち出している。会議の最後には必ず、それを徹底するよう捜査員全員に言い渡してもいる。今回、日下を含む幹部が特に口を酸っぱくしてこれをいうのは、犯人自身が左手首を車内に置き忘れたことを、いまだ知らない可能性があるからだ。

幸いにして、警察関係者以外で左手首について知っているのは、現状、三島耕介ただ一人である。もし彼に関係ない何者かに事情聴取をし、左手首が車内に残っていた云々の供述がとれたら、即事件に関与したと断定することも可能である。だがそれは、あくまで今現在の状況であって、いったん記事になってしまえば、それはたちまち決め手にはならなくなってしまう。

マスコミへの発表は、広く情報がほしいときは有効だが、同時に持ち駒が無力化するという諸刃の剣でもある。その気になった記者の一人が所轄署を虱潰しに当たり始めたら、この帳場の存在が知れるのも時間の問題だ。そうなったとき、どう対応するかは考えておくべきだろう。

まず、あの橋爪管理官を黙らせること。彼は地域部から異動してきた、いわば捜査経験のない珍しいタイプの管理官だ。おまけに、極度のお調子者ときている。彼に喋らせることだけは絶対に避けなければならない。いい恰好をしたいがために、現場の都合などまるで考えず、知っていることの一切合財を喋ってしまわないとも限らない。

救いなのは、十係の係長が今泉警部であるという点だ。若干ヤマの筋読みに傾倒するきらいはあるが、実務的な判断においては信頼できる上司だ。彼が橋爪を上手く制御してくれれば、自分は安心して現場に出られる。問題はどこの記者が、いつ、帳場の誰に喰いついてくるか、という点だが——。

高岡の仕事関係は一課のデカ長たちに任せ、日下組は当面、高岡と三島の関係について調べることになっていた。

午後一番。日下は里村を伴い、三島耕介が四年半世話になったという品川の児童養護施設を訪ねた。

応対に出た品川慈徳学園の園長、清水規子（しみずのりこ）は、三島がいた時期は副園長だったという人物だ。訪問の趣旨を告げると、彼女は沈痛な面持ちで悔やみを述べた。

「……それじゃあ耕介くん、さぞ落ち込んでいるでしょうね」

高岡のことも、よく覚えているという。

「肩幅の広い、端整なお顔の方でしたわよね」

「ええ、そうですね」

日下たちが通された事務室は、小さな教員室といった趣の部屋だ。事務机が三つ、「品」の字に島を作っている。今いるのは、そこと少し離れた接客用のテーブルだ。

「三島くんは、たった一人の身寄りであるお父様が事故死され、ここに引き取られてきたと聞きましたが」

清水はさもつらそうに眉をひそめ、溜め息をついた。

「ええ……警察はいっとき、自殺ではないかと、疑っていたようですけれど」

それは、初耳だ。

「自殺の疑いがあると、実際に警察官が、清水さんにそういったのですか」

「ええ。なんでも、少なくない借金があって、それが保険金で賄（まかな）えるとか賄えないとか、そんな問題もあったようで……まあ、結果的には事故死と立証されたのではないでしょうか。そんなに長く、引きずることはなかったですから」

転落事故を装った自殺。死亡保険金の詐取――。

今回の事件と関係があるかどうかは分からないが、留意しておくべき事柄ではある。

「借金の額がいかほどだったか、ご存じですか」

「さあ、そこまでは……でも、刑事さんにはいわれました。以後、耕介くんを訪ねてくる人がいたら、その都度知らせてほしいと」

地元警察の、事故当時の疑惑の深さが窺い知れる。

「実際、誰か訪ねてきましたか」

すると清水は笑みを浮かべ、緩やかにかぶりを振った。

「いいえ、高岡さんだけでした。あの方は……ねえ？　悪い方じゃないですし。休みの日に耕介くんを遊びに連れていってくれたり、ご飯をご馳走してくださったり、色々親切な方でしたから」

「そういうのは、こういう施設では、よくあることなのですか」

「ええ。何度かそういうお付き合いをして、双方納得してから、養子に入るというケースはよくありますし、そうでなくても、ボランティア……というのとは、ちょっと違いますけれど、子供たちに何かしてあげたいという、足長おじさん的な奉仕をしてくださる方も、稀にですがいらっしゃいます」

ふと、疑問が湧いた。

「そうすると、高岡さんから、耕介くんを養子に、というような話も出ていたわけですか」

それにはかぶりを振る。

「いえ、それはなかったですわね……差し出がましいとは思いつつ、私もお訊きしましたの。そうしたら、独身だと仰るから……そんなご都合も、おありになったのじゃないかしら。……高岡さん、その後にご結婚はされたのかしら」

「いや、独身のままでしたね」

「そう……」

日下は背筋を伸ばし、咳払いをはさんだ。少し真剣な質問をしますよ、という前振りだ。

「では参考までに、その、耕介くんを訪ねてくる人に注意しろ、といったのが、どこの警察署の刑事だったかはご記憶ですか」

三島の父親の死に不審な点があるとは思っていなかったので、日下自身うっかりしていた。三島に、それについて詳しくは聞いていなかった。

「ああ、どうだったかしら……耕介くんが前に住んでたのは、確か三鷹市の方だったと思いますけれど、でも、お父様の事故が、その近所とは限りませんものねえ」

「ええ……」

まあ、ここで焦る必要はない。

「そうですか。分かりました」

三島と高岡の繋がり、高岡の人となりは、おおむね確認できた。目新しい情報は三島の父親の死に関する疑惑くらいのものだが、そもそも期待していた分野ではないので、収穫としては充分といえる。

丁重に礼を述べ、日下は園をあとにした。

ちょうど門を出たところで、ランドセルを背負った男の子二人とすれ違った。もうそんな時間かと時計を見ると、午後二時半を少し回ったところだった。


そこから五反田に移動して、今度は以前高岡が勤めていたという中堅ゼネコン企業、中林建設を訪ねた。

大通りに面して建てられた自社ビルは七階建て。一階の受付で、まず総務の責任者に会いたいと告げると、二階にある応接室に案内された。

二分ほどして現われたのは、クリハラと名乗る総務部長だった。背の低い、小太りの男だ。

「ほぉ、警視庁の……どうぞ、お掛けください」

「失礼します」

日下はあまりブランドに詳しい方ではないので、彼のスーツがどこのメーカーのものであるのかは分からない。ただ、高いものであろうことはなんとなく察した。金色の腕時計も、たぶんロレックスとか、その類なのだろう。

彼はソファの背もたれに寄りかかり、決して長くはない足を組んでみせた。

「今日は、どういったご用件で」

好意的、にはほど遠い口調だったが、そもそも刑事の訪問は歓迎される方が少ない。それだけをとってどうこうは思わない。

「ええ。九年前に、こちらの現場で事故死された、木下興業の三島忠治さんという方を、ご記憶ですか」

クリハラは肩をすくめ、口をへの字にして「知らない」と示した。

「ひょっとすると、そういう事故もあったのかもしれませんが、私がこの会社にきたのは四年前ですんでね。その頃のことは、ちょっと分かりかねますな」

「では、お分かりになる方に、お会いすることは可能ですか」

また同じ仕草で拒否を示す。

「誰が分かるか、それ自体が私には分からないので……まあ、少しお時間をいただければ、当たっておきますよ。現場から引き揚げてくるとしたら……早くても六時半か、七時とか、それくらいになるとは思いますが」

自分で話す気はまるでないらしい。ここはいったん、引いた方が得策か。

「では、お話しいただける目処がつきましたら、こちらにお電話いただけますでしょうか」

日下は自分の名刺に携帯番号を書き足して渡した。彼は手に取って眺め、そのまま名刺入れに納めた。代わりに自分のも一枚、抜いて差し出す。

中林建設株式会社、常務取締役、総務部長、栗原充。

軽く頭を下げ、日下は「ではまたのちほど」と言い置いて部屋を出た。栗原は座ったまま、見送りには出てこなかった。


しばらく、中林建設の出入り口が見張れる喫茶店で時間を潰した。だが、出入りするのはブリーフケースを提げたスーツの男ばかりで、これといって見るべきものはなかった。

「……なんだか、いい匂いのしない輩でしたね」

日下は笑ってすませたが、確かに栗原は、胡散臭いといえば胡散臭い男だった。

「里村さん。ちょっと、このまま見張っててください。私、少しパソコンを弄りにいってきますから。何か動きがあったら携帯に」

「ああ、はい……」

伝票を取り、会計をすませて店を出る。外から見ると、里村は窓辺で通りの向こうに目をやりながら、タバコに火を点けるところだった。

背を向けて歩き出す。風が幾分冷たくなっており、本意ではなかったがコートのポケットに手を入れた。

指先がタバコのパッケージに触れる。封を切って、そのまま一本も吸わずに持ち歩いている。ライターはない。あったら、いま自分は吸ってしまうのだろうか。

駅前まできて見回すと、三つほどインターネットカフェの看板が目に入った。見たところ、どれもすでに入会している店の系列とは違うようだった。どうせ新規入会になるのなら、あまり子供のいない落ち着いた雰囲気の店がいい。「個室完備」「禁煙席完備」「リラクゼーション」という文句がある、あの店がいいだろう。

看板の真下にある入り口から、階段で二階まで上がる。

「いらっしゃいませ。会員の方ですか？」

「いえ、初めてです」

手早く入会手続きをすませ、一時間半のコースを選び、すぐさま指定された番号のブースに入る。以前は使うかどうかも分からないノートパソコンを一日中持ち歩いていたが、こういう店が流行り出してからはそれもしなくなった。リップクリームほどの大きさのメモリースティックさえあれば、どこの店でも自分の仕事ができる。やたらと会員カードが溜まっていくのには閉口するが、それもノートパソコンの重さを思えばさしたる問題ではない。

眼鏡をかけ、まずインターネットブラウザを立ち上げて、自前で契約している企業データベースのサイトにアクセスする。次にメモリースティックをＵＳＢの差込口にセットし、自分のＩＤとパスワードをコピーして入力する。

ＩＤの認証が終わり、有料会員向けの検索ページが表示される。調べるのは、むろん中林建設だ。

社名を打ち込んでエンターキーを押すと、即座に企業データが表形式で表示される。その取締役の一覧にある個人名を、今度は一つひとつサーチエンジンで検索していく。同様の作業を、設立者や出資者、グループ企業の欄にある名前すべてに対して行う。連結子会社、関連企業も同様に調べていく。そこには、木下興業も入っている。

さらに関連会社の関連会社、関連会社の連結子会社、設立者がのちに興した会社、吸収合併した会社、あるいは社員を大量出向させて再生させた会社と範囲を広げていく。

小一時間そうやって調べていくと、徐々に企業同士の繋がりと、ある意図を持った「影」が見えてくる。

やがて日下は、決定的な名前を導き出すことに成功した。

――なるほどな。

田嶋利勝（たじまとしかつ）。

メモリースティックに入れてある自前の暴力団関係者データファイルでも確認したが、間違いない。大和会系三次団体、指定暴力団田嶋組の初代組長、田嶋正勝の弟だ。

たどり着いた名前からさかのぼって要約すると、つまりこの田嶋利勝の娘、美雪（みゆき）を嫁にもらった小川通夫なる人物が出資して作ったのが「株式会社ゼル」という建設会社で、債務超過でいったんは業務を停止したが、一級建築士でありゼルの常務取締役でもあった中林辰夫を代表取締役に擁立し、名前も変えて業務を引き継いだのが「中林建築事務所株式会社」という、中林建設の母体であるわけだ。ちなみに現在、中林建設の役員名簿に小川通夫の名前はない。だが三つほど、小川が代表取締役を務める会社「新東京興産」と役員名がかぶっている。関係は続いていると見ていい。

ここから何が分かるのかというと、要は中林建設が、大和会系田嶋組のフロント企業である可能性がある、ということだ。表向きは一般企業だが、田嶋組に利益を供与し、また組の手となり足となり、表社会で活動している疑いがあるわけだ。

――これはなんとしても、今日中に入り込んでおく必要があるな。

日下は携帯で捜査本部にかけ、今夜の会議には帰れそうにない、と今泉に伝えた。

夜八時になって、ようやく城南地区担当の井川という男に会うことができた。案内されたのは昼間と同じ二階だが、部屋はもう一つ奥だった。

「……なんですか、九年前の、転落事故のことって」

「ええ。木下興業の、三島忠治さん。ご記憶ですか」

一見普通の中年サラリーマンに見える井川だが、「朱に交われば赤くなる」の言葉通りか、栗原同様、あまりいいとはいえない態度をとる男だった。

「ああ、覚えてますよ」

「ちなみに、三島さんに、多額の借金があったことは」

一度だけ、顎を横に振る。

「さあね。それは知らないな。だって、木下の人でしょう？　そんなの、私が知るはずないじゃないですか」

「さきほど社内の案内図を拝見しましたところ、架設工事課という部署がありました。木下興業さんとは業務がかぶりますよね。そこのところ、どういったシステムになってるのですか」

井川は首を掻き、短く唸った。

「……まあ、確かに自前の部署もあるけど、それじゃ回らないこともあるんですよ。特にこういう仕事は、天気に左右されることが多いから。予定では上手く割り振れても、結局かぶっちゃうこともあるわけ。そうすると、足場の撤去だけ木下にやらせたり、手が足りないとき職人だけ借りたり……ま、そういう付き合いなわけ」

「なるほど。よく分かります」

ひと呼吸置き、場の空気をリセットする。

「……では、高岡賢一さんに関しては、いかがです」

井川は一度「たかおか」と呟き、すぐに表情を明るくした。

「ああ、高岡か。高岡の、うん、ケンちゃんね。こう、鼻筋の通った、色男のな。わりと背の高い。うん、覚えてるよ」

高岡の印象というのは、どうもその辺に集約されるようだ。

「……ケンちゃんが、どうかしたかい」

日下は「ええ」と受け流した。

「高岡さんがこちらを辞められたのは、いつ頃でしたか」

「ああ、それはね……えと、五年か、五年半くらい前だろうな」

「なぜお辞めになったか、ご存じですか」

井川は「うん」と軽く頷いた。三島の件と高岡は、彼の中ではまったくの別物なのだろう。

「うちがやるのは、ほら、けっこうでかいマンションとかビルばっかでしょう。もっと町場の、大きくてもせいぜい一戸建てくらいの、そういう仕事がしたいっていったんだよ、ケンちゃんは。そういわれちゃあね、仕方ないよね。そういう現場、うちじゃほとんどやんないから」

「辞めるとき、揉めたりはしませんでしたか」

背もたれに仰け反り、井川は「ないない」と大きく掌を振った。

「そんな、いちいち大工が辞めるのなんかで揉めないよ。っていうか、大工なんて定着しない方が普通なんだよ。そういった意味じゃ、何年かな、五、六年か、それくらいいたんだから、よくやってくれた方だよ。でも別にね……はっきりいって、マンションだのビルだのは、職人一人ひとりの腕が問われるアレでもないしね。正直、誰でもいいのよ。材料を組んで、ぶつけてくれれば。多少、人として付き合いやすい、にくいはあるけど、でも仕事だから……辞めるっていうなら、頑張ってねって、普通に、送り出すだけだよ。会社にくることもない、ほとんど現場でしか会わない職人連中とは、送別会とか、そういうアレもないし」

「なるほど。そうですか……」

多額の借金を抱えていた三島忠治は、この会社の現場で転落事故死をした。

彼の抱えていた借金は、その死亡保険金で相殺された可能性が高い。

この会社の大多数の社員は一般人なのだろうが、本質的には、田嶋組のフロント企業である疑いが強い。

この会社にいた高岡賢一は、死んだ三島忠治の息子の、親代わりになった。

そして、高岡賢一は——。

「どう、ケンちゃん元気？　ちょっと前に、川崎かどっかの現場で、偶然見かけたけど」

日下は「いえ」とかぶりを振り、井川の顔を真正面から見据えた。

「……高岡賢一さんは、お亡くなりになりました」

えっ、と漏らして絶句した井川の顔は、日下の経験則からすれば、嘘のない顔と見ることができた。むろん、それは事実でも結論でもない、単なる印象にすぎないものだが。

4

昨夜、日下は帳場に帰ってこなかった。

今朝の会議も、昨日三島耕介に事情聴取した内容や、高岡が以前勤めていた会社を訪問した結果などを、ごく簡単に報告しただけ。いつもがいつもなだけに、どうしても軽く流したという印象が拭えない。

——ひと晩、何やってたのかしら……。

マシンガン報告は確かに迷惑だが、かといって急に黙り込まれると、ひどく不安な気持ちになる。何か重大なネタをつかみ、それを一人で抱え込んで温めているのではないか。自分が知ったときには、もうどうにも絡みようのないところまで話は進んでいるのではないか。そんな焦燥感に駆られる。

——そりゃ、似たようなことは、あたしもするけど……。

結局、自分にそういう考えがあるから他人を疑いたくなるのかな、などと、柄にもなく自虐的な発想で落ちがつく。

「ほな、ぼちぼちいきまっか」

「……そうね。いこうか」

昨日買ったばかりのダウンジャケットに袖を通す。後ろの席にいた菊田は、挨拶もせずに背を向け、すでに出口へと向かっている。

——何よ。何も、いま素っ気なくしなくたっていいじゃない。

そもそも、井岡と組んでいるのは玲子の意思ではない。さらにいえば井岡が自分に言い寄るのも、昇進して菊田と同じ階級になったのも、玲子自身にはどうしようもないことではないか。そこで二人が小競り合いをし、止めたからといって、まるで玲子が井岡の肩を持ったように思うのは、あまりに子供じみてはいないか。

——まったくもぉ……。

すっかり支度を整えた井岡は、相変わらず腰をくねくねさせながら玲子が歩き出すのを待っている。

——どいつもこいつも……。

コーチのバッグを掴み、出口へと踏み出す。

まあなんにせよ、手っ取り早くこの事件を解決して本部を解散させれば、すべての事態は丸く収まるはずだ。

今日からは足立区南花畑で、高岡賢一の過去について調べる。

だが現地についた途端、玲子は愕然とした。

「ここ、のはず、よね……」

「あちゃあ……こらあかんわ」

住民票の履歴にある、以前高岡が住んでいたという住所には、すでに十四階建てのマンションが建っていた。

周辺の建物も比較的新しい。この地域に、十二年前の高岡賢一を知る人物が、一体どれほど残っているかは疑問だ。

まず、マンションの管理人室を訪ねてみる。管理人は、六十代と思しき痩せた男性だ。顔を見ていると、田舎家の軒先に吊るされている沢庵を思い出す。

「すみませんねぇ。私もここに、三年前に越してきたもので、古いことは……」

「では、この近所で、わりと古い住人の方というのは」

「どうでしょう。その道を左に少しいった辺りにある、床屋さんなんかは、古いみたいですけどねぇ」

早速(さっそく)いってみる。だがどう見ても、四階建てマンションの一階部分に組み込まれた店構えは新しく、かつ綺麗でお洒落だった。入ってみると、やはり店主も三十代前半と若い。

「十二年前ですか……ちょうどその頃、僕は新宿の方の店に修業にいってまして、ここにはいなかったですね」

「じゃあその頃、このお店はどなたが」

「親父です。もう六年前に亡くなりましたけど」

「そうですか……では、お母様は」

「その二年後に」

「では、そこのマンションが建つ前にいらした、高岡さんというお宅は」

「んん……ちょっと、分からないですね。自宅は、竹の塚の方なので」

そこで紹介してもらったのは、七軒先の不動産屋だった。だが、

「ごめんねぇ、いま社長留守なのよ」

事務のオバサンしかおらず、空振りだった。

「……でも、二丁目のマルゼンさんなら分かるかも。小学校の向かいの不動産屋さん」

しかし、徒歩五分のそこは事務員すらいない、完全な留守だった。

「死んでますな、この町は」

「そういうこといわないの」

小一時間町内を歩き回っても、なかなか当たりが出ない。

仕方なく四丁目の交番までいって、巡回連絡カードを見せてもらうことにした。地域住民の家族構成から生年月日まで、よく調べてあれば有益な情報源になるはずの資料だ。しかし
――。

「あんまり、マメに回ってないみたいですね」

「……すみません」

立番をしていた四十代の巡査長は、顎を出してつまらなそうに詫びた。

「とりあえず、近所の不動産屋さん、あるだけピックアップしてちょうだい」

はいそれなら、と急に元気になる。

「ここが、吉沢不動産」

「そこはもういきました」

「じゃあ……ここ。有限会社マルゼン」

「留守でした」

「えっ……じゃあ、あとは、ここ。鈴木不動産販売」

そこは、いってない。井岡が即座に住所を控える。

「あとは?」

「あとは……ここかな、三光住販。でも、だいたいこんなもんですよ」

「分かった。ありがと」

三光住販の方が近いので先に回ってみたが、わりと大きな会社の支店らしく、残念ながら十二年前から異動していない社員は、一人もいないということだった。

だが、ようやく最後に当たりが出た。

「……ああ、あのマンションね。よく知ってますよ」

鈴木不動産販売。恰幅のいい、五十絡みの社長はその名も鈴木太一。彼は、実に得意げに話をしてくれた。

「グリーンタウン南花畑でしょ。あそこはね、けっこう立ち退きで揉めたんですよ。当時は古い商店もけっこうありましてね。あとアパートだとか」

玲子は店内を見回してみた。

「ちなみに、十二年前の地図とか、まだお持ちです？」

「ええ、もちろんありますとも」

「この住所がもとはなんだったか、お分かりになりますでしょうか」

手帳にある、高岡が住んでいた住所を見せると、鈴木はスチールの書棚から大判のファイルを取り出し、おもむろに開いてみせた。

「そこはね……ああ、高岡屋さんだ」

「ご商売を、されていたのですか」

「ええ。タバコと駄菓子ですよ。あと、ちょっとした玩具とか。終いの方は、あんまり流行ってなかったけど」

南浦和の実家近くの、よく通った駄菓子屋をイメージしてみる。

タバコを売る窓口が入り口脇にあって、店先にはカラーのゴムボールが入った袋とかが下がっていて。店内の照明は蛍光灯で、箱入りの、仮面ライダーのベルトとかも売ってるのに、ふ菓子とか酢イカとか、スナック菓子とかも売っている、つまりああいう店だろう。玲子はザラメのついた、大きなアメ玉が好きだった。あと酢昆布。妹の珠希は酢昆布が駄目で、きな粉アメをよく買っていた。

「……なんでもけっこうです。その、高岡屋さんについて、お教えいただけますか」

鈴木は頷き、だが思い出したように席を立った。どうやらお茶を淹れてくれるらしい。

「恐れ入ります」

「すんませぇん」

これはちょっと、長めの話が期待できそうだ。

果たして鈴木は、熱い茶をすすりながら、遠い目で語り始めた。

「……ご夫婦でね、お店をやってらしたんですよ。私の父親が、ここで商売を始めた頃からいらしたというから、今からですと五十年とか、それくらい前からやってらしたんだと思いますね。なんたって、私も子供の頃に買いにいってたんですから。古いですよそりゃ」

そこからはちょっと脱線して、駄菓子トークになってしまった。

どうも駄菓子というのは、あまり進化のないジャンルらしい。鈴木が当時買ったものと玲子が子供の頃に買ったのとを比べても、単価の差こそあれ、ラインナップはさして変わらないようなのだ。

「今でもサンシャイン60とかにありますな、駄菓子専門店」

また、井岡が余計なことをいうものだから、なかなか本題に戻れない。

「妙に美味かったよね、すもも」

「ええ、舌が真っ赤になりましたわ」

へえ、関西も同じなんだ、と玲子がはさむと、

「なにゆうてますの。ワシ、生まれは東京ですがな」

意外な事実が判明した。

——ですがなって、知らないわよそんなこと。

そんなこんなしているうちに、自然と話題はもとに戻った。

「……で、マンションの建設話が持ち上がって、ぼちぼち立ち退きが始まったのが、あれはうちの子が中学に上がる頃だから……十五年か、それくらい前ですよ」

「さっき、だいぶ揉めたと仰いましたが」

「ええ。バブルも終わった頃だったけど、まだそういう意味じゃ、えげつない嫌がらせも横行してましたよね」

えげつない嫌がらせ。なかなか、興味深い言い回しだ。

「たとえば、どんな」

「水道の元栓曲げられたり、ペットの目ぇ潰されたり。ひどいのなんか、高岡屋さんの二軒

向こうのお蕎麦屋さんね。真実は定かじゃないけど、食中毒出されちゃって、閉店に追い込まれて。被害に遭ったのが、その建設会社の関係者だったとか、そこに卸してる肉屋を抱き込んでやらせただとか、悪い噂は色々ありました」

確かに、昨今はめっきり少なくなったが、十五年前なら、まだそういう地上げ屋は暗躍していたかもしれない。

「その建設会社、どこだかお分かりですか」

「ええ。ナカバヤシ建設って会社ですよ。品川だか、あの辺りの」

はて、どこかで聞いたことのある名前だが。

――ナカバヤシ建設……あら？

高岡の以前の勤め先が、確か、中林建設とか、何かそんなことを、日下が今朝の会議でいってはいなかったか。

「その会社に、高岡屋さんも嫌がらせを受けていたのでしょうか」

鈴木は、うぅんと口を尖らせた。

「どうでしたかなぁ。それよりもう、だいぶ前に旦那さんは亡くなられてまして。奥さん一人でしばらくはやってましたけど、まもなく閉めちゃいましたから。でもう、そのマンション騒ぎの頃には、奥さんも亡くなってたんじゃないかなぁ……うん。奥さんのお葬式のとき、まだお蕎麦屋さんはやってたから、そうですね。高岡屋さんの奥さんは、あの騒ぎは知らずに、亡くなられてますよね」

「でも、息子さんがいらっしゃいましたよね」

「おや、よくご存じで」

「賢一さんという」

「いや、名前はちょっと、記憶にないですが」

苗字と繋げて名前を呟くが、鈴木にはどうしても思い出せないようだった。

「息子さんは、駄菓子屋さんを継がなかったんですか」

「ええ……ですね。まあ普通、継がないでしょう。周りにはコンビニだってあるし、子供は少なくなるし。タバコだって販売機があるし。彼は大学を出て、サラリーマンやってたんじゃないかな」

なんと。高岡賢一は大学出で、しかも大工の前にサラリーマンをやっていたのか。

「それは、なんの会社でしたでしょう」

まさか、中林建設――。

「ええとねぇ……ガス会社、だったかな。……いや、それはその、蕎麦屋さんの子だったか。ちょっと、定かではないですね」

「そうですか。今この辺りにいる方で、その辺の事情を詳しくお分かりになる方、いらっしゃいませんか」

ふいに鈴木は、内ポケットに手を入れた。取り出したのは名刺サイズの電卓だ。

「……刑事さんは、その高岡さんの息子さん、今いくつになるか、分かりますか」

「今年、四十三歳です」

「四十、三……と」

太い指で、小さなキーを器用に叩く。

「私よりはだいぶ下だけど……でも、そのくらいの年で地元に残ってるのも、何人かはいますから。新聞屋の娘とか、花屋の息子とか。そこら辺ちょっと、なんなら私が当たっておきますよ。上手いこと同級生がいるかは分からないけど、でも一つ二つ違っても、近所なら一緒に遊んでて、知ってるかもしれないし」

「そうですか、そうしていただけると助かります。ありがとうございます」

玲子は自ら名刺を出し、自分の携帯番号を書き添え、何か分かったら連絡をくれるよういって渡した。鈴木は両手で受け取った名刺を、しげしげと見つめた。

「姫川さん……なんとかって女優に似てるなぁと、さっきからずっと考えてるんだけど、どうも名前が、思い出せないんだよねぇ」

では、次にお会いするまでに思い出しておいてください、と返し、玲子は暇を告げた。

次回、彼が有名な美人女優の名前を挙げることを、切に願う。

バスで竹ノ塚の駅まで戻り、ランチだかおやつだか分からない時間になってしまったので、ミスタードーナツを探して入った。玲子はエビグラタンパイとショコラフレンチ、にアメリカンコーヒー。井岡はフレンチクルーラーだの、ダブルチョコレートだの——。

「……やだ男のくせに。そんな甘いのばっかり、五つも」

「なにゆうてますの。ドーナツは甘いもんでっしゃろ」

二人席は無駄に親密な雰囲気を醸し出すので気が進まなかったが、仕方ない。時間が時間なだけにけっこう混んでいる。玲子は、せめて話に聞き耳を立てられぬよう、隣席のない窓際のテーブルを選んで座った。

「これイケまっせ。半分こしまっか」

「けっこうです」

しかし——。

被害者の高岡が、駄菓子屋の息子とは意外だった。しかも大学出で、一時期サラリーマンをやっていたとは。

「……高岡は、大学を出て、何年サラリーマンやったのかしら。そもそも職人仕事って、一年やそこらじゃ身につかないものでしょう？　脱サラして大工さんって、けっこう変わったチョイスよね」

ひと口、コーヒーを口に含む。

井岡は、すっかりドーナツに夢中だ。

「しかも、自分とこを地上げした会社にのちのち就職するって、ちょっと変よね。ペットの目ぇ潰したりした会社よ？　二軒先の蕎麦屋さんに食中毒仕込んで、閉店に追い込むのよ？　そういう実態知ってて、就職なんてするかしら」

「……でんなぁ……」

玲子もパイを手に取った。

「……やっぱり、あれかしらね……バックに筋モンが……いるのかしらね……」

すると、ふいに井岡は食べるのを止め、頷くようにして口の中身を飲み込んだ。顔を前に出し、声をひそめる。

「……主任、知りまへんの」

「え、何を？」

ああ、エビグラタンパイって、やっぱり美味しい。

「中林建設って、田嶋組の、企業舎弟でっせ」

ひと口頰張ったあとでよかった。口が空だったら大声をあげていた。

「んッ……そうなの？」

「はいィ」

「なんであんた、それ会議でいわないの」

「いやぁ……みなさん、ご存じなんやろなぁと」

バカ。あんたって、ほんとにバカ。

「やーね。そう思っても、一応いうのよ」

「そんなぁ……知ったかぶりして発言して、そんなん知っとるわァて、日下主任にでも突っ込まれたらイヤやないですか」

「そういうときは、ご存じとは思いますが念のため、とか、前置きしていうのよ」

「はっはぁ、なるほどぉ。さすが玲子主任ですわ」

疲れる。ものすごい徒労感が、肩から背中にかけて伸し掛かってくる。

「……っていうか、間違いないの？　その、中林が田嶋のフロント企業だってのは」

「ええ。品川署の組対（組織犯罪対策課）にいる同期と飲んでて、そんな話が出て、そうなんやぁ思て聞いてたんですわ。なんでも、中林不動産とか、中林住宅販売とか、ホテル関係も手掛けてて、グループとしてはそこそこやっとるらしくて。そやから、あの土地の買収で無茶やったんは、中林建設やなくて、中林不動産の方なんとちゃいますかね」

そこまで知ってて、あんた――。

「……他にはないの。もうとぼけてること、いいそびれてること、ない？」

「ありまっせ。玲子主任は、今日も綺麗やなぁ、可愛いなぁて」

ああ。このパイを、思いきりその顔面に押しつけてやりたい。

5

玲子が捜査本部に帰ったときには、すでに日下も戻っていた。報告書を書いている最中のようだった。

姫川班では、石倉と湯田が戻っていた。

「……いかがでしたか。南花畑は」

「ああ、ありがと」

「すんまへん。いただきますぅ」

石倉がお茶を淹れてきてくれた。むろん、いつもではない。自分が飲もうとしていたところにたまたま玲子たちが帰ってきたから、ついでに、だったのだろう。

玲子とて、気がつけばお茶くらいは淹れる。女だってだけでお茶汲みをさせられるのはゴメンだ、などとは思っていないし、ベテランを顎で使っていい気になる趣味もない。そこら辺は、できるだけ柔軟に考えるようにしている。

「……まあ、過去については色々分かったけど、でも、この案件と関係あるかは、まだ分かんないわね。そっちは？」

石倉組は、高岡の仕事関係を当たっている。

「塵(ちり)一つ出ませんな。他の業者への金払いもよく、仕事も手抜きなんぞ一切しない、誠心誠意がモットー、といったふうです。三島耕介も好青年で通っており、二人は親子以上に仲がいいというのが、もっぱらの評判です……なんで殺されたのやら、皆目(かいもく)です」

そこに、菊田組が帰ってきた。彼らも仕事関係を担当している。

「お帰り。お疲れさま」

「……ども。お疲れす……」

挨拶をしても、こっちを見もしない。

正直、げんなりだ。

「……菊田、ちょっとおいで」

袖をつまんで引っぱると、うな垂れたまま「はあ」と答える。ついてこようと腰を上げた井岡には、指差し下命。

「あんたはそれ、続き書いといて。標準語で」

捜査報告書を押しつけておく。

出口に歩き始めると、菊田は黙ってついてきた。

さて、どこがいいだろう。営業が終わっているとはいえ、この階の食堂では人の目がありすぎる。でも今日は土曜日。確か柔剣道の稽古はないはず。

玲子は階段を上がった。菊田もちゃんとついてくる。

七階。案の定、保健室と柔剣道場が占めるこのフロアに人影はなかった。足音をたてるのが申し訳ないほどに静かだ。玲子は暗い道場の入り口まで進み、一礼して中に入った。

簀子(すのこ)が敷いてある下駄箱の前で振り返る。菊田の表情は影になっていてよく見えない。だが逆に、玲子の顔はちゃんと見えているはずだった。

「……どういうことなの」

影は、黙ったままだ。

「どうして、そういう態度になるの。何が気に入らないの」

応答、なし。

「あたしにどうしろっていうの。井岡のあの調子は……あなただって三回目なんだから、もう、そういうもんなんだって諦めなさいよ。それとも、あたしがアレで喜んでるとでも思ってるの?」

荒い鼻息。水牛か。

辺りには、汗の染み込んだ剣道具の臭いが充満している。たぶん、すぐ後ろが置き場になっているのだろう。

道場の向こう。通りに面した窓の下には、布団がいくつも山になって積まれている。その白が、ぼんやりと薄闇に浮かび上がっている。本部の、男性捜査員が使う布団だ。ちなみにこの二日、玲子は近くのカプセルホテルにいって仮眠をとっている。

表通りは赤信号か。急に車の騒音がやんだ。

とりあえず、やるだけでも、やってみるか。

「……キスしたら、機嫌直す？」

聞こえなかったのか。いや、この距離でそれはあるまい。

「キスしたら、機嫌直してくれますか」

まだ黙ってる。直立不動。

――まったく……。

玲子はその逞しい肩に両手をかけ、背伸びをし、した。

蒸かした、サツマイモの皮のような感触だった。

ぐるりと、菊田の喉が鳴る。

「……すいません」

手を放し、玲子は肩をこするようにして、彼の横をすり抜けた。抱きすくめられるのなら、それでもいいと思っていた。でも、それはなかった。

「……いくわよ。菊田巡査部長」

「はい」

明るい廊下に出る。二人分の足音が、心地好く辺りに響く。

「菊田」

「はい」

「……バカ」

「はい」

歩を早めると、ちゃんとついてくる。

階段を駆け下りると、同じリズムで追ってくる。


会議はすぐに始まった。

まずは、昨夜欠席した日下の報告からだった。

「今朝、一応簡単にはしましたが、改めて、第一発見者である、三島耕介の事情聴取について報告します」

高岡工務店の普段の業務内容から、最近の諸事情まで。いつもの、細大漏らさぬマシンガン報告の復活であった。

川崎の現場、キッチンリフォーム、見積り、三島一人では仕事にならない。集金トラブルはあったようだが、いずれも少額。補塡は高岡本人。三島に日当は支払われていた。手首は傷跡を見て断定。その怪我をした場面も三島は目撃――。

話は、三島と高岡の出会いへと続いていった。

「……九年前、木下興業株式会社に勤務していた三島忠治は、九階の架設工事中に足場板を踏みはずし」

思わず、井岡と顔を見合わせた。

確かに今朝の会議で、高岡の、以前の勤め先が中林建設であることは聞いていた。ノートを見たらそう書いてあった。だが、三島耕介の父親の勤め先までは聞いていなかった。

他の何人かも気づいたのだろう。にわかに辺りがざわざわし始める。

玲子は、日下がひと区切りつけたところで挙手をした。

「……姫川」

上座の今泉がこっちを指す。玲子は立たずに「はい」と答えた。

「日下主任は昨日戻られなかったのでご存じないでしょうが、中川美智子の父親も、その木下興業の現場で転落事故死しています」

日下がこっちを向く。眼鏡のレンズに蛍光灯の白が映り込む。

数秒の、沈黙。

いうべき言葉が、見つからないようだった。

二十歳と十九歳。大工と、美容師を目指すファミレス店員。ごく普通の、彼氏彼女の関係と思われた二人の父親が、時期こそ違うが、同じ会社で同じように、転落事故死していた――。

「……すまん。昨日の資料に目を通す時間がなかった。中川美智子の父親は、いつ亡くなった」

「ふた月前です。木下に入ったのは、そのちょっと前だそうです」

「彼女は、三島耕介とどうやって出会ったといっている」

玲子はノートを手前にめくった。

「えっと、お店によくきてくれていて、年も近いので、なんとなく喋るようになって、友達になったと」

「そうか……三島も、ほぼ同じようにいっている」

日下は前に向き直った。

「ただ、川崎の現場からの帰りに立ち寄ったのがきっかけ、と三島は説明しましたが、この供述には疑問が残ります。川崎方面から帰ってくると、ロイヤルダイナーは反対側の車線になります。三島は、もともとロイヤルダイナーが好きなのだと言い張りましたが、声を荒らげ、他の話のときとは明らかに違う態度を示しました」

今泉は腕を組んでふんぞり返った。

「……それを、お前はどう見る」

日下は下を向き、長く息を吐き出した。

「この情報にいくつの嘘が含まれているのかは、現時点では特定できません。ですが少なくとも、二人の出会いがまったくの偶然であるというのは、事実ではないのでしょう。同じ会社の社員の子供同士が付き合う……そこまでは、まああるでしょう。しかし、勤務年度がずれているにも拘わらず、共に同じ会社で転落事故死した二人の人間の子供が、ファミリーレストランという任意の場所を出会いの場として交際を始めるというのは、あまりにできすぎています」

「だから？」

今泉は、たまにこういう意地悪をする。避けようとする日下から、印象や憶測を無理やり引き出そうとする。

「……そこには、ある一定の意思が働いた可能性があります」

「意思とは誰のものだ」

「現時点では分かりません」

「考えられるとしたら誰だ」

日下が奥歯を強く嚙む。

だが、玲子もときどき不思議になる。どうしてこの人は、こうも頑固に予断というものを排除したがるのだろうと。

「……二人のどちらか、というのでいえば、三島の方が濃いでしょう。むろん、二人以外という線もあります。それについては見当もつきません」

「分かった。続けてくれ」

日下は咳払いをし、眼鏡のブリッジを押し上げた。

「三島が高岡から仕事に誘われたのは、中学を卒業する少し前。高岡はその当時まで中林建設に勤めてい……」

そこで、

「はいッ」

いきなり井岡が手を上げた。

──あ、バカ。

いくらなんでも、発言の途中というのはマナー違反だ。特に日下に対してはマズい。

案の定、彼は目つきを険しくしてこっちを向いた。

「なんだ。まだ発言の……」

よせばいいのに、井岡は手をそのままにして立ち上がる。

「いやし……しかしッ、ごご、ご存じとは思いますがッ、中林建設は、田嶋組の、企業舎弟でありますッ」

しかも文脈めちゃくちゃ。挙句(あげく)、二度目も日下の発言にかぶせた。

──もうちょっと、空気読もうよ……。

巨大な沈黙。しかも重く、ひんやりと冷たい。油粘土に閉じ込められたら、ちょうどこんな気分になるのかもしれない。

井岡の右手は、依然虚しく上げられたままだ。

「……だから、それを俺が、今から報告しようとしてるんだ」

「へ？」

「中林が田嶋のフロントであるという情報はこっちも掌握している。それについてこれから報告をするんだ。いいたいことがあるなら、最後まで報告を聞いてからにしろッ」

「はひっ……」

ああ、井岡が萎んでいく。元気よく湯気に踊っていたかつお節に、汁が染みていく様によく似ている。

「……しゅみましぇん」

しかも泣き顔。でも笑ってはいけない。なにしろ、発言をけしかけたのは他でもない、玲子なのだ。

「続けます。いま申し上げた通り……」

日下は、中林建設及び中林グループが、大和会系田嶋組の初代組長、田嶋正勝と縁戚関係にある小川通夫の資本によって作られた会社であることを指摘した。

「現状、木下興業の立ち上げや運営に、小川資本が投入された事実は確認されておりません。しかし、架設工事を発注するという通常取引においても、中林建設が木下興業に何かしらの力を持つことは充分に考えられます。決算報告書等は確認できていませんが、年に三件ないし四件、マンションの架設工事を発注しているという証言は、中林建設に出入りしている土木資材卸業、チバコウザイの社員、ムライセイイチ三十九歳、他数名からも得られています。

一方、三島耕介の父、九年前に転落事故死した三島忠治は死亡時、一千二百万円の生命保険に加入していました。受取人は木下興業、掛金を支払っていたのも同社です。これは当時、転落事故を検証した高井戸警察署刑事課の資料によるもので、以下も同様です。三島忠治は十三年前、つまり死亡する四年前に自己破産をしています。以後も生活は安定せず、いわゆる闇金融に手を出し、死亡前には借金が一千万弱にまで膨れ上がっていたという話です。

この債権を最終的に引き取ったのが、田嶋組系の金融業者であるジョイクレジット株式会社です。現状、このジョイクレジットと木下興業の関係は確認できておりません。しかし品川の児童養護施設、品川慈徳学園に引き取られた三島耕介のもとに、高岡以外の訪問者は特になかったということです。現園長、清水規子の証言です。また警察も、三島忠治の借金は保険金で相殺(そうさい)されたようだ、というような話を清水にしたようです。残念ながら、その警官が誰であるのかは本日のところ特定できておりません」

たった一回会議をすっぽかすだけで、どうやったらこれだけのことが調べられるのだろう。

──ほんと、ようやるわ。

しかし、三島耕介と中川美智子双方の父親が、同じ木下興業で転落死しているというのには驚いた。しかも三島忠治の件では、木下に死亡保険金詐取の疑いまである。

ふいに、橋爪管理官が机に身を乗り出した。

「……日下。あんたは一体、何を調べてるんだ」

日下が眼鏡をはずす。

「何といわれましても、第一発見者である三島耕介のアリバイ、それを証言する中川美智子との関係、及びマル害と三島が出会うきっかけとなった、三島忠治の死亡に関することですが」

「それは、高岡賢一殺しと、直接関係があるのか」

「分かりません」

「そんな、分からんものまで逐一調べる必要はないだろう」

「分からないから調べるのです。無駄なことをしているつもりはありません」

似たような論議は、今までに何度も繰り返されてきた。今日もまた、その再放送になるのか。

「しかしなぁ、見るもの触るもの、手当たり次第に全部調べてたら、いくら時間があっても足りんだろう」

「他の報告と比べて、特に私の組の捜査が遅れているとは思えませんが」

「あんたの捜査能力をもってなお対象を絞り込めば、もっと早く先に進むこともできるだろうといってるんだよ」

「私なりに絞り込みはしています。現に、品川慈徳学園園長の過去までは調べておりません」

「同じだよ。よしんば三島忠治の死亡に保険金詐取の疑惑があるのだとしてもだ、九年前ではもう時効が成立しているだろう」

「それの立件が狙いではありません。本件との因果関係がないかを調べているだけです」

「第一発見者の父親の、九年前の事故死がか？　あんた、本気でそんなこと考えてるの」

「むろんです。関係がないと断定できる材料が見つかるまで、この線から手を引くつもりはありません」

他四十数名の捜査員は完全に置き去り。横目で見た講堂下座には、十本以上「早く進めてくれ」の狼煙（のろし）が上がっている。

前を向くと、今泉と目が合った。頷いた彼が、咳払いで割り込む。

「……報告はまだあるか、日下」

「はい。中林建設の総務部長、クリハラミツルと、城南地区担当のイガワヒデヒコに面接した報告が」

「それ、続けてくれ」

そこからまた、マシンガン報告が再開された。

三島忠治については二人ともよく知らず、高岡については井川がよく覚えていた。辞めたのは五年半くらい前、それまで五、六年勤務していた。特に中林と高岡の間に揉め事はなかった――。

「……本日は、以上です」

はい、充分です。もうお腹一杯です。

「何か質問は」

ないない。

「では次、溝口巡査部長」

「はい」

立ち上がる溝口の横顔にも、若干呆れの色が見てとれる。

「ええ……昨日に続き、高岡賢一宅の家宅捜索で押収した品を当たりましたが、これといって目ぼしい収穫はありませんでした。高岡は普段、ほとんど現金で商売をしていたらしく、口座に仕事関係から振り込みがあっても、翌日には全額引き出し……要するに、口座は単なる郵便受けのような有り様でした。残高は二万三千円ほど。電気料金その他もすべて手作業で振り込みしていたらしく、金の動きはまったくといっていいほど摑めません」

溝口は早々に切り上げ、遠山巡査部長の報告に移った。

「こちらは、大きく……動きがありました。と、いいますのも」

よほど自信があるのだろう。やけにタメが長い。

「……高岡の住居周辺を営業範囲に持つ生保会社、十二社の支店を回ったところ、アクト生命大森南支店に、高岡を被保険者とする契約があることを確認しました」

講堂の空気に小波が起こる。姿勢を正すスーツの衣擦れ。耳が目が、一斉に遠山に向けられる。

「しかも、ふた口。二件とも四年半前に契約されたものです。一つめの、死亡保険金一千万円の受取人は、三島耕介。もうひと口の方は五千万」

耳の痛くなるような沈黙。

五千万とは、ちょっと見過ごせない金額だ。

「受取人はナイトウキミエ。ウチのフジの内藤に、君のキミ、江戸のエ、内藤君江。四十九歳です。足立区北千住で居酒屋を経営する、一人暮らしの女性です」

足立区といえば南花畑。高岡の実家があった区だ。東京でいえば城北地区。現住所の大田区よりはかなり近い。

眉をひそめた今泉が人差し指を立てる。

「高岡とはどういう関係だ」

「それは、まだ分かりません。ですが少なくとも、血縁者ではないようです」

「店と住居はどんな感じだ」

「はい。カウンター六席、小上がりの座敷にテーブルが三つ、二十人でいっぱいの店です。従業員はなし。君江一人で切り盛りしているようです。その二階部分が住居です。店の評判は上々で、昼は定食をやるのですが、一時頃まではけっこう一杯の状態でした」

今泉がニヤリとする。

「食ってきたか」

「はい。今日はブリの照り焼きと筑前煮のような煮物、味噌汁にお新香、ご飯です。……けっこう濃いめの、いい味でした。近所のサラリーマン、職人系が常連のようです。夜は分かりませんが、焼酎のボトルキープもありましたし、まあ、繁盛しているのではないでしょうか。不動産屋の話では、持ち家だということでした」

「まだ、触ってないな」

遠山が頷く。

「はい。今日のところは、一見客(いちげんきゃく)を装いました。……おおむね、そんなところです」

「よし。内藤君江には明日から行確（行動確認要員）をつける。では次、新庄巡査長」

「はい」

そこからあとの二人は、あまり収穫がないようだった。

ようやく、玲子に順番が回ってくる。

「こちらは本日から、高岡賢一の以前の住居周辺で聞き込みを始めました。残念ながら現在……」

当該地にはマンションが建っており、十二年前以前の高岡を直接知る人物とは接触できなかった。だが古くから地元で不動産業を営んでいる男と話ができ、協力してもらえることになった。両親は駄菓子屋を経営。だが高岡は継がずに大学卒業後、就職。両親が亡くなってからマンションの建設話が浮上。立ち退きに際して住民とトラブルがあったらしい――。

「そのマンションを手掛けたのは中林建設ですが、立ち退きに関しては、中林不動産が中心になったとも考えられます」

幹部、その他捜査員たちの反応は、微妙だった。

中林グループの関与はむろん強い関心事だが、日下の報告のあとではインパクトが弱い。

今泉が玲子を見上げる。

「その後、高岡は中林に就職する……それも妙な話だな」

「はい。日下主任の報告からしますと、高岡が中林を辞めたのが五年半前、勤務が五年か六年ということでしたから、どちらにせよ南花畑の土地を立ち退いてまもなく、高岡は中林建設入りした勘定になります。その辺りの経緯は明日以降、明確にしていきたいと思います」

「以上か」

「はい」

「……何か、質問はあるか」

特に、なかった。

第三章

1

あの夏の夕方。

カーテンゲートの大きな日陰。

清掃された、水浸しの地面。

補強用に敷かれた、分厚い鉄板。

そこに佇(たたず)む耕介に、私はいった。

目が、お父さんによく似ている——。

だが、真に心にあったのはそんな思いではなかった。

私は彼に、かつての息子の姿を見ていた。当時耕介は十一歳。私の記憶にある息子は五つのままだったが、それでも重なる部分は大きかった。

丸みを帯びた幼い顔。見上げることしか知らないつぶらな瞳。小さな肩。よく焼けた肌。

駆け回るためだけにある脚の筋肉。裸足(はだし)にスニーカー。

私はこみ上げるものを押し殺し、彼の前にしゃがんだ。そして努めて、明るい声で続けた。

自分は、君のお父さんの友達だった——。

実際は、そんな綺麗なものではなかった。私は傍観者であり、共犯者であり、自らの保身に走った裏切り者ですらあった。

そんな自分が、被害者である彼に善人を装って何をしようというのか。食事？　そんなことをしてどうする。いっとき腹を満たしてやればそれでいいか。気がすむか。そんなことで、幾多の罪や罰から自らを遠ざけられるとでも思っているのか。

それでも、耕介と過ごす時間は、私にとっては至福の時だった。

人込みの中で、はぐれないよう握った手の感触。何がいいと、メニューを差し出しながら交わす視線。美味いな、美味しいねと、同じものを味わう喜び。遊園地の、順番待ちの退屈。着ぐるみとの記念撮影。電車の中の寝顔。背中の重み。肩越しに聞いた寝言。父ちゃん——。

心が震えた。私は、再び生きる喜びを得た。

この子に、他に何をしてやれるだろう。

日々、考えるようになった。

他に何か。金以外の、もっと大切な何か。かつての私がなし得なかった、失ってしまった何か。

墓場に見えた灰色の都会が、次第に彩を帯びるようになった。一週間という単位が、ただの七日以上の意味を持つようになった。一日という時間を、愛しく思うようになった。休日が空白ではない、褒美と新たな始まりという明確な区切りになった。

夏の暑さに笑い、冬の寒さに笑った。自分が新たな日々を生きることに後ろめたさがなかったといったら嘘になる。だが人は、罰だけでは生きられない。赦されぬ罪だけで前に進むのは、もう限界にきていた。

私は知ってしまった。いや、思い出したのだ。

頼られる喜びを。必要とされることの充実感を。

だからこそ、もう失敗はしたくなかった。この子を守ろう。この子が生きるために必要なもののすべてを与えよう。金は、悲しいかなやれない。だがそれに代わるものなら、あらゆるものを差し出そう。

だからその代わりに、少しでいい。ほんの少しだけ、この罪深き男に、生きる喜びを、分け与えてくれ――。

それは、私が六年世話になった中林建設に辞意を告げ、最後になる中野のマンションの、ちょうど床貼りをしているときだった。

「……たっかおっかさん」

小馬鹿にするような調子で呼ばれ、振り返ると、あの男が入り口に立っていた。

木下興業の総務係長、戸部真樹夫（とべまきお）。工事現場には不似合いな、黒のロングコートがトレードマークだった。同じ色をしたエナメルの靴が、硬い足音をたてて近づいてくる。

私は相手をせず、釘打機の銃口を床板の実（さね）に当てた。

トリガーを引く。一本、また一本、釘が打ち出される。ドラマに出てくるサイレンサー付きのピストル。あれによく似た音がする。

「……あんた、中林、辞めるんだって？」

ふいに、釘打機に圧縮空気を送るコンプレッサーが唸り始める。

「俺から逃げようったって、そうはいかないよ……高岡ちゃん」

甘えるような声。入り混じる狂気。

私は、心の内で舌打ちした。

「聞いてんの。た、か、お、か……賢一、さん」

打つ、打つ、打つ。撃つ、撃つ、撃つ。

「せっかく職まで世話してやったのにさぁ、その俺に挨拶なしって、ちょっとそれ……水臭いんじゃない？」

私はトリガーをロックし、その場に釘打機を置いた。

コンプレッサーは唸り続けている。

私は立ち上がり、姿勢を正した。

「……色々、お世話になりました。このたび、中林建設を退職し、独立……」

「ザケんなアオラッ」

戸部が足元に置いてあった灰皿代わりの空き缶を蹴る。クリーム色をした石膏ボードの壁に、黒いシミと、ほんの小さな凹みができる。

「あんたはよ、俺の許可なしに勝手に生きちゃいけない人間なのよ。分かるでしょう。あんたは、高岡賢一なんだからよ」

「……分かってます」

バックします、ご注意ください、が窓の下で繰り返されている。

「別に、逃げようとなんてしていません。ただ、もっと小さい現場で、地に足をつけて仕事をしたい。そう思っただけです」

「ヤサは。引っ越すんだろ」

「いえ、引っ越しはしません。今までのところにいます」

戸部の周囲に渦巻いていた狂気が、気まぐれなつむじ風のように、どこかへと消え失せる。

「……え、そうなの？」

「はい。戸部さんの言う通り、私は、高岡賢一です。どこにいこうと、どんな仕事をしようと、そこから逃れられるとは思っていません」

戸部はもはや、私の話などどうでもいいようだった。

「……そっかそっか……なんだよ、高岡ちゃん。脅かさないでよ。慌てちゃったよ僕」

ニヤニヤと笑いながら、自分で汚した壁を手で撫でる。

「ごめんねぇ。でもこれ、上からクロスかなんか貼るんでしょ？　大丈夫でしょ？」

「ええ。凹みも、パテ埋めしますから。大丈夫です」

汚れた掌を、再びボードの壁にこすりつける。

「……高岡ちゃん、今夜飲みいこ。俺に、送別会さしてよ。駅前に『パテオ』ってキャバクラがあるからさ。仕事終わったらきなよ」

私は、そんなところにいかれる恰好ではないと遠慮したが、戸部は聞かなかった。俺の酒は飲めないのかと、また怒り出しそうだったので、私は仕方なく、じゃあお言葉に甘えて、と返事をした。

私がその「パテオ」という店に着いたときには、戸部はもうだいぶ酒が入っている様子だった。

「おおー、高岡ちゃーん。こっちこっちィ。こっち座んな」

戸部の左、二人並んだ女の間に座るよう促(うなが)される。彼の向こうにはもう一人女がいる。

「これ、高岡ちゃん。俺の親友。いい男だろう」

「ほーんと、イケメーン」

だが予想通り、私は肩身のせまい思いをしただけだった。

盛り場の女は、金を持っている男とそうでない者を、実に敏感に嗅(か)ぎ分ける。場の空気を濁さない程度の表面的なサービスをしつつ、ちゃんと戸部と私に差をつけて、バランスをとる。まあ、私と戸部の場合、その差は誰の目にも明らかではあったろうが。

「ねえねえ、戸部さんは血液型、何型ァ?」

「んん? 俺はねぇ……エッチ型ァ」

金を持っている男は、こういう場所では何をしても許される。

「いやん、見えちゃうゥ……んもォ、真面目に答えてェ」

「あはは、ああ……エー、A型だよぉん」

「うっそ、見えなアーい。ねェ?」

「うん、B型。ぜエーったいB型」

「戸部さん、もう一回ちゃんと検査した方がいいよ」

爆笑。私も、一応笑みを浮かべておく。

「じゃよ、じゃあよ、高岡ちゃんは何型よ」

「ああ……私も、A型です」

再び爆笑。

「あり得なァーい、この二人が同じなんて、絶対ない」

「間違ってる。絶対戸部さんが間違ってる」

そんなことをいっているうちに、私と戸部の間にいた女が中座することになった。

「ごめんなさい、すぐ戻りまァーす」

私はすかさず戸部ににじり寄り、耳打ちした。

「あのすみません、ちょっと……あの、四年前の、三島忠治の一件なんですが、あれは、きれいに片がついてるんですか」

戸部がタバコを銜えると、向こうの女がすかさず火を差し出す。水色の、使い捨てライター。

「……ああ、あんたアレ、見ちゃったんだってね。なに、あのあと、サツになんか訊かれた」

「いえ。その場で少し説明しただけですが」

「でしょ。あれはぜぇーんぜん、ノー問題だったはずよ」

「いや、そういうことではなくて」

耕介の名前は出さず、どう訊いたらいいのだろう。

「つまり……借金は、ちゃんと相殺されたんですか」

戸部は軽く頷き、大きく煙を吐いた。

「そりゃそうよ。こっちだってそのためにやってんだから」

「じゃあ、まるっきり、きれいなんですね」

「ああ。あんたにいわれる今の今まで、すっかり忘れてたくらいだよ」

それを確認して、私はほっとした。こんな店までできた甲斐も、少しはあったというものだ。

小一時間で、私は暇を告げた。戸部も気がすんだらしく、まあ元気でやってよと、私の肩を叩いた。

「またなんか、困ったことあったらいってよ。いつでも相談に乗るからさ。……た、か、お、か、さん」

私は頭を下げて踵を返した。

もう二度と、会うつもりはなかった。


それだというのに、戸部はふとしたときに、私の前に姿を現わした。

電気屋や水道屋、ガス屋など、俗に「下職」と呼ばれる連中とは以前と同様に付き合っていたので、私がどの辺りで仕事をやっているかは、ほとんど筒抜けになっていたのだと思う。

しかしそれくらいは、私も覚悟の上だった。

ただ、わざわざ様子を見にくるとまでは思っていなかった。よほど私の動向が心配なのか、あるいはよほど暇なのか。

それは、耕介と仕事をするようになったあとも続いた。私は戸部が、耕介の存在に気づくのではないかと気が気でなかった。

あの夜戸部は、三島忠治の件はきれいに片づいているといったが、それでもあの手の人種は、あとからどんな因縁をつけてこないとも限らない。耕介が稼げるようになった頃を見計らって、実は親父さんの借金が残っているのだと、法外な利子を上乗せして請求する。それくらい、平気でする連中なのだ。

そばに置くことによって、かえって耕介を危険に晒すことになるのではないか、とも考えた。だが目が届かなければ、何か起こったとしても対処できない。結局、私は戸部の影に怯えながらも、耕介と離れることを選べずにいた。私さえしっかりしていたらいい。私がそばにいさえすれば、戸部が耕介を傷つけることはない。そう自らに言い聞かせ、一日一日を過ごしていった。

耕介は確かに、学校の勉強は苦手だったのかもしれないが、決して頭が悪いのではなかった。仕事の呑み込みは早かったし、思いのほか体もしっかりしていて、力があった。よく食べ、よく動き、よく寝た。一年で見違えるように逞しくなり、仕事の腕もめきめき上がった。

ただ、十五からこんな仕事をさせたせいか、背はあまり伸びなかった。悪いことをしたなと思ってはいたが、私がそれについて詫びたところでどうなるものでもない。まあ、本人はあまり気にしていないようなので、口には出さずにおいた。

最初は一日五千円。一年で八千円に上げた。途中はどうだったか忘れたが、十八歳になった祝いに、一万八千円にしたのは覚えている。

我々の仕事は土曜もあるので、月に大体二十五日くらい働く。ひと月、ざっと四十五万円。税金云々は別としても、十八でこれだけ稼げれば、けっして悪い方ではないだろう。ただ、それ以上はそう大きく上がるものではない。もっと稼ぎたければ、あとは日当ではなく、自分で独立して現場をとるしかない。私は最終的に、耕介がそこまでなれるよう育てたいと考えていた。

私と、耕介。それと、気心の知れた仲間たち。

たまには上手くいかないこともあった。施主に話が違うと、工事が終わってからごねられたり、こっちが設計図を読み間違え、仕事を仲介した工務店に工事代金をカットされたこともあった。だがそれも、いい経験だった。私にとっても、耕介にとっても。

だから、決めた通りの日当を耕介には払った。遠慮しても、私は必ず押しつけた。甘い、といわれればそうかもしれない。だが、耕介はその意味をちゃんと分かっていた。その場を金ですませるより、以後の仕事で示すことの方がよほど難しいのだ。そして耕介は、二度と同じ失敗はしなかった。私はそれを、何より誇らしく思った。

そんなある日。今年の、十月半ばのことだ。

「……ケンさん。木下、またやったみたいだよ」

電気屋の松本が、現場で私に耳打ちした。

「また、って」

私は辺りを見回した。耕介はそのとき、三時休憩の飲み物と茶菓子を買いに出ていた。松本と私の他には誰もいない。

「……現場は、どこの」

松本は鼻筋に皺を寄せた。

「中林だよ。中林建設の、武蔵小杉のマンション。素人鳶が、十階から転落死だってよ……まったく、なに考えてんだ」

心臓が、痛いほど胸の内で暴れ回った。

戸部の仕事であることは、確かめるまでもなかった。

「マルヨシの秋元さん。変だなって思ってたんだってよ。全然職人っぽくないのが、入ってきたなって。そんでも半月くらいしたら、パイプ運んだり、金具運んだりするようになってたんだって。どかしてくれっていえば、ダンプ動かしに出てきてくれたりね。それが突然……どすん、だよ」

三島忠治の、あの無残な死に様を思い出す。

「そしたらさ、設計士の島谷さんがいってたんだけどさ、その転落したの、中川って人なんだけど、やっぱ借金あったらしいんだよ。知り合いの連帯保証人になったとかで。でなんか、前は別の住販会社で営業かなんかやってて。島谷さん、その人の顔、知ってたんだって。そんで、あれぇ、って声かけたら、そそそーって、逃げるように隠れちゃって。変だなぁと思って、次にその、前の会社にいったときに、ついでに訊いてみたんだって。中川さんて、辞めちゃったんですかって。そしたら……常務がこそっと、会社の金に手ぇつけたから、クビにした、っていったんだって」

ピリピリと、首の辺りの肌が粟立つ。脇の下に、嫌な汗が湧く。

「そっからは分かんないけど、結局、闇金かなんかに手ぇ出しちゃったんじゃないの。……これじゃさあ、耕ちゃんの親父さんと、まるっきり一緒じゃない。にっちもさっちもいかなくなった奴、木下におっつけて、頃合い見計らって、足場から落っこちろって。で、事故で処理して、保険金とるんでしょ……受け入れる木下も木下だけど、中林も……」

とりあえず、ここで耕介の父親の話はやめてくれ——。

私は、そういおうとした。

だが、遅かった。

「……ちょっと、俺の親父と一緒って、どういうこと」

気がつくと、手にコンビニ袋をぶら下げた耕介が、すぐそこの廊下に立っていた。

「いや、耕介……」

言い訳をしようとしたが、耕介は私のところにはこず、直接松本に詰め寄った。

「ねえ、頃合い見計らって、足場から落っこちろって、なに。松本さん」

肩を揺さぶられ、松本は苦りきった顔で「いや」と漏らした。

「にっちもさっちもいかなくなって、木下におっつけるってどういうことだよ。ねえ、松本さんッ」

「よせ耕介」

私の手を振り払った耕介は、悪鬼の形相で振り返った。

「おやっさん、知ってたの」

「……いや」

「そういえばおやっさん、親父が死んだとき、確か中林にいたんだったよね。じゃあなに、俺の親父は、死ぬために、わざわざ木下に入ったの？　頃合いを見計らって、落っこちるために、木下の足場に登ってたの？　それ知ってたの？　親父が死ぬ前に、おやっさん、それ知ってたの？」

何もいえなかった。胸座を摑まれても、揺すられても、ひと言も発することができなかった。

「答えてくれよッ。知ってたのかよ、親父が借金返すために自殺しようとしてるって、知ってて止めなかったのかよッ」

「よしな、耕ちゃん」

「なんだよ、あんた、親父の友達だったっていったじゃないか。なのに……違うじゃねえか。それじゃ、見殺しじゃねえか。それとも何かよ、あんたも……あんたもあっちとグルだったのかよッ」

「耕ちゃんッ」

松本は耕介を羽交い絞めにし、そのまま後ろに投げ捨てた。

「……耕ちゃん、あんたは、口が裂けてもこの人に、この高岡さんに、そんなこといっちゃあダメだッ」

耕介は、合板下地の床に四つん這いになり、呆然としていた。

「この人があんたのことを、どんな思いで今まで仕込んできたと思ってんの。他の連中は知らないけど、俺ら古い付き合いの下職は、みんなあの頃のこと知ってんだよ」

私は彼の腕を摑んだ。

「……まっつぁん」

「いいや、いわしてくれケンさん。……ほんとは親戚でもなんでもねえあんたのためによ、ケンさんはよ、ガキだけどよろしくお願いしますって、あんたの知らないところで、みんなに頭下げて回ってたんだよ。なんかあったらまず俺にいってくれ、責任は全部俺がとるからって、一所懸命仕込むから、どうか長い目で見てやってくれって……この人はあんたのために、ほんとの親でもしれねえようなこと、たくさんたくさんしてきたんだ。そんなケンさんにあんたが、そういうことをいっちゃあ、絶対にダメなんだッ」

耕介は、ゆっくりと立ち上がり、再び現場を出ていった。

私も松本も、追おうとはしなかった。

廊下に落ちていた袋を拾うと、中には堅焼きのしょう油煎餅と、駄菓子ふうの袋入りチョコレートと、缶が三つ入っていた。ポッカコーヒーは私、伊藤園のお茶は松本、コーラは耕介。いつもの、で通じる、それぞれの好みだった。

松本が、押し殺した溜め息をつく。

「……ちっと、いいすぎちまったかな」

むろん、彼を責める資格は、私にはない。

「いや……俺が悪いんだ。ちゃんと、してないから」

お茶の缶を松本に手渡し、二人で一服した。

マイルドセブンが、ひどく苦く感じられた。

2

十二月七日、日曜日。午前十時四十分。

日下は三島耕介の自宅近くの、小さな喫茶店にいた。

「すみません。お休みのところを」

三島は、テーブルに視線を落としたまま小さく顎を出した。

「いえ……」

どこにでもありそうな、ごく庶民的な店だ。モーニングはトーストに卵、ベーコン。昼時ならナポリタン、オムライス。一人で来店した客のほとんどは、新聞か漫画雑誌を読んでいる。

里村を含め三人で、同じモーニングを食べた。コーヒーは、看板にある通りUCCなのだろう。可もなく不可もない味がする。

「……前回お伺いした、中川美智子さんのことですが」

顔色を窺う。特に、これといった反応はない。

「彼女のお父上、中川信郎氏もふた月ほど前に、木下興業の現場で、転落事故死されているのですね……それは、ご存じでしたか」

三島は、テーブルの端に置いたタバコの包みに手を伸ばした。ラークマイルド。使い捨てライターで火を点ける。その挙動に、特に動揺は見られない。

「……そうなんすか」

実に、重要なひと言だった。

二人の父親は、時期が違うにせよ同じ木下興業の現場で転落事故死している。三島は今、それについて自分は知らなかったというスタンスを表明したのだ。それを否定するということは、知らないはずはない。それが捜査本部全体の見解である。それを否定するということは、彼を罪に問うか否かは別として、偽証をする心構えであることだけは確かになった。

何か裏がある。それだけは留意しておくべきだろう。

「そうですか……では、もう一つ。高岡賢一さんは、あなたを受取人と設定した生命保険に加入していました。そのことは、いかがですか」

先とは違い、目に微かな動きがあった。中川信郎に関する質問はある程度覚悟していたが、保険に関しては想定外だった、ということだろうか。

「ええ……その話は、高岡さんから聞いています」

「証書の類は、高岡さんから渡されましたか」

家宅捜索はしたが、高岡の自室からその類のものは発見できなかった。

「いや、どうだったかな……ちょっと、覚えてないですけど」

保険の契約は四年半前。ちょうど彼が高岡と働き始めて一年ほど経った頃だ。契約そのものはともかく、証書のありかは不明でも致し方ないか。

「もう一つ。内藤君江さんという女性に、心当たりは」

今度は、保険の質問よりさらに表情が動いた。逆算すると、中川信郎の一件はやはり、知っていてとぼけた、との見方を強めざるを得ない。

「……内藤、なにさんですって？」

「君江さんです。内藤、君江」

しばし彼は首を傾げて考えた。

ひと口吸い、こっちに流れないよう通路に向かって煙を吐く。

「あれ……下石神井の……いや……」

「何か、お心当たりでも」

もうひと口吸い、灰皿に潰す。

「ええと……いや、前にやった現場で、内藤さんって家があった気がするんすけど、そこの奥さんが、君江さんかどうかは」

「場所は、下石神井ですか」

「ええ。下石神井の、内藤邸……うん。よくそういってた記憶があります。あ、でもサイトウだったかな……下石神井、サイトウ邸……んー、どっちだったかなぁ」

「何年くらい前の現場ですか」

「あれは……二年、三年……それくらい前っすかね。高岡さんの手帳さえあれば、分かるんすけどね」

内藤君江は足立区北千住在住だ。練馬区の下石神井では、どちらにせよ別人だろう。君江がこの二、三年のうちに引っ越しをしたというのなら話は別だが。

日下は頷きながら、改めて彼の顔を見た。

中川信郎に関しては、無反応で白を切った。自身が受取人である保険金に関しては、若干の動揺を見せながらも知っている、証書のありかは分からないと応じた。内藤君江に関しては、そんな現場をやった記憶はあるが、と首を捻った。

これが計算ずくの芝居なのだとしたら、大したものだと褒めるべきだろう。だがそうでないのなら、三島耕介は、内藤君江に関しては知らない。そういう感触がとれたと見ていい。あくまで経験則による、仮説にすぎないが。

「……そうですか。では、また何か思い出されたら、いつでもけっこうですので、ご連絡ください」

三島は「はい」と応じ、もしかしたら自分の日記に書いてあるかもしれないから、調べてみるといった。彼が日記を書いているというのは、少々意外だった。

月曜の午後になって、日下たちは世田谷区等々力にある木下興業を訪ねた。

社屋はL字型をした四階建てのビル。さして大きいものではない。小豆色の外壁はすでに古びており、見上げた窓やベランダの様子から、上の方は住まいになっているのであろうことが窺い知れた。

社屋とブロック塀で囲われた空き地に車はない。右手の塀際には鉄パイプ製の巨大なラックがあり、四メートルはありそうな同質のパイプが、何十本も立てかけられている。よく見ると、パイプにはコンクリートや塗料がところどころにこびり付いている。

事務所は、正面の一階部分のようだ。

「ごめんください」

社名の入ったガラスドアを開けると、すぐそこにカウンターがある。その向こうに事務机が四つ、固まって島を作っている。いるのは三人。事務服の女が二人、スーツの男が一人。右手の壁には、日程表と作業員の割り振りを書き込んだと思しきホワイトボードがある。

「はい」

カウンターに一番近い席にいた事務員が立ち上がる。眼鏡をかけた、わりと若い女性だ。

「警視庁の者です。突然で申し訳ございませんが、社長様はいらっしゃいますか」

微かに目を細めた彼女は、お待ちくださいと頭を下げ、左手のドアに向かった。ノックをして開け、来客があることを告げる。

すぐに顔を出したのは五十代後半と見える、中肉中背の男だった。

「はい、何か」

眉をひそめてはいるが、不快という表情ではない。

「突然お訪ねして、申し訳ございません。警視庁の者です。少々お伺いしたいことがあるのですが、今、お時間はございますか」

身分証を提示し、できるだけ穏やかな口調で告げる。

相手は「ええ」と応じ、頭を下げた。

「社長をしております、木下です。……あの、具体的には、どういったご用件で」

「ええ。ふた月前に事故で亡くなられた、中川信郎さんと、九年前の、三島忠治さんについて、お教え願いたく思い、お訪ねしました」

そこでようやく、困ったという顔つきになる。

「はあ……では、とりあえずこちらに。ヤシロくん、お茶」

最初に応対をした事務員に命じ、木下はもといた部屋に日下たちをいざなった。なかなか立派な社長室で、木調のがっしりとした執務机とソファセットが、余裕をもった配置で並べられていた。隣家と近接しているため、向こう正面の窓が暗いのが珠に瑕である。

二人がけソファの後ろには見たことのない富士山の油絵、執務机の向こうには「初志貫徹」と額入りの書が飾られている。

名刺を交換し、勧められたソファに腰を下ろす。

茶はすぐに運ばれてきた。

「……恐れ入ります」

ヤシロと呼ばれた彼女は、一瞬、何かいいたげに日下を見たが、結局はお辞儀をしただけで出ていった。

木下は難しい顔でひと口茶をすすり、自ら切り出した。

「……さきほど仰られた件でしたらば、両方ともちゃんと警察に調べてもらって、事故と、結論が出ているはずですが」

「ええ、存じております。ですから、本日は事故以後のことを、お訊きしたく思い、お訪ねしました」

「事故……以後？」

日下は、木下から目を離さずに頷いた。

「木下興業さんは、三島忠治氏に一千二百万円の生命保険をかけ、それを受け取っておられる」

「それは……」

当然のことといわんばかりの木下を、日下は掌で制した。

「理解しております。こういった業務内容ですから、現場事故を心配なさるのは当然のことでしょう。またそれによる従業員家族への補償も、お考えの上でのことと存じます」

木下が、テーブルの端に視線を逃がす。

「ちなみに、三島忠治さんには死亡前、一千万近くの借金がありました。そのことは、ご存じですか」

微かに息を呑み、木下は頷いた。

「ええ……警察の方から、そのようには」

「では、中川信郎氏についてはいかがですか。同様に、負債を抱えて困っていたというような話は、お聞きになっていませんか」

震えるような溜め息。

「どう、だったでしょうか……ちょっと、記憶に、ありませんが」

「はあ。ふた月前のことなのですが……では、どなたならお分かりになりますか」

はっと顔を上げる。だがこっちに目は合わさない。

「そういったことを、もう少し詳しくお分かりになる方は、こちらにはいらっしゃいませんか」

目の動きが忙しくなる。中林建設の社員と比べると、明らかに腹の据わりが甘いという印象を受ける。

「こちらの社で、保険や福利厚生に関する業務を担当されているのは、社長様ですか」

いえ、のひと言が、条件反射のように口から漏れる。

「では、どなたが」

あからさまに口籠る。

「……社員数十七名。うち十二名の方が、いわゆる現場作業員であることはすでに存じております。さきほど、お茶を出してくださったヤシロさんが、そういった業務は担当されているのですか」

「いや、彼女は……」

「ではもうおひと方の女性ですか。あるいは、奥におられたスーツの男性ですか」

しばし間をとる。木下は何もない、テーブルの真ん中辺りに視線を据え、何事か考えている。

執務机の向こう。部屋の隅には、盤の厚みが十五センチはありそうな将棋盤が、床に直接置かれている。いま木下の頭の中では、詰め将棋の如き問答の先読みが繰り返されているのかもしれない。

保険関係は妻が。では奥様をここに。いま出かけております。お戻りは何時ですか。今夜は帰りません。ご旅行ですか。どちらまで。いや、それは――。

「木下社長？」

当たらずも遠からじ、といったところか。木下の顔は、見る見る苦渋の色に染まっていく。

内ポケットに手を入れ、小さく舌打ちする。

「……し、失敬」

立ち上がり、机からタバコの箱を持ってくる。ピース。最後だったのか、一本銜えてクリーム色の包みを握り潰す。

卓上のライターで火を点け、濃い一服を吐き出す。それで少し、気分は落ち着いたようだった。

「ええと……保険、に関しては……トベという、総務の者が、担当しておりますが」

「あちらにおられた男性ですか」

「……いえ。本日は、出社しておりません」

「お休みですか」

短くかぶりを振る。

「……まあ、そういった関係を、専門にやっておりますので、現場の連中とは、勤務形態が、ちょっと……まあ、違うというか」

「いつお戻りになりますでしょう」

「さあ……今日は、ちょっと、どうでしょう」

「では、明日？」

「いや……」

木下は、とにかくいつ出てくるか分からない、連絡もつけられないと繰り返した。むろん、疑問に思わなくはなかったが、あえて詰問はせずにおいた。

氏名と年齢だけ確かめておく。

戸部真樹夫、四十一歳。住所は目黒区祐天寺。

また日を改めると言い置いて、木下興業を辞した。

「……主任。なぜもっと突っ込まなかったのですか」

里村は声を押し殺し、日下の顔を覗き込んだ。

「もしかしたら戸部は、ここ一週間以上、出社していないのかもしれません」

えっ、と里村が口籠る。

「出るときにホワイトボードを確認しました。出社の枠にあったネームプレートは、矢代（やしろ）、川上（かわかみ）、仁木（にき）。色が矢代と同じ赤だったので、たぶん仁木というのがもう一人の女性なのでしょう。川上が、あのスーツの男。木下、あるいは社長というプレートはなかった。その他の社員は、一人を除いて現場別に振り分けて貼られていた。残りの一人は、空欄のところにあった。伊藤（いとう）という名前です。それがたぶん正規の退社、あるいは休暇のポジションなのだと思います。では、戸部のプレートがどこにあったか……お分かりですか」

いえ、とかぶりを振る。

「二十八日のところです。一ヶ月分の予定を書くボードですから、たぶん先月の二十八日という意味で貼られたのでしょう。他の社員は出社か、現場か、退社のポジションにあった。戸部だけが、日程の欄にあった……これが、まったくの無意味であるとは、私には思えません」

そのとき、背後で「あの」と声がした。

自分たちに向けられた声と確信したわけではなかったが、振り返ると、あの木下興業の、矢代という女性事務員が立っていた。モスグリーンのコートを着て、白く息を切らしている。

「はい、何か」

「あ、あの……ちょっと、戸部さんについて、お話し、したいことが……」

ふわりと眼鏡が曇る。

日下は思わず、彼女を睨むように見てしまった。

一時間くらいなら大丈夫だというので、近くのひなびた喫茶店に入り、コーヒーを三つ頼んだ。

「戸部さんについて、と申しますと」

彼女は水を一気に飲み干し、辺りを見回した。

「……その前に、ちょっと、聞こえちゃったんですけど……戸部さん、保険絡みで、何かやったんですか」

そういわれても、日下もついさっき初めて聞いた名前だ。

「いや、別に、そういうことではないのですが」

「逮捕、しないんですか？」

若いとはいえ社会人。言動に遠慮がなさすぎはしないか。

「……なぜ戸部さんが、逮捕されると思うのですか」

コーヒーはすぐに運ばれてきた。彼女は曇るのを嫌ってか、眼鏡をはずして傍らに置いた。

黒い水面を、じっと睨む。

「……っていうか、ひどい男なんです。戸部って奴は」

「ひどい、と、申しますと」

「要するに、ヤクザなんです。あいつ」

戸部真樹夫が、ヤクザ？

「それはちょっと、穏やかではありませんね。……見たところ、木下興業さんは普通の会社のようにお見受けしました。そんな会社が、なぜヤクザを雇い入れるのですか」

興奮を鎮めようとするように、彼女は静かに息を吐いた。

「……刑事さんは、中林建設って会社を、ご存じですか」

思わず、里村と目を見合わせそうになる。

「ええ。知ってます」

「あの会社、バックはヤクザなんですよね」

こんな娘でも、そこまで知っているのか。

「……さあ。そういう噂も、あるにはあるようですが。それと戸部さんが、どう関係があるのですか」

「戸部さん、正式にはどうだか分かりませんけど、でも事実上、中林から出向してきてる社員なんです。戸部さんも、自分でそういってました」

なるほど。

いくつかの事柄が、頭の中で繋がった。

矢代は続ける。

「……だからなのかは、私もよく知りませんけど、昔から週に一、二度しか出勤してこないっていうし。きたらきたで……ろくなことしないし」

「今日も、お見えになっていませんでしたね」

「ええ……もう何日もきてませんから」

「いつから、出社されてないのですか」

彼女は膝の辺りで指を折った。

「先週の水曜に、ちょっと顔を出して、それっきり……かな」

先月の二十八日、というのは先読みがすぎたか。しかし、先週水曜といえば十二月三日。高岡が殺された日だ。それ以来出社していないとは——。

偶然の一致かもしれないが、興味の持てる話ではある。

「ろくなことをしないとは、どういうことです」

彼女は奥歯を食い縛り、沈痛な面持ちで頷いた。

「……私たちの更衣室にズカズカ入ってくるなんて、もうほんと、挨拶代わりで……セクハラっていうか、痴漢行為も日常茶飯事で……私のときは、社長が、体張って助けてくれたんで、大丈夫だったんですけど、あの、今日一緒にいた娘、彼女のときは……彼女は、大丈夫だったっていうんですけど、でももしかしたら、大丈夫じゃなかったのかもって、私……」

冷静さを取り戻そうとするように、コーヒーをひと口含む。

「……年中お酒臭いし、そのくせ他の、現場系の人たちがいる時間帯には、絶対にこないし……六十過ぎの職人さんにも敵わないくせに、女には力使うんです。そういう奴なんです」

「木下社長は、なぜそんな厄介者を会社においておくんですかね」

さらに、つらそうに目を伏せる。

「……はっきりとは、分かりませんけど……社長の留守に、三階で、争うような音がしたことがあって……そのあと、用なんてあるはずないのに、戸部が、へらへらしながら、上から下りてきて……社長の奥さんて、けっこう若くて、綺麗な方なんです……もしなんかあって、そういうのが、仮に脅しになってるのだとしたら、社長……クビにはできないかもって、思います」

鵜呑みにするまいとは思いつつ、徐々に戸部真樹夫という男の像が、頭の中に結ばれていく。

「そのような状況下で、なぜあなたは、木下興業を辞めないのですか」

途端、矢代は怒ったように眉を吊り上げた。

「そんな……だって、戸部以外は、みんないい人なんです。現場の人たちだって、経理の川上さんだって、社長だって奥さんだって、みんないい人たちばかりなんです。私だけ、逃げ出すなんて……」

テーブルに身を乗り出す。

「戸部を逮捕することって、できないんですか」

それには、かぶりを振らざるを得ない。

「こちらから、というのは無理です。むろん、そちらが被害状況を明らかにして、刑事告訴をなさるというのであれば、協力は惜しみません。ですが、それは……なさりたくないのでしょう?」

肩を落とす。力なく頷く。

「やっぱり……無理なんですか」

だが今日、いくつか分かったことがある。

戸部は中林建設から出向という形で木下興業に勤務し、保険契約に関する業務を担当していた。三島忠治、中川信郎両名の保険金詐取疑惑に関与した疑いは極めて強い。それと高岡賢一の殺害がどう関係しているかは、まだなんともいえないが、もはや無関係と見る方が不自然な状況ではある。

しかも戸部は、高岡が殺害された三日以降、木下興業に出勤していない。

「……矢代さん。あなた方の遭われた被害について、戸部を告訴するのは、様々な面で難しいものがありますし、ひょっとしたら裁判でも、勝てない可能性があります。しかし戸部が、いま我々の捜査している事件に関与しているのだとすれば、むろんそれで逮捕する可能性はあります」

黒目がちな目が、大きく見開かれる。

「ですので、矢代さん」

「はい……」

「あなたにいくつか、お願いしたいことがあります」

真剣な表情をして、彼女は頷いた。

「まず、戸部真樹夫の携帯番号を教えてください。そして、できればあなたからもこまめに連絡をして、出勤するよう働きかけてください。もし電話が通じて、戸部が出てくるようであれば、早急に私に連絡をください。ふらりと彼の方から現われた場合も、知らせてくださ い。すぐに御社に駆けつけますから。できれば何か理由を作って、足止めをしていただけるとありがたい。……いいですか。できますか」

矢代は「分かりました」といい、すぐに自分の携帯で誰かにかけた。

「……あ、サエちゃん、私……うん、大丈夫。今、刑事さんと話してる。でさ、戸部の携帯番号、今すぐこっちにメールしてくれるかな……うん、刑事さんに頼まれたの……うん、大丈夫……よろしく。じゃ」

まもなく彼女の携帯から、日下も知っている曲のイントロが流れた。確かこれは、ビートルズだ。曲名は失念した。

「ああ、きたきた……刑事さん、赤外線受信はできますか」

分からないと答えると、ひどくがっかりした顔をされた。

里村に訊くと、彼は分かるという。

なんとなく、掻かなくていい恥を掻いた気分になった。

3

玲子はここ数日、鈴木不動産販売の鈴木太一社長に紹介を受け、南花畑時代の高岡賢一を知る人物数人に面接をしていた。

小学校の同級生、中学の同級生。あるいは一つ二つ学年はずれるが先輩、後輩。だがどの人物も、立ち退き直前の高岡との付き合いはなかったという。

「子供の頃は、目立たない感じだったかな」

「いてもいなくても、分かんないタイプでしたよ」

「気が弱くてね。よく虐められてたなぁ」

「……いたかな、そんな奴」

写真を見せても、記憶の糸は一向に繋がらない。

――小さい頃って、そうだったんだ……。

むろん、自力での聞き込みも続けてはいた。だが何しろ、十数年前の話である。高岡屋という駄菓子屋兼玩具屋があったことは記憶にあっても、夫婦が店をやっていたことは覚えていても、そこの息子がどうだったかまでは思い出せない。そんな住人ばかりだった。

その頃になって、また鈴木から連絡が入った。

『……以前お話しした、更科という、高岡屋さんの、二軒先の蕎麦屋。あそこの息子と、連絡がとれたんですよ』

早速繋ぎをつけてもらい、新宿で会うことになった。場所は紀伊國屋書店本店の並びにあるパーラーだ。

入り口を入り、待ち合わせをするのに使った番号を鳴らすと、新宿通りに面した窓際の席にいる男がこっちを向いた。すぐに切り、お辞儀をしながら近づいていく。

「恐れ入ります。沢井雄司さん、でいらっしゃいますか」

三十代前半。なかなかお洒落な感じの好男子だ。

「はい、沢井です……ええと、姫川さん」

井岡と共に名刺交換をし、向かいに座る。名刺の社名はわりと有名なガス器具会社、部署は人事となっている。この点に関して、鈴木社長の記憶は比較的正しかったことになる。

沢井はすでにコーヒーをオーダーしていたので、玲子たちもそれに倣った。

「……なんですか、高岡屋の、賢ちゃんのことですって？」

「ええ。沢井さんはその、高岡賢一さんとは、親しくされていたのですか」

彼は話し始めようとしたが、ちょうどそこにウェイトレスがコーヒーを運んできた。しばし、話が中断される。

「……ごめんなさい。その前に、お年を伺ってもよろしいかしら」

沢井はニコリとし、三十八ですと答えた。だが、とてもそうは見えない。せいぜい玲子の二つか三つ上くらいだと思っていた。イメージとしては、モデル出身の俳優といった感じだ。

「じゃあ、高岡さんとは、五つ違い」

「そう、ですね。だから小さい頃は、よく面倒見てもらいました。小学校の登校班とかも、一年のときだけは一緒で」

「どんな方、でしたか」

浮かんだのは、複雑な色合いの笑みだった。

「どっちかというと、気の弱い、押しの利かない人でしたけど、でも私にとっては、優しくて、面倒見のいいお兄さんでした。国語が得意で……夏休み、ほら、宿題で読書感想文とかあるじゃないですか。あれ私、ほとんど賢ちゃんにやってもらってました。……彼、読書家で、ほとんどそういうの読んでましたし。ちゃんと感想はね、一年生なら一年生、二年ならそれなりのボキャブラリーで書いてくれるんですよ。助かったなぁ……私は、それを原稿用紙に書き写すだけ。ほんと、面倒見はよかったです」

三島耕介を雇い入れ、親代わりになったという話に通ずるものはある。だが国語が得意、というのは意外だった。しかも読書家。大工の高岡というのとは、激しくイメージがぶれる。

「……工作の宿題とかは、手伝ってもらわなかったんですか」

沢井はかぶりを振った。

「いや、そっち系は賢ちゃん、逆に苦手でしたね。むしろ私は、そういう方が得意でしたから、それは自分で、進んでやりました。そりゃ、五つも離れてましたからね、お返しに手伝うってわけには、いきませんでしたけど」

高岡は、工作が苦手だった？

怪訝な顔でもしてしまったのだろうか、沢井は井岡と玲子の顔を、心配そうに見比べた。

「あの、賢ちゃんが……どうか、しましたか」

「あ、いえ……それについては、のちほどお話しします」

そう。あえて鈴木社長には、高岡賢一が亡くなっていることを教えないでいたのだ。よって沢井も、現状ではまだ知らないはずである。

カップをつまみ、インターバルをとる。三人で、なんとなくコーヒーを飲んで息をつく。

「……では、沢井さんが最後に高岡さんに会われたのは、いつ頃のことですか」

サッ、とその顔つきが暗くなる。

「それは……たぶん、彼があそこを立ち退く、一週間か、二週間前だと思います」

詳しい説明を求めると、彼は沈痛な面持ちで頷いた。

「当時……ですから、もう十二年も前になりますか。まだ私は営業におりまして、車で都内をあちこち、走り回っていました」

「その頃、お蕎麦屋さんの方は」

「とっくに潰されてました。……食中毒、仕込まれちゃいまして」

そうですってね、と頷くと、沢井は「知ってるんですか」と驚いた顔をした。鈴木社長から聞いたというと、お喋りなんだよな、と彼は少し、懐かしむように笑みを浮かべた。

「……つまり、そんなアレですから、店を失くして呆然とする両親を、まだ駆け出しのサラリーマンである私が、食わせてるような状況でした。当時もう、二人の妹が就職してくれてたのは、不幸中の幸いでした。二人分の学費は、到底出せませんでしたから」

目を伏せ、短い溜め息をつく。

「……まあ、そんな感じだったんで、あの周辺のことは、常に気になっていました。で、たまたま営業で近くを通ったんで、しばらく振りにいってみると、あの一帯、どこにも電気が点いてなくて、ほんと、墓場みたいに、死んだみたいになってました。そんな中で、よく見ると一軒だけ、奥の方に明かりが点いてるんです。それが、高岡屋でした。親父さんとお袋さんは亡くなってましたけど、でもまだ、賢ちゃんはいるんだなって思って、懐かしくなって……近くに車を停めて、訪ねました」

あのマンションの土地にいくつもの家屋が寄り集まり、だが一切の明かりがない状況を思い浮かべる。墓場は大袈裟だろうが、確かに侘しい、悲しい昭和的なイメージではある。むろん、勘定をすれば平成の出来事に間違いはないのだが。

「大声出したら、賢ちゃん、絶対地上げ屋と勘違いすると思って、最初は小声で、沢井です、蕎麦屋の雄司ですって、チャイム鳴らして、表の戸を叩いたんです。でも、全然出てきてくれなくて。で、まだ隣の家も残ってたんで、子供の頃によく通った路地……っていうか、隙間みたいなところを、こう、横歩きで進んで、裏手までいったんです。そうすれば、奥の茶の間の窓が覗けるから。でも、そうしたら」

沢井の顔が険しく歪む。

「……賢ちゃん、茶の間の向こうの、風呂場の前の廊下にしゃがんで、両手で包丁握って、じーっとそれ、見てるんです」

玲子は一瞬、高岡が誰かを殺そうとしていた、という話かと思った。そういう場面なら、かつて目撃したことがある。だが、どうもそうではないようだった。

「私、あっ、死ぬ気だって、ピンときました。窓ガラス叩いて、賢ちゃん、賢ちゃんって叫びました。それでも気づかなかったら、叩き割る気でいました。でも……賢ちゃん、こっち向いてくれました。最初は、誰だか分かんなかったと思います。でも、俺、俺だよ、雄司だよっていったら、ふわぁーっと……なんかちょっと、言葉は悪いんですけど、呆けちゃったみたいな、変に力ない笑い方して、こっちにきたんです」

さっきより深く、長い溜め息がはさまる。

「……それから、玄関開けてもらって、そっちに回りました。そんときもまだ賢ちゃん、包丁持ってて……真っ赤に錆びた、ゴミみたいな包丁ですよ。私、そんなもん持ってなにやってんだって、怒鳴りました。そしたら……」

しばし、気を鎮めるように言い淀む。

さすがの井岡も、真剣な顔で聞いている。

「……包丁、研ぎたいんだけど、砥石がないって……砥石が、いくら探しても、見つからないんだって、いい年して泣くんですよ……見ると、目の上にたんこぶがあるんです。一帯の地上げをやってた、中林不動産、ご存じですか」

玲子は「ええ」と頷いてみせた。

「賢ちゃんは、違うっていいましたけど、そのときは、酔っ払って喧嘩しちゃったなんていってましたけど、私は、違うなと直感しました。そんな……酔っ払ったからって、喧嘩するような人じゃなかったですから。気の弱い、大人しい人でしたから。だからこそ、かなり、ひどい嫌がらせとか、されてたんだと思います。なんたって中林は、うちに食中毒まで仕込んだくらいですからね。なんだってやりますよ」

そこまで聞いて、やはり玲子は、引っかかるものを感じた。

喧嘩をするような人じゃない。しかも工作が苦手。同級生たちは印象の薄い、どちらかといえば虐められっ子だったと高岡を評した。大工で、腕っ節が強そうで、三島耕介の親代わりを買って出た高岡と、至るところでイメージが齟齬をきたす。

沢井はふいに、ばつの悪そうな表情を浮かべた。

「あのぉ……十年以上前ですから、たいがいのことは、もう、時効ですよね」

「は？」

さらに苦笑いで頭を下げる。

「……そのあと、賢ちゃんと、飲みにいったんです。つまり帰りは……飲酒運転」

玲子は、軽く睨みながら笑みを浮かべてみせた。

「以後、気をつけていただいているのであれば」

「もちろん……もう、今はしません」

玲子は「最近厳しいですからね」と付け加えておいた。沢井は「まったくです」と、困ったように頭を掻いた。

だがすぐ、その表情にも影が差す。

「……でまあ、飲みに、いきまして……色々聞きました。電話が鳴り止まないとか、携帯番号変えてもすぐにバレるとか。ひどいのは、腐った猫の死骸が、郵便受けに詰め込まれてたとか」

こういう話を聞くと、玲子はいつも、ある種の憤りを覚える。加害者にではなく、被害者にだ。苛立ち、と言い換えてもいい。

「そういうことは、警察にご相談くだされればいいんですよ」

すると初めて、沢井は険しい目で玲子を見た。その視線が、先に渡した名刺へと下りていく。

「姫川さんは、つまり……霞が関の、警視庁の方なんですよね」

最近はドラマの影響か、一般人でも本部と所轄の違いをちゃんと認識している場合がある。警察庁と警視庁の違いもしかりだ。

「……ええ、そうですが」

「そういう、立派なところにいる方は、ご存じないかもしれませんが、あの辺りの警察なんて、ほんとひどいもんなんですよ。捜査は疎か、猫の死骸くらいじゃ、交番の巡査がきて、ちゃちゃっとなんか書いて終わりですよ。夜の見回りだってまずしませんからね。ほんと、中林に裏金でもつかまされてんじゃないかって、みんないってましたよ」

それでも若干の勘違いはしている。

玲子とて最初から霞が関の本部に勤務しているわけではない。大卒で入庁し、警察学校を卒業して配属されたのは品川署。そこから碑文谷署、さらに四谷署へと異動してから、本部に登ってきた。決して所轄を知らないわけではない。その怠惰も、意地汚さも、嫌というほど見てきた。と同時に、それに泣かされる市民の顔も――。

だから、ここは大人しく頭を下げておく。

「そのような不始末があったとは……存じませんでした。大変申し訳ありませんでした。私のような者がお詫びをして、お心が晴れるとは思いませんが、同じ警察官として、恥ずかしく思います。……ごめんなさい」

隣で井岡も頭を下げる。

沢井は「いえ」と身を乗り出した。

「……そういうつもりじゃ、なかったんです。分かります、そういう、部署とかが違うっていうのは……すみません。なんか、余計なことをいいました」

だが、それでも、という思いがある。謝っておいてズルいな、とは思いつつ、反論を試みる。

「しかし、そうであったならばなおさら、高岡さんは早く立ち退いてしまえばよかったのではないですか？　幸いといってはアレですが、ご両親もすでに他界されていたわけですし。そんな、身の危険を感じてまで……」

沢井は「ええ」と頷いた。

「私も、そう思いました。でも……私もそのとき初めて聞いたんですが、生前、親父さんが作った借金が残ってて、そもそも土地も家屋も抵当に入ってたらしいんです。賢ちゃん自身は、まあ家賃だと思って、少しずつ返してはいたらしいんです。ただ、その抵当権を設定してたところも、けっこう曲者だったらしくて。たぶん、中林と折り合いの悪い会社だったんじゃないでしょうか。なかなか、清算を承諾しないっていうんです。要するに賢ちゃんは、その会社が中林のマンション建設を妨害する、道具にされちゃってたみたいなんですよ」

「なるほど……」

負債の呪縛。貧しさの輪廻。そんな言葉が脳裏に浮かぶ。

「それまで賢ちゃん、職も転々としてて。当時は、英語教材かなんかの営業だっていってましたけど、そんな……たとえば借金を清算するために自己破産とかして、それが会社にバレたら、居場所なくなっちゃうって……まあ、そうですよね。そんな借金にまみれた人なんか、いつ会社の金に手ぇつけるか分からないですから……。そんなこんなで、出るも地獄、留まるも地獄って感じでした」

傾いた日が、斜め上から射し込んでくる。沢井のカップに添えられたティースプーンが、落ちた星のような輝きを放つ。

「……気の利いたアドバイスなんて、なんにもできなくて。そのくせ、連絡してね、力になるから、なんて」

「それが、高岡さんの立ち退きの、一、二週間前ですか」

「ええ、たぶん。半月ほどしていってみたら、高岡屋も、その隣もうちも、更地になってましたから。周りの何軒かも一緒に。全体の、半分くらいだったかな。ああ、片がついたんだな、って思って……その後、聞いてた携帯も繋がらなくなっちゃって。でも、心機一転、元気でやってるんだろうって、思うようにはしてたんですけど」

高岡の現況を訊かれそうな気がしたので、玲子は先手を打った。

「その後、高岡さんは大田区に引っ越しまして、大工さんになったんです」

「えっ」

予想通りというべきか、沢井は二枚目の顔を滑稽なまでに歪めた。

「そんな、あの賢ちゃんに、大工なんて無理でしょう」

「ええ。今まで伺っていて、私もそんな気はしていましたが、でも実際に若い子まで使って、立派にやってらしたんです」

「だって、腕だって細っこい、全体に、ひょろひょろっとした人ですよ。そんな」

ひょろひょろ？　最近になって三島耕介が提出した写真を見たが、高岡賢一は、決して「ひょろひょろ」という感じの風貌ではなかった。むしろ「筋骨隆々」といった方が近い感じだった。もちろん、沢井が知っているのはかなり前の高岡だから、多少はイメージも変わっている可能性がある。だが十二年という月日で、果たしてそこまで人の印象は変わるものだろうか。

「あの、ちょっと待ってください……井岡くん、写真」

「へへ。ただいま」

井岡はシステム手帳を裏返し、ポケットになったページから高岡の写真を抜き出した。玲子が受け取り、沢井に向ける。

「……だって、この方、ですよね」

沢井は「は?」と眉間に皺を寄せた。

「どなたですか、この方は」

思わず、三人それぞれ、目を見合わせる。

「ですから、高岡賢一さん……」

沢井は、玲子の目を真っ直ぐ見返し、かぶりを振った。

「いいえ。これは賢ちゃんじゃないです」

「えっ?」

「こんな、精悍な感じじゃないです。こんな、狼みたいな感じじゃなくて、むしろ、もっとこう……痩せた羊みたいな。垂れ目で、ふにゃっとした、皺のないお爺さんみたいな顔をした人ですよ」

中途半端な笑みすら浮かべる。

「なんだ刑事さん。これってつまり、同姓同名の、人違いってやつじゃないですか?」

そんなはずはない。仲六郷の前に住んでいたのが、あの南花畑のマンションの住所なのだ。住民票を調べたのだ、間違いはないはずだ。

沢井は、この方がどうなさったのですか、と訊いた。玲子は呆然としながらも、事件に遭われて亡くなったと伝えた。

むろん、沢井が驚くことはなかった。ただ「お気の毒に」と、小さく頭を下げただけだった。

沢井と別れ、玲子はあてもなく夕方の新宿通りを歩き始めた。

高岡賢一は、高岡賢一ではなかった――。

そんな言葉が、猛スピードで脳内を駆け巡っている。

「なんのこっちゃ、さっぱり分からんようなりましたわ……一体、どないなってますのや」

ふいに隣から、磯臭いビニール袋を差し出される。

「……なに」

「なにって、スルメですがな。……あ、こっちではアタリメていいますか」

「いや、スルメはスルメよ。アタリメは商売人が縁起担いでいう呼び名でしょ。……じゃなくて、なんでスルメ持ち歩いてんの」

「いやぁ、お腹空いたときとか、頭がこんがらがりそうなときに嚙むと、エエんですわ。いりまへんか？」

「……もらうわ」

二人でスルメを銜えて、新宿通りをひた歩く。たまにすれ違う人の視線を感じるが、そんなことは別に気にしない。

それより何より、高岡賢一は、高岡賢一ではなかった――。

どこで間違ってしまったのだろう。どこで、ボタンを掛け違ってしまったのだろう。

しかし、たまに食べるとスルメも美味しい。

「井岡くん、もっと」

「へへ。ただいま」

少し、整理をしよう。

幼馴染の沢井雄司がいうのだから、あの写真の男が、南花畑にいた高岡賢一でないというのは確かなのだろう。つまり、気弱で目立たない、虐められっ子の、国語が得意で工作が苦手だった高岡は、仲六郷に住んでいた、大工の高岡ではない——。

「けっこうエエでしょ。スルメ」

「……うん」

突飛（とっぴ）な発想かもしれないが、駄菓子屋の息子の高岡賢一は、中林グループに殺された、ということも考えられる。殺して、中林が別人を身代わりに立てた。それがのちに仲六郷で、高岡賢一と呼ばれる人物になった。そう、人が入れ替わってしまえば、中林建設に入って大工になったとしても不思議ではない。

いや、それは違う。沢井は、高岡家の抵当は、中林ではない他社に押さえられていたといっていた。殺してしまっては、土地取引が余計に進まなくなってしまう。中林にとって、駄菓子屋の息子を殺すのは決して良策ではなかったはず。

すると、

「……主任。なにげに気に入りましたな」

自殺、か。

沢井の目撃した様子からすれば、当時の高岡は、いつ自ら命を絶ってもおかしくない精神状態だったと考えることができる。突発的に自殺してしまう可能性も充分あったわけだ。

たとえば、流れとしてはこうだ。

いつものように恐喝営業にいった中林の社員が、家の中で死んでいる高岡賢一を発見してしまう。それは、中林にとっては不都合極まりない事態である。中林はなんとしても、高岡に生きていてほしい。そうしないと、土地が他社の手に渡ってしまい、面倒な事態になるからだ。

そう。そこでだ。

まったくの別人を死んだ高岡の身代わりに仕立て、早急に土地を処分する。もうその段になったら、多少の金は惜しまなかっただろう。あの土地を担保にとった会社に言い値を叩きつけて、さっさと抵当権を解除し、名義変更をし、更地にしてしまう。建物をなくしてしまえば、自殺と入れ替わりの証拠隠滅にもなる。

「ちょっと主任……一気に食いすぎですわ。もうありまへんて」

「じゃ買ってきて」

「んなぁ……腹壊しまっせ」

ちょっと待て。そうまでして、身代わりは必要なものなのか？　もし必要になったとしても、中林のちょっと真面目そうな社員が、いっとき成りすませばすむことではないのか？

おかしい。何かもう一つ、ピースが足りない。

それより何より、今はまずスルメが足りない。

4

葉山則之巡査長はこの三日、足立区北千住で、高岡賢一の死亡保険金受取人に設定されていた内藤君江の行動確認に当たっていた。

四十九歳で独身。基本的には居酒屋だが、昼時には定食も出す店、「ないとう」。マル対（対象者）に気づかれない程度に聞き込みをした結果、そこに店を出したのは十年以上も前であるようだった。

相方の野村巡査部長が一回、葉山が一回。それぞれ別の日に定食を食べに入った。野村のときはアジフライ、葉山のときは野菜炒めだった。ちなみに、日替わり定食以外のメニューはない。それも、ある程度は事前に仕込んだものである。すべては従業員を使わず、君江一人で切り盛りするための工夫であるように思われた。

何度も食べにいけば、顔を覚えられる。だが内藤君江と高岡賢一の関係がはっきりしない現状、それはまだ避けなければならない。いま葉山と野村が見張っているのも、店の斜め向かいにあるコインパーキングからである。

午前十時二分。一台のパネルバントラックが店の前に停まった。

「いつもの、ですね」

「……ええ」

階級は一つ上、年齢は九つ上。そんな野村が敬語を使うのは、偏に葉山が捜査の主導権を握る刑事部捜査一課の刑事だからである。もしそうでなければ、用がなくても怒鳴りつけるタイプだ。この野村という男は。

いつもの生鮮食品配送トラック。だが今日は運転手が違っている。それに野村は気づいただろうか。ただ、強いて問うほどの問題ではない。自分が頭の中に留めておけばそれでいい。

「しかし、あれだね。お宅の主任は……なかなかいい女だね」

野村はだいぶ、あの姫川玲子を気に入っているようだった。何かというとその話題を持ち出す。そういうときは、敬語も略されがちになる。

「……本当に、彼氏とかいないの」

「さあ、よく知りません。私も、一課入りしてまだ三ヶ月ですから」

「気配とかさ、なんかあるでしょう」

「さあ……どうでしょう。そういうところ、鈍いんで。すみません」

この三日は、昨日の夜に交代要員がきて、一度蒲田に戻って署の風呂に入り、仮眠をとり、朝の会議に出たほかは、ほとんどずっとこの車内で過ごしている。交代で聞き込みを兼ねた散歩に出ることはあるが、それもせいぜい一日に二時間程度。張り込みは刑事の本分、と葉山は心得ているが、野村はどうもそうではないようである。

「こんな中年女の行確なんて、とんだ貧乏クジですよねぇ……なんでよりによって、あんな出っ歯の関西弁が、姫川主任と組むんですかねぇ」

よくは分からないが、あの井岡巡査部長と姫川班には、浅からぬ因縁があるのだと菊田巡査部長から聞かされてはいる。そういう関係だろうとは思うが、それをいったところでこの野村は納得しそうにない。下手な意見は話題を長引かせる。結局、葉山は沈黙という回答を選ばざるを得なくなる。

しかし、姫川玲子——。

葉山もまた、彼女には特別な意識を持っていた。だがそれは、他の男性捜査員たちが抱くのとは少し違った意味でだ。

遠因としてあるのは、十四歳のときに起こった、ある事件だ。

当時の葉山は、中野にある私立中学に通っていた。小学校で受験をし、中高大と、エスカレーター式に進学していくはずだった。だが、その事件がきっかけで、すべてが狂ってしまった。

忘れもしない、中学二年の秋。バスケットボール部の部活を終えての帰り道。暗い住宅街の、ガードレールもない白線だけの歩道。その先に、見覚えのある後ろ姿があった。中学受験の際、家庭教師として勉強を見てもらった、近所の女子大生だった。その当時すでに四年生。就職が決まっていたことはあとから知った。

その彼女に、ふいに大きな何かが重なった。

それは、交差した道から出てきた影だった。

フードをかぶった、ジョギング途中のような、上下スウェットと思しきシルエットだ。

すべてはほんの一瞬の出来事だった。

悲鳴も何もなかった。ただ彼女の体が、暗いアスファルトの地面に崩れ落ちる音がしただけだった。

フードの影は左手に走り去った。向こう正面からきたスーツの男が、すぐに彼女に駆け寄った。

「どうしました、大丈夫ですか」

誰か、救急車。彼の声で、周辺の住民が何人も道に出てきた。だが葉山は、その場からずっと動けずにいた。救急車やパトカーが到着し、誰か見ていた人はいませんかと警察官が呼びかけても、足がすくんで、名乗り出ることができなかった。

刺された女子大生、有田麗子は死亡。事件は、彼女に男性の影がなかったため、通り魔の犯行であろうと結論づけられた。

葉山は以後、ずっと悔やみ続けた。

なぜ、あのとき見ていたと名乗り出られなかったのか。背格好、着衣。自分が見たものは、少なからず捜査の足しになる情報だったはずだ。

一方では、あの大きな影に怯えてもいた。あの影が、いつか自分を捜しにくるのではないか、口封じのために殺しにくるのではないかと、夜毎ベッドの中で一人震えた。

ずっと、ずっと――。

四年後。葉山は大学には進学せず、高卒で警察官になる道を選んだ。その第一義は、まず自分を救うことだった。自分は卑怯者なんかじゃない。そう自身に証明したかった。

また刑事になることで、未解決になっているはずの有田麗子の事件を、自らの手で再捜査したかった。これは、実際に刑事になった今となっては、非現実的な目標といわざるを得ないのだが、それでも諦めたわけではなかった。気持ちは今も、衰えぬまま胸にある。時効まで、まだ四年残っている。

と同時に、あの影に怯えない自分を作り上げたかった。警察官という肩書き、柔剣道や他の訓練で身につける体力、法知識、捜査知識、犯罪知識。二十四時間、一秒の隙もなく、葉山は警察官でありたいと願った。それ以外の自分はいらない。葉山則之という人間は、イコール警察官であり、刑事という生き物である——。

それが実現できているかというと、そうともいえない。事件のことは、いまだ誰にも打ち明けられずにいる。だが努力の甲斐はあった。今年、異例の若さで捜査一課に取り立てられることになった。そこで出会った主任、姫川玲子警部補——。

苗字も、名前の漢字も違う。顔も背格好も、何一つ共通点がない。ただ「レイコ」という名前。それだけなのだが、それでも葉山は、特別な何かを感じてしまう。

——ノリくん、ちゃんと宿題やってくれた？

あの声が、

——ノリ、ちゃんと報告書出しといてくれた？

否が応でも重なって聞こえる。自分は、あの人のことを忘れてはならない。姫川に声をかけられるたび、つい、そんな思いに囚われてしまう。すると、

「……なに。なんか意見でもあるの」

いつもそんなふうに睨まれる。自分でも、おかしな態度になっていることは自覚している。だが、おいそれと話せる内容ではない。結局「いいえ」と素っ気なく答えてやり過ごすしかない。心のどこかでは、いつか機会があれば打ち明けてみたいと、思ってはいるのだが。

午後二時半になって動きがあった。

内藤君江が店を閉めて出ていく。スカーフに割烹着といういつもの出で立ちではない。黒っぽいダッフルコートに茶系のスカート。野暮ったくはあるが、彼女なりの「お出かけ着」であることは明らかだった。大きなユニクロの紙袋を脇に抱えている。

「いきましょう」

「ですね。さ、張り切って参りましょう」

野村を連れ、君江の尾行を始める。バスに乗られたら、若干面倒ではあるがタクシーで尾けるつもりだった。だが彼女は十五分かけて北千住駅まで歩き、常磐線でふた駅、亀有駅で下車した。そこからまた五分ほど歩いて、とある建物に入っていく。

亀有中央病院。看板には内科、外科から、皮膚科、小児科、心療内科と、様々な科目が謳われている。

「どっか悪いんですかね」

「さあ。どうでしょう」

君江は外来診察の受付にはいかず、そのままエレベーターの方に進んでいく。

「ああ、見舞いか」

少し黙っていてほしいのだが、それもなんだかいいづらい。たぶん、姫川主任のいうところの「捜査一課員」であるならば、相手が年上だろうと格上だろうと、いうべきことはいわなければならないのだろう。だが、なかなかそうはできないのが実情である。特に自分はこういう場合、つい黙ってやり過ごしてしまう傾向にある。正直、その方が楽なのだ。

君江は四階でエレベーターを降り、ナースセンターのカウンターで記帳をした。あとから、それとなく確認する。

《氏名・内藤君江　患者氏名・内藤雄太（ゆうた）　患者との関係・伯母》

入っていったのは五〇九号室。廊下から見た限りでは六人部屋のようだった。ドアロのプレートを見ると、確かに「内藤雄太」の名前がある。野村に目で合図し、とりあえずそのまま通り過ぎる。

ちょうど正面突き当たりが休憩所になっていたので、そこで五〇九号室の様子を見ることにした。

「……未婚の君江の、甥っ子ってことは、君江には弟か妹がいたってことですかね」

「そういうことになりますね。私ちょっと、それとなく聞いてきます」

その場を野村に任せ、葉山はナースセンターに向かった。

カウンターの向こう、帽子に線の多い、看護師長らしき人物に声をかける。三十代半ばの、やや神経質そうな細面の女性だ。

「恐れ入ります……」

目立たないよう胸元で身分証を提示する。彼女は辺りを気にしながら目礼し、「何か」と葉山を見上げた。

「今、五〇九号に入っておられる内藤雄太さんは、おいくつくらいの方なのでしょうか」

令状を提示しない警察官にどこまで話すべきだろう。そんなことを思案しているのか、彼女はしばし、五〇九号の方に目を向けて考えていた。

「……十八歳に、なられるかと」

「どういったことで入院されているのでしょうか」

また少し言い淀む。

「交通事故で……」

「いつ頃からですか」

細い溜め息。それだけで深刻な状況であることが窺い知れる。

やがて、覚悟を決めたように頷く。

「……こちらに移ってこられたのは、もう四年ほど前ですが、今の状態は、おそらく十二、三年続いているものです。意識はありますが、会話はできません。要するに、全身麻痺です」

事故が十三年前だとすれば、雄太は当時五歳だったことになる。内藤君江はそのとき三十六歳、高岡賢一は三十歳、三島耕介は七歳、三島忠治も三十六歳、中川美智子は六歳、中川信郎は三十二歳だ。

「どんな事故だか、お分かりになりますか」

「さあ……事故後に入院なさったのは、別の病院ですので」

「それがどこかは」

「あの、詳しいことでしたら、事務局を通していただきませんと、私からはなんとも」

まあ、そうだろう。事件に直接係わったわけでもない人間について、あまりしつこく訊くのは危険だ。人権問題に発展しないとも限らない。引き際は肝心だ。

「……すみません。ありがとうございました」

休憩所に戻り、いま聞いた話を野村に伝える。

「私、これから図書館にいって、その事故について調べてみます。野村さんは、このまま君江をお願いします」

野村は口をへの字にし、了解、とだけ呟いた。

携帯サイトで調べ、病院から一番近いであろう亀有図書館に向かった。距離にすれば一キロほど。十分とかからなかった。

早速、十三年前の新聞各紙の縮刷版を集める。あとはそれを閲覧用の机に運び、一月一日からひたすら見ていく。社会面の交通事故だけを当たっていくのなら、さして難しい作業ではない。

内藤雄太、五歳。内藤雄太、五歳――。

途中、野村から連絡が入った。君江が動き出したということだった。帰り着くか、どこかに立ち寄るようだったらまた伝えてくれといって切った。

再びページを繰る。

内藤雄太、五歳。内藤雄太、五歳――。

小一時間してようやく見つけたのは、十三年前の五月二十八日、月曜朝刊の記事だった。

【27日午後5時45分ごろ、埼玉県川口市の県道で、東京都足立区梅田の建築作業員、内藤和敏さん（31）が運転する乗用車が中央分離帯に乗り上げて横転し、同乗していた妻の麻子さん（26）が頭部を強く打って死亡、長男の雄太ちゃん（5）が重体、和敏さんも胸などに重傷を負った。事故は、多摩ナンバーのダンプトラックが内藤さんの車に幅寄せし、それを避けようとしたため起こったものと見られている。（川口署調べ）】

内藤和敏（かずとし）、当時三十一歳。麻子（あさこ）、二十六歳。君江が当時三十六歳だから、麻子が妹だったとすると、十歳と大きく離れていたことになる。それより考えやすいのは、和敏が五歳違いの弟であるという線だろう。

今年四十四歳になる、内藤和敏。ダンプトラックが引き金になったとはいえ、自ら起こした事故で妻を亡くし、息子を全身麻痺にしてしまった男は今、どこで何をし、何を考えているのだろう――。

葉山は図書館の玄関を出て、携帯を開いた。メモリー番号三番にかける。

『……はい姫川』

「もしもし、葉山です」

『うん。どうした』

不思議と、電話口の姫川とはスムーズに話ができる。

「あの、内藤君江に、今日動きがありまして。……君江は午後から、亀有にある総合病院に、雄太という甥っ子を見舞いにきました。十八歳になる、全身麻痺の患者です。十三年前の事故が原因でして……あ、いま私、図書館なんですが、新聞記事を調べましたら、その雄太の両親が、内藤和敏、麻子という夫婦でして、妻の麻子はその事故で死亡していました。和敏も重傷を負っています。年からすると、和敏が君江の弟、なんだと思うんですが」

『当時いくつ』

これだけ早口でいって、ちゃんと内容を把握しているらしいところは、さすがだと思う。

「三十一歳です。今年四十四歳になる勘定です」

『職業は書いてない』

「えっと……建築作業員となっています」

『へえ……そう』

何か考えているのか、姫川はしばらく黙り込んだ。たぶん、あの静と動が複雑に入り混じった目つきで、遠くを見ているのだろう。

喩えるなら、猫科の猛獣が彼方の獲物を見据えるような、あるいは猛禽類が急降下の寸前に風を読もうとするような、そんな眼差しだ。

沈黙は、突如破られた。

『ノリ。それ係長に連絡して、すぐに調べてもらって。役所関係、まだすべり込み間に合うでしょ』

時計を見る。午後四時二十八分。

「具体的には、何を調べてもらうのですか」

フッ、と耳に、音だけの息が吹きかかる。

『内藤和敏の、生死よ』

「それは、どういう……」

『あたしの勘では、その内藤和敏……たぶんもう、亡くなってるわ』

痛いくらい冷たい何かが、背中の毛穴という毛穴を刺激する。

「……分かりました」

すぐに切り、捜査本部にかけ直そうとしたが、逆にかかってきてしまった。野村からだ。

「はい、もしもし」

『ああ、野村です。今、店に帰ってきたんですが、そしたらですね、電柱の陰に、妙な人影があったんですよ。誰だと思います？』

葉山は、分からないと答えた。

『三島耕介ですよ。あいつ、なんで君江の住所知ってるんでしょうね』

三島耕介が、内藤君江を——。

「君江と三島は、接触したんですか」

『いえ。君江は気づかずに店に入りました』

「三島は、野村さんには気づきましたか」

『いや、私の面は割れてないですから、気づいてないと思いますよ。知らん顔で通り過ぎたんで、大丈夫なはずです』

「三島はどうしました」

『しばらく店の様子を見て、去っていきました。近くに軽トラックを路駐してまして、それに乗ってどっかにいきました』

「間違いなく、三島でしたか」

『ええ。右肩がちょっと汚れた、オレンジ色のダウンジャケットを着てました。車のナンバーも控えてあるんで、あとからどうにでも確認できますよ』

全体像はまだ見えないが、何やら事件が動き始めている、そんな気配がひしひしと感じられる。

「野村さん。私、いったんそっちに寄りますから、そうしたら今夜は、報告に帰りましょう。

今から帳場に連絡入れますんで、そのときに交代要員も用意してもらいますんで」

分かったと返す野村の声は、やけに弾んで聞こえた。

5

夜の捜査会議は、妙な興奮状態に包まれていた。

まず玲子が花火を打ち上げた。

「……つまり、本件のマル害とされていた高岡賢一は、実は高岡賢一ではないという可能性がでてきたわけです。大田区仲六郷以前の住所、足立区南花畑における高岡賢一の評判は、気が弱い、読書家の、下手をすると虐められがちな少年というものでした。大学を卒業してからは職を転々とし、生家を立ち退く直前は英語教材の営業をしていたらしいとの情報もあります。多くの証言は先に挙げました沢井雄司からですが、その沢井が、この高岡賢一の写真を見て、まったくの別人であると断言しました」

報告の効果は上々だった。幹部も各々、その意味を頭の中で整理しているようである。

「死んだ高岡賢一は、高岡賢一ではない。では一体誰なのか。本日はそれについて、興味深い報告があります……葉山から」

そのまま彼にあとをとらせる。

「ええ、本日、内藤君江には、弟がいたことが分かりまして……」

内藤和敏、享年三十二。妻・麻子を亡くし、一人息子の雄太を全身麻痺にしてしまった事故の一年後に、彼は死亡していた。

「先ほど西新井署に確認をとりましたところ、内藤和敏は十二年前の四月九日、建設中ビルの一階部分で首を吊り、自殺したとのことでした。現場は……中林建設のものでした」

講堂全体にどよめきが広がる。いい調子だ。

「西新井署は事件性を見込まず、そのまま自殺として処理しておりますが、明日実際に現場調書などの資料を精査する予定であります。……また、内藤君江の自宅近くで、当該地の様子を見ている三島耕介らしき人物を、野村巡査部長が目撃しました。捜査関係者からの情報をもとに割り出したのでなければ、三島耕介は、もともと内藤君江の住所を知っていたことになります」

日下が挙手し、今泉に指名を受ける。

「……私は三島耕介に面接した際、内藤君江という名前は出しましたが、北千住在住とはひと言もいっていません。他に、三島耕介に接触した捜査員がいないかどうかの確認を願います」

「日下主任以外に、三島に接触した捜査員はいるか」

名乗り出る者、なし。

日下が続ける。

「そのとき三島は内藤君江に関し、まったく知らないと述べました。応対の印象にも不自然な点はありませんでした。むろん、それが芝居である可能性を否定する材料はありませんが、住所を確実に知っていたとなると、のちになんらかの情報があったものと考える方が妥当です」

今泉が首を傾げる。

「……何か、心当たりがあるのか」

「はい。先日私が報告した通り、三島は、高岡から保険証書を受け取った可能性がある旨の発言をしました。その後その証書が見つかったという話は聞いていませんが、三島がもしそれを発見、確認し、そこに内藤君江を受取人とする証書も同封されていたのだとしたら、三島が当該地住所を知ることは可能と考えられます」

玲子は、自分がいおうとしていることまで日下が口にするのではないかと気が気でなかった。が、運よくそれはなかった。

「葉山は、以上か」

「はい」

すかさず挙手。

「姫川」

「はい」

再び立ち上がる。

「いま葉山の報告にあった内藤和敏なる人物は、十三年前に事故で家族を失い、その一年後に自殺をしています。その際に死亡保険金の支払いがあったかどうか、まず調べる必要があると思います。次に、その内藤和敏が自殺したのと、高岡賢一が大田区仲六郷の現住所に入居した時期が非常に近いという点。また高岡賢一が高岡賢一ではなかったのではないかという疑惑。それらを考え合わせますと、本件のマル害である高岡賢一が……」

ああ、自分でいっていてワクワクする。

「実は、内藤和敏であるという可能性が、考えられると思います」

「意義あり」

座ったままの日下が手を上げる。

「その根拠はなんだ」

何を聞いているのだろう。それはいま説明したばかりではないか。

「……ですから、高岡賢一が高岡賢一ではないという点。その偽の高岡が、接点のない内藤君江を五千万の受取人に設定していたという点。常識的に考えれば、内藤君江を受取人とするのは、彼女に多大な恩のある人間か、血縁者に限られるはずです。そもそも生命保険の契約は、滅多(めった)やたらと第三者を受取人に設定できるものではありません。偽の高岡がどう生保会社に説明して君江を受取人にしたのかは不明ですが、でも、その正体が内藤和敏なら合点がいきます。そして南花畑にいた高岡賢一は、沢井の証言からすると、いつ自殺をしてもおかしくない精神状態にまで追い込まれていた。当時の高岡を追い込んでいたのは中林グループです」

どこからも茶々は入らない。イケる。

「おそらく、本当の高岡賢一は、南花畑の自宅で首を吊って死んだのでしょう。それを中林不動産の誰かが発見し、中林建設の現場に運び、処理した。その際、それが高岡賢一であることが明るみに出れば土地取引に差し障りが出てくるので、別人とする必要があった。それが、内藤和敏です。

これは、これから当たる必要があるかと思いますが、全身麻痺の息子、内藤雄太の入院治療費は、その一年で相当な額になっていたものと考えられます。その時点で内藤和敏がどういった経済状態にあったのかも要確認ですが、もし困窮していたのだとするならば、自殺をして死亡保険金を君江に受け取らせたいと考えても、なんら不思議はありません」

幹部の表情を見渡す。大丈夫だ。まだイケる。

「その状況を巧みに利用したのが、中林グループです。内藤和敏自身は死なせず、高岡賢一の死体をそれと偽って、現場で自殺したことにする。ここで和敏は、死亡保険金を君江に一度受け取らせることができます。おそらく君江も死体確認はしたでしょうから、それが弟ではない、別人であることは分かったでしょう……しかし、そうとはいわなかった。事前に和敏から、何かしら聞かされていたのでしょう。

次に、南花畑で浮いた高岡賢一の戸籍を、そのまま内藤和敏に譲渡する。交換条件として内藤は、中林が南花畑の土地建物を取得するのに協力した。その後、和敏は高岡賢一に成りすまし、仲六郷で新たな生活を始める。そんな中、偽の高岡は三島忠治の、事故を偽装した自殺に出くわし、その後に三島耕介に出会った……三島耕介と内藤雄太は二つ違いです。父親を亡くして途方に暮れる耕介に、偽の高岡が救いの手を差し伸べたのは、むしろ当然の成り行きといってもいいでしょう」

マズい。橋爪管理官が身を乗り出してきた。

「……そして高岡賢一となった内藤和敏は、再び生命保険に加入し、内藤君江を」

「ちょっと待て姫川」

クソ、ここまでか。

「……はい、なんでしょう」

「毎度のことだが、お前、よくもそこまでペラペラと、絵空事を並べられるなぁ」

「は？　絵空事とは、どういう意味でしょう」

橋爪がこめかみを掻く。カツラとの噂が本当ならば、ちょうどその辺りが境目なのだろう。痒くなるのも頷ける。

「……現状そろっている状況証拠と、お前の説は結びつかん」

「高岡が高岡ではない、内藤君江には高岡に年の近い弟がいた、双方経済的に逼迫した状態にあった、すべてを網羅する形で、まるで蜘蛛の巣のように中林の網が張り巡らされている」

「余計な比喩ははさむな」

「失礼しました……ですが、現状そろっているネタを繋ぎ合わせるとですね」

ついに天辺を掻き始める。相当痒そうだ。

「だからそれはァ、もう少し間を埋めてからにしろよ」

「この高岡の写真を持って内藤和敏の知人を当たれば、答えはすぐに出ます。高岡賢一は内藤和敏です」

橋爪がテーブルに拳を落とす。

「だったらなんだッ。それと本件がどう関係しているというんだ。マル害が高岡だろうが内藤だろうが、じゃあそれを殺したのは一体誰なんだッ」

それをいわれると、ちとつらい。

「さっさとそっちを割り出してこいよ。そんな、あっちの誰がこっちの誰だとか。さっぱり分からん」

だから、それを説明してるんでしょうが。

「いや、ですから、マル害の背景をですね」

「もういい。やめだ、やめ……姫川。ネタは、もうちょっとまとめてから発表しろ。下手な鉄砲は外で撃ってこい。次、誰だ」

今泉があとを引き受ける。

「菊田。やってくれ」

「……はい」

菊田の、気遣うような視線を肩越しに感じる。玲子はそれとなく頷き、大丈夫だと示しておいた。

続く報告に、大きな進展は見出せなかった。

河川捜索班は残りの遺体部位を揚げられず、敷鑑は高岡賢一に殺意を抱く人物に当たらないという足踏み状態。唯一、地取り班が面白い報告を上げてきた。野球場より向こうに住んでいるホームレス集団の一部が、ここのところやけに羽振りがいいという話だ。

「連日、バーベキューなどをやっているらしく……」

だがそれも、

「ホームレスだって場外競馬くらいやる。肉だってよく探せば捨ててある」

橋爪に一蹴されて終わった。

残ったのは日下だった。普通なら、一番最初に報告するのが彼なのだが、今日はちょっと帰りが遅かったため、あと回しになっていた。玲子のあとでもよかったのだが、そのときはちょうど電話がかかってきていて中座していた。

改めてその表情を見る。微妙に自信ありげなのが不気味だ。

「……昨日、木下興業の保険業務を担当しているのが、戸部真樹夫なる人物であることは報告しましたが、その戸部に関する聞き込みで、いくつか興味深い情報が得られましたので報告します」

日下は、手元の資料を一枚めくった。

「戸部真樹夫、四十一歳。昭和四十×年七月二十二日生まれ。母親は戸部由子、六年前に病死。享年六十二……田嶋組初代組長、田嶋正勝の、元愛人です」

講堂が一気にざわつく。今日はなんだかスゲエなと、所轄の誰かが口走る。

「しかし、戸部由子が実の母親ではないという説もあります。本当の母親は、小川美雪……田嶋正勝の弟、田嶋利勝、彼は暴力団関係者ではなく、不動産管理会社の会長をしておりますが、小川美雪はその一人娘で、中林建設を立ち上げた小川通夫の現在の妻です。その美雪が、十四歳のときに産んだのが、真樹夫であるという噂です。父親は正勝。つまり、美雪は血の繋がった伯父の子を産んだわけです。……以上は、氏名は伏せますが、複数の、元田嶋組組員の証言ですので、まるっきりのデマでもないと思われます」

面白いけどよォ、と橋爪がぼやいたが、今泉は続けるよう促した。

「はい……都立高校を卒業するまでの戸部は、まさに札付きのワルだったようです。喧嘩の腕はからっきしですが、女をたらし込むのが上手かった。そのため金回りがよく、それにくっついて回る子分も少なからずいたようです。……成人してからは、実の母親の勧めか中林グループに係わるようになり、といってもろくな仕事はしていなかったらしいですが、十年ほど前から木下興業に腰を落ち着けるようになった……というのが、これまでのあらましです」

また資料をめくる。

「ンッ……ええ、戸部が、木下興業を契約者兼受取人とし、従業員を被保険者とする保険契約を次々と成立させることができたのは、この特技があったからだと思われます。戸部は保険の女性外交員を次々とたらし込み、愛人関係を結んでいった。審査部門に強く働きかけさせたり、また書類を改竄（かいざん）したりということも、日常茶飯事だったようです。これも氏名は伏せますが、すでに保険会社を退職した、実際に戸部と肉体関係のあった女性の証言です」

日下が顔を上げ、正面を向く。

「……高岡賢一殺害の三日以降、戸部は木下興業に出勤していません。早急に三日以降の足取りを洗う必要があると考えます。こちらからは以上です」

なかなか、日下にしてはコンパクトにまとまった報告だったが、内容は、思いのほか濃かった。

――戸部、真樹夫。女ったらしの、保険金詐欺師……。

橋爪がまた身を乗り出す。

「あのなぁ、姫川もあんたも、何を躍起になって周辺事情をほじくり返してんだよ。もっとよォ、真ん中をほじれよ。真ん中を」

「姫川主任のアプローチと私のそれは、多くの点で異なるものと認識していますが」

何よそれ、と思ったが黙っておく。

「俺にいわせりゃ同じだよ。じゃ何か、その戸部が高岡を殺ったって感触でもあるのか」

「ありません。あるかどうかも分かりません。ですから、それを知るために足取りを追いたいといっているのです」

「じゃあ訊くが、戸部が高岡を殺る動機はなんだ」

日下が、小さく鼻で溜め息をつく。分かる。不本意だが、その気持ちはよく分かる。

「……姫川の報告がどこまで確かなものかは分かりませんが」

「ちょっと日下さんッ」

言葉と同時に、右手がテーブルを叩いていた。

じろりと、三白眼がこっちを向く。

「……気に障ったらあとで謝る。とりあえず今は聞け」

――ムカつく。あんたって、ほんっとにムカつく。

日下は前に向き直った。

「仮に、マル害の高岡賢一と、件の内藤和敏が入れ替わっていたのだとしたら、戸部がそれに係わっていた可能性は充分にあります。だとするならば、マル害高岡こと内藤は、戸部の、数々の仕事の生き証人であります。自身のケースを含め、三島忠治、中川信郎、その他にもあるのかもしれない。それらのからくりをネタに、戸部を逆に強請(ゆす)ることもできます」

バチッ、と眉間の辺りに、火花が散るのを感じた。

だがまだ、その理由は、玲子自身も分からない。

「戸部を強請り、だが返り討ちに遭い、殺された。あるいは、三島や中川の件とは手法が異なりますが、嘱託(しょくたく)殺人の線も考えておくべきでしょう」

今泉の目が険しくなる。

「君江に保険金を受け取らせるために、高岡こと内藤が、戸部に自身の殺害を依頼したというのか」

「可能性の話です。それもゼロではないといったまでです」

「……だからよォ」

橋爪が、鼻をほじりながら割って入る。

「もうちょっとよォ、現実的な話をしようぜ。なぁ？」

悲しいかな、橋爪に同意を示す者は、一人としていなかった。

捜査会議のあとの幹部会議が終わって時計を見ると、もう十一時近くになっていた。

今から居酒屋にいる班の連中に合流しても、なんだか飲み遅れるだけのようで気が引ける。ならば、二、三日前から目をつけていた、駅前のアスレチックセンターでサウナにでも入ろうか。

そう思いついて支度を始めたのだが、化粧ポーチを開いたら、クレンジングオイルが切れていることに気づいた。でも、まあいい。通り道にはコンビニがあったはず。あれは、確かローソン。ということは、ファンケルか何かなら置いているだろう。

着替えと化粧ポーチ、携帯と財布をバッグに突っ込んで署を出ると、すぐそこに見慣れたコートの背中を発見した。

「係長ォ」

立ち止まった今泉に、小走りで追いつく。

「……これから、お食事ですか」

「いや、髭剃りがな」

今泉のヒゲは濃い上、非常に硬いらしい。電動剃刀では上手く剃れず、三枚刃とか四枚刃とか、T字のやつを使い捨てにしていると聞いたことがある。

「コンビニですか」

ます」

「サウナでもいこうかなと。でもちょっと、コンビニにも寄るつもりだったんで。ご一緒し
「ああ。お前は」

疲れているのか、今泉の歩調はやけに遅かった。だがその方が、かえって話はしやすい。

玲子は「あの」と呼びかけ、今泉の様子を窺った。

「なんだ」

そんなに、疲れているわけでもなさそうだ。

「いえ、その、別に、今に始まったことじゃ、ないんですけど……」

「なんだ。はっきりいえよ。どうせ日下のことだろう」

思わず、玲子は笑ってしまった。

「敵わないなぁ……そう。うん……なんか、日下さんって、なんであんなに先を読むのを嫌うんだろうな、って。ちょっと、思ったもんで。……まあ、いつも思ってましたけど」

ちょうど同じ高さにある顔に、苦笑いが浮かぶ。

「お前、日下が以前、勝俣と一緒に四係にいたというのは、知ってるか」

勝俣主任？　あの日下が、ガンテツと？

「いえ、知りませんでした」

だろうな、と小さく頷く。

「まだ日下がデカ長だった頃だ。勝俣はブケホ（警部補）になりたてで、まだ公安にいく前の話だ。……まあ、二人ともガチンコでな、会議でよくやり合ってたよ」

「そのとき、係長は？」

「俺もブケホだったが、あの頃は、九係……だったかな。だから、全部を見たわけじゃない。おおよその話だ」

「はい」

コンビニに着いてしまったが、こっちの方が面白そうだ。

「……ちょっと、ここで待っててください」

中であたたかいコーヒーを買ってきて、今泉に渡す。玲子はコーンスープだ。

「こっちがいいですか？」

「いや、これでいい」

プルトップを引き、小さく乾杯する。

ひと口飲むと、吐く息の白が、途端に濃くなった。

「……まあ、大雑把にいえば、日下はハメられたんだよ。勝俣に」

眉をひそめて頷くと、今泉はもうひと口飲んで続けた。

「……世田谷の、経堂（きょうどう）で起こった、強盗殺人の帳場だ。日下はある男をマル被として立てた。デスク連中も、やってみろと後押しをした。だが……直上である勝俣だけは黙っていた。

それが誤認逮捕になることを知っていて、黙認したんだ」

「なんでまた」

「蹴落とすためさ。勝俣は日下の実力を高く評価していた。だからさ。……当時を知るあるデカは、そのネタ自体が勝俣の仕込みだったんじゃないか、とまでいっていた。まあ、真相は分からんがな……とにかくそれを、勝俣はあとから引っくり返した。日下がマル被を引っぱって何日も経ってから、本ボシはこっちですと、独自にマル被を立てた。むろん、そっちが正解だ。日下は立場をなくし、失点を一人で背負わされ、当時一次を通っていた警部補試験は、二次を受けるまでもなく落とされた」

ここで玲子が怒っても仕方がないのだが、それにしても、あまりにやりきれない話だ。無性に暴れたい気分になってくる。サウナはやめにして、ボクササイズにでもトライしようか。

「以来日下は、一切の予断を自らに許さない……いや、誰にも許さない、完全無欠の捜査を身上とするようになった。何年かして、当の勝俣がぼやいていたよ。俺は、とんでもない怪物を作っちまった、ってな」

今泉はコーヒーを飲み干し、ごちそうさん、と空き缶入れに放り込んだ。

「……だからってな、別に、お前が遠慮をする必要はないんだぞ。引っくり返せるものなら、引っくり返してやれ。日下自身、それを望んでいる部分がある」

思わず、えっ、と口から漏れた。

「日下もまた、お前を買っている。俺には分かる。ただ奴は、口にも態度にもそれを出さんだけだ。……今の奴の懐は、お前が思うほど浅くはないぞ」

ぽんと玲子の肩を叩き、店のドアを開ける。

「じゃ、また明日な。お疲れさん」

ゆっくりと、ガラスドアが閉まっていく。

いや、困った。

なんとも、あとから追いかけては入りづらい雰囲気になってしまった。

第四章

1

電気屋の松本さんは駄目だと思ったので、俺は他の関係者にそれとなく訊いて回った。建材屋、左官屋、材木屋に水道屋。みんなあまり付き合いがなかったのか、そういう事故があったことは知っていても、遺族の連絡先までは知らないようだった。だが、葬儀の手伝いをしたという設計士が、かろうじて一人娘の連絡先を手帳に控えていた。

名前は、中川美智子。それと、川崎区渡田向町のアパートらしき住所と、携帯番号。

早速訪ねたが、その夜は留守だった。次の日は少し時間を早くし、八時頃にいってみたが、そのときもいなかった。ようやく彼女を見ることができたのは、三回目のときだった。

夜の七時半。建物の前までいくと、わざわざ訪ねるまでもなく一〇二号のドアが開いた。体も腕も脚も、俺の半分くらいしかない華奢な体つきの女の子だった。外に出てくるりと向き直り、鍵を閉める。グレーのハーフコートにジーパン。こんな時間からどこに出かけるのだろう。遊びにいくので洒落込んだ、という雰囲気ではないが。近所に買い物にいくのかもしれない。俺はとりあえず尾行を始めた。

彼女は、最寄り駅とは反対の方に歩き始めた。

十分ほど歩いて彼女が入っていったのは、国道十五号線沿いにあるロイヤルダイナーの通用口だった。いつも通り過ぎるだけで入ったことのない店だったので、少々意外な感じがした。

俺は客の振りをして店に入った。八時ちょうどになって、彼女はホールに入ってきた。俺は呼び出しボタンを使わず、直接彼女に声をかけた。ちょっと、オーダーいいっすか。ビーフカレーのセット。ドリンクはコーラで。はい。ではご注文を繰り返します――。やや疲れた表情をしてはいるが、けっこう、綺麗な顔をした娘だと思った。その後、サラダとビーフカレーを持ってきたのは別の男だったが、ドリンクは彼女だった。

その日はとりあえず様子見ということで、声はかけずに帰った。

その後の一、二回はおやっさんと一緒だった。そうでない日は、一人で通った。彼女が店にいない夜は軽食を掻っ込んで、車を置いたまま彼女のアパートに向かった。裏手に回って見ると、明かりが点いているときもあれば、消えているときもあった。

俺は、その段になって躊躇した。

店に通って、客と店員という遠い間柄ではあるが、それでも面識みたいなものはできてしまった。何も知らないうちに、いきなり訪ねた方がよかったのではないか。何度も店に通ってから「実は」と切り出すのは、逆に怪しいのではないか。

そんなある夜、転機は訪れた。

暗かったので留守だと思っていた室内から、いきなり人が出てきた。でも彼女ではなかった。背の高い、髪の短い、黒っぽいロングコートを着た男だった。男は振り返りもせず、そのままよろよろと歩き出し、俺のいる方に向かってきた。街灯の明かりが当たり、その顔がはっきりと見えた。

あいつだった。

香典の男。おやっさんが睨んでいた男。たぶん、木下興業の――。

男はこっちをちらりと見て、でも気づいたふうもなく、そのまま通り過ぎていった。俺はわけが分からなくなり、呆然と道に立ち尽くした。

やがて、再び一〇二号のドアが開き、彼女が姿を現わした。見覚えのある、グレーのハーフコートの下は素足だ。素足に、サンダル。右手で襟をつかんで合わせ、左手で何かカップのようなものを握っている。

調味料入れのようだった。

右手を離し、そこから白い粉を摑み取り、ドアの前に撒く。また摑み、そして撒く。開いた襟元には、痛々しいほど白い肌が覗いていた。

たぶん塩なのだろうが、それを撒く手の動きが、徐々に早くなる。やがて入れものごと引っくり返し、中身を全部撒き散らし、最後にはそれも地面に叩きつけた。

空っぽの、プラスチックの音。

彼女は、頭を抱えてその場にうずくまった。

俺は、ゆっくりとそこまで歩いていった。

「あの……」

見上げた顔は、ひどくぼんやりしていた。だがすぐに俺が誰だか分かったのだろう。眉間に刺々しく皺が寄った。

「あなた……」

立ち上がり、慌てたように前を掻き合わせ、横を向く。

「ちょっと、なに……なんで、こんなとこに」

俺が調味料入れを拾うと、泣きそうな顔でそれをひったくる。

「ごめん。俺、君のこと、実は……知ってて、店に、通ってたんだ……いま出てったの、木下興業の人だよね」

さらに険しい目つきで睨まれた。

「ちょっと……なに」

「俺、君のお父さんのことについて、ちょっと、話したいことが」

長い髪が、一瞬、ぶわっと逆立ったように見えた。

彼女は再び調味料入れを地面に叩きつけ、踵を返してドアを開けた。肩をぶつけながら自分だけ中に入り、すぐに閉める。俺はとっさに足をはさもうとしたが、上手くいかなかった。つま先がかかっただけで、弾き出されてしまった。

「ちょっと、中川さんッ」

ドアを叩くと、化粧鋼板とペーパーコア材のこもった音がした。アルミの枠に遊びはなく、パッキンも新しいのか金属音は一切しない。

「ねえ中川さん、ちょっと開けてよ、話がしたいんだ」

すぐそこにいるのは気配で分かっていた。

「頼むよ、中川さん、ねえ、こういうの……」

急にドアが開き、俺はおでこを激しくぶつけた。瞼の中で緑色の火花が散った。

「アッ……てぇ……」

「静かにしてよ。近所迷惑でしょ」

片目で見た足元には、白熱灯の明かりが漏れてきていた。前を向くと、ドア口に顔を覗かせた彼女が俺を睨んでいる。

ぶるっ、と短く震える。

「分かったから……今、服着るから。そしたら入れるから。ちょっと待ってて」

すぐにガンッ、とドアは閉まり、ロックとチェーンを同時にかける音がした。

俺はまた調味料入れを拾った。

大きくヒビが入り、角が欠けていた。

十分くらいして部屋に通され、座ってといわれた。

変な誤解をされないよう、俺は彼女との間にあるテーブルからも距離をとり、壁際に正座した。といってもせまい部屋だから、大した意味はなかったのかもしれないけど。

ニットとジーパンに着替えた彼女は、不思議と、店にいるときより大きく見えた。理由は、よく分からない。たぶん、存在感がリアル、みたいな、そんなことだと思う。

俺は名を名乗り、お父さんと少し現場で一緒になった大工だと嘘をついた。同じ立場だといってしまうと、何か、客観性みたいなものが失われる気がしたのだ。

木下興業には、悪い噂があると切り出した。以前にも似たような転落事故が起こっている。それから、もしかしたら君のお父さんには借金があったんじゃないか、と訊いた。彼女は、しばらく黙っていた。さらにいくつかの仮説も話して聞かせた。半分は俺のケースと重ね合わせた推論だった。でも、ほぼ図星だったようだ。

決して、すんなりというわけではなかった。でもゆっくり、時間をかけて話すと、彼女はやがて、観念したように頷いた。

「……最初は、仕事中の事故で亡くなったんだから、君の面倒は、全部会社が見るって、いわれた……」

このアパートを手配したのも、引っ越しの手続きをしたのもあの男、戸部真樹夫であったらしい。最初は怪しい感じの人だと思ったけど、色々親切にしてくれたし、実際いまの生活はそのお陰で成り立っているのだ、とも彼女はいった。

「会社がかけてた生命保険が、千五百万あるから、それで、当面の生活費も、学校の方も困らなくてすむだろう、って……」

学校は、美容師の専門学校だという。

「でも、ここに引っ越してきた途端、態度が変わった……保険金は全部、お父さんがしてた借金の返済に充てた、だから君には一銭も払えないって……逆に、ここの敷金礼金から、引っ越し代から、二学期の授業料まで、全部請求された……百万以上になってた」

「なんで……」

彼女は、悲しげな笑みを浮かべた。

「美容師になるのって、けっこうお金かかるのよ。ブラシだって、コームだってなんだって、道具は全部自前だし。学校も公立じゃないから、授業料高いし……年間、学費だけで百万以上かる。ここの家賃だって九万もする。でも、出ていくったって引っ越しするお金もない……死なれてから知ったの。お父さんの口座には、三万円くらいしか残ってなかった」

真っ白い天井を、彼女は見上げた。それでも支えきれず、透明な雫が喉元まで伝い落ちる。白く、長い首。肩にかかる、真っ直ぐな黒髪。

「……会社じゃ面倒見切れないから、お前の名義で借金しろって、戸部にいわれた。実際、ここに書類並べられて、すぐ署名しろ、判を押せって怒鳴られた。私、怖くて、でも、それ書いちゃったら、なんかとんでもないことになる気がして、嫌だっていった。できませんっていったの……そうしたら」

もう彼女は、涙を堪えようとはしなかった。

「……脱げって。借金チャラにしてやるから、俺の前で……全部脱げって。なんだったら卒業まで面倒見てやったっていい……そう、いわれたの」

俺は、彼女の顔を、正視できなくなっていた。

「……美容師になるの、小さい頃からの、夢だった。お父さんも応援してくれてた。諦めたく、なかったの……だから……だったら、いいじゃない。別に、減るもんじゃなし……彼氏、いるわけじゃないし……誰も、私のことなんか……私なんか……」

テーブルについた拳に額を載せ、彼女は、嗚咽を漏らして泣き始めた。

どうしていいか分からず、俺はじっと、ただ足の痺れに耐えていた。

隣にいって、大丈夫だよと、肩を抱けばよかったのだろうか。でも、触らないでって、撥ね除けられる気がしてならなかった。そもそも何が大丈夫なのだ。何が。

ただ、彼女をこのままにしておくことはできない。それだけは思った。木下興業が、借金の穴埋めをさせるために彼女の父親を事故死させたことはまず間違いない。その状況を利用して、戸部が彼女を陥れたことも。だが、具体的には何をどうする。どうしたら、彼女をこの状況から救い出せる。

「……もう、やめた方が、いいよ」

一瞬、嗚咽が途切れた。でもまたすぐ、それはかえって強くなって吐き出された。

「もう、あいつを、ここに入れるの、よしなよ」

荒い息を繰り返してはいるが、俺の声は、届いているようだった。

「金なら……俺が、なんとかする……あの、俺の、世話になってる、高岡さんって……まあ、親代わりみたいな人なんだけど、ちょっと、相談してみるし……俺も、全然蓄えがないわけじゃ、ないから……百万くらいなら、まあ……なんとか、できると思う」

浮き上がるように、彼女の顔が、少しずつ正面を向く。引きつけるような息は、いつしか、冷たい笑いになっていった。

「あんた……なにそれ……偽善？」

俺は、すぐにはその意味が呑み込めなかった。

彼女の笑いは続いた。

「知らなかった……私って、そうなんだ。そこそこ、まとまったお金出してでも、抱きたいとか、思われる女なんだ」

あはは、と声まであげる。

「……いや、俺は」

「なに、違った？　そんな価値ない？　自惚れんなって？」

「いや、そうじゃなくて」

「でも、結局そういうことでしょ。あんたのいうのは、そういうことでしょうが。金出してやるから、戸部から自分に乗り換えろって、そういう話でしょう。……いいわよ。あんたなら、まあまあ彼氏っていっても恰好つくし。それでお金くれるんなら、万々歳だわ」

いきなり、両手を交差してニットの裾を摑む。

「おい……」

一気に頭の上まで持っていき、傍らに捨てる。

蛍光灯の明かり。紙のように白い肌。ピンクのブラジャーの下にあるのは、悲しいほど薄い胸だ。

すぐさま、ジーパンのベルトに手を持っていく。

「とりあえず、抱いてみてよ。それで気に入れば、本契約。気に入らなかったら、断ってくれていいし」

「……よせよ」

「私、そんなことじゃもう、傷つかないから、遠慮なくいって……そんなに、よくないってこと……自分でも、分かってるし」

「やめてくれよッ」

俺は立ち上がり、彼女が背にしたベッドから布団を引き寄せ、その痩せた体をくるんだ。

横目で見たシーツには、いくつものシミが残っていた。

すぐに目を逸らし、布団ごと、彼女を抱きしめた。

「……違う、ってわけじゃ、ないのかも、しれないけど……でも、今そういうの、よせよ」

抱き上げた仔猫の感触に、よく似ていた。柔らかな手触りの中にある、細い骨。体温。

「俺には、高岡さんがいた……誰もいなくなったとき、おやっさんが、俺を助けてくれた。でも君には、誰もいないじゃない……あんな、戸部なんてろくでなしがそれなんじゃ、あんまりじゃない……それは、違うじゃない……」

布団の隙間から、爪を短く切りそろえた指が出てくる。表面を探るように這い、やがて、俺の腕にたどり着く。

「……あったかい……」

あのとき鳴っていた時計の音は、今も、俺の耳に残っている。

　戸部がいつくるかは、まったく分からないらしかった。突然、夕方か夜になって電話が入り、今からいくから部屋にいろといわれる。バイトが入っていようが学校の課題があろうが、そんなことはおかまいなし。一度、戸部より彼女が遅れて部屋に着いたことがあり、そのときは往復ビンタを何発も喰らったという。

　あの夜以降、俺は、仕事が終わったら真っ先に、彼女の部屋にいくようになっていた。

「ずいぶん、入れあげてんだな」

　おやっさんには一応、彼女ができた、みたいな報告はしておいた。でも木下興業絡みであることは、伏せておいた。余計な心配をかけたくなかったのだ。

「あそこの、ファミレスの娘なんだろ」

「はい……」

「いい娘なのか」

「まあ……そっすね。はい」

「そんなにいい娘、いたっけなぁ……」

　いずれは紹介するつもりでいた。でも、そのときはまだだと思っていた。

「ちっと、気が早いのかもしれないが、その……結婚、とかは、考えてんのか……え？」

　実際は、まだ彼氏とか彼女とかいう間柄でもなかったけれど、でも俺は、すでにそういう気持ちでいた。

「いずれ、そうしようとは、思ってます。なんも、まだいってないし、彼女、まだ学生なんで……ずっと、先になるかも、しんないすけど」

「親、いないんだったよな、確か」

「はい。二人とも、亡くなりました」

中川美智子という名前を出したら、おやっさんは気づくだろうか。分からなかったので、俺は名前を訊かれても、照れた振りをして誤魔化していた。

「ま……時機がきたら、俺には紹介しろ。な」

「はい。もちろんっす……じゃ、失礼します」

仕事を上がったら真っ直ぐ部屋に帰り、シャワーを浴び、またすぐ車に乗って出る。彼女は、たいてい俺が着くより前に帰っていたが、たまには俺の方が早いこともあった。

「あ、ごめん。いま開ける……寒い寒い、かわいそかわいそ」

「いや、だいじょぶだよ」

部屋に上がるのも、もう当たり前のようになっていた。夕飯は彼女が何か作ってくれたり、近くに食べに出たりもした。

食事をすませたら、彼女と一緒に、店に向かう。俺は車で送り届けて、それで帰ることもあったし、帰り時間近くになって迎えにいくことも多かった。

歩いていくこともあった。そんなとき、彼女から腕を絡ませてくることはあったが、俺は決して、それ以上のことはしなかった。戸部との決着がつくまで、俺たちはスタートしちゃいけない。そんなふうに、思っていたんだ。

そして、あの日がきた。

十二月三日。やまない霧雨が、やけにうっとうしい夜だった。

『……私、美智子』

ちょうど仕事が終わって部屋に戻ったとき、彼女から電話がかかってきた。その切羽詰った声色で、俺はすべてを悟った。

「電話、きたのか」

『うん、七時にくるって……三島くん、私、怖い』

時計を見る。六時半。

「今すぐいくから。奴がきても、絶対にドアは開けるなよ」

『うん、分かってる。でも、早くね』

「すぐいく。すぐいくから」

それで電話を切り、本当にすぐ部屋を飛び出した。

焦るな、焦るな。充分間に合うから——。

俺は、そう自分に言い聞かせながら駐車場に走り、はやる気持ちを抑えてハンドルを握った。道中も、ずっと呪文のように唱えていた。

いつもは近くのコインパーキングに入れるのだが、その日はアパートの真ん前につけた。だがそれがよかった。そのときすでに戸部はきており、部屋のドアを叩いていた。

俺はグローブボックスから道具を取り出し、すぐに駆けつけた。

「オーエッ、開けろっつってんだろがオラァ」

叩いて駄目なら蹴る。だがそこで、俺が突き飛ばした。

おおっ、と戸部はよろけ、向こうにすっ転んだ。

「んだッ……だッ、テメ、なにすんだ、コラッ」

俺はドアの前に立ち塞がった。

「……もうここにはくんな。とっとと失せろ」

戸部は何度も目を瞬(しばたた)いて、霧雨越しに俺を見た。のっそりと体を起こす。途中でよろけたが、なんとか立ち上がる。

「なんだァ、てめェ」

俺はもう一歩踏み出した。

「もう、ここにはくるなっていってんだよ。……騙し取った保険金の余りで、その後も女を縛ろうなんて……セコいんだよあんた」

戸部が眉をひそめる。

「ずいぶん、知ったふうな口利くじゃねえか。ああ？　このチンカス野郎が」

「ああ。俺もあんたから十万もらったからな。確かに、あんときは助かったよ。感謝もした。でも、こういうからくりが裏にあったのは知らなかった。……まったく、セコい男だな。それであんた、いくら上前撥ねたの。やっぱ百万？　それとも二百万」

ふいに、その眉間から力が抜ける。

「ああ……お前、確か、高岡のところにいた」

「やっと思い出したか酔っ払い」

「十万、て……じゃあ、お前、あんときの」

「ああ……よかったな。まだ呆けたわけじゃなさそうだな」

戸部は、肩を震わせて笑い始めた。

「けっ……なんだかなぁ、おい……そんで、なに……お前、その娘に、惚れてんのか」

俺は、答えなかった。答えたら、俺たちの気持ちが、汚される気がした。

「そんなよぉ……たかだか百万かそこらで、一生股開きかねねえズベ公だぞ。そんな女の、一体……どこがいいんだよ」

「黙れ」

「俺はな、よーく知ってっぞ。あれだろ、それこそ、ゴボウみてえだろ。細っこいのによ、毛だけは立派に生やしてやがってよ」

　俺は何か、喉に、餅でも詰まったみたいに、急に息が、できなくなって、声も――。

「そのくせよ、毎度毎度、めそめそ泣くくせによ、いっぱしに感じてやがんのよ。あっ、あっ、とかいっちゃってよ。ろくすっぽ乳もねえくせに、乳首ばっかおっ立ててやがんのよ」

　こいつ、こいつ――。

「ケツ出せっつーとよ、ちゃあんと、背中反らせて出すんだよ。お前もやってみたか？　バック。けっこう好きもんだろ、ありゃ」

　ふいに、喉のつかえが取れた。

　すると、聞いたこともない咆哮(ほうこう)が、俺の腹から迸(ほとばし)り出てきた。

　俺は手摺り棒を腰から抜き出し、這うくらいに屈(かが)み、渾身(こんしん)の力で、戸部の脛を薙(な)ぎ払った。

「ハグァッ」

　再び転んだ戸部を、蹴った。踏んだ。罵った。

　やめてくれ、勘弁してくれ。転げ回り、濡れそぼった戸部が土下座をしようとしても、俺はそうさせなかった。

　気がつくと、美智子に止められていた。

「駄目、それ以上やったら、死んじゃう……それじゃ、三島くんが、駄目になっちゃう……」

戸部は、地震で机の下にもぐった小学生みたいにうずくまり、背中を震わせ、そのくせ、まだ笑っていやがった。

2

九日の会議以来、玲子はずっと考え続けている。

偽高岡賢一、こと内藤和敏。

女ったらしの保険金詐欺師、戸部真樹夫。

背景としてある、大和会系田嶋組の存在。そのフロント企業、中林グループ。

木下興業に父親を奪われた二人の子供。三島耕介、中川美智子。

そして内藤君江。その甥にして和敏の実子、内藤雄太。

すべてを繋ぐものとして挙げられるのは、現時点では、戸部真樹夫より他にはいない。彼の複雑な生い立ちがどれほど本件の真相に係わっているかは定かでないが、高岡殺害の三日以降、姿が見えなくなっているのは無視できない点だ。

捜査本部は十一日、姫川班の石倉デカ長らを足立区梅田に向け、生前の内藤和敏について調べさせた。その結果、内藤と仲六郷に住んでいた高岡賢一の風貌が瓜二つであることが、複数の関係者の証言から明らかになった。また自殺直前まで働いていた工務店も割り出され、そこが一時期、中林建設の下請けをしていたことも分かった。

さらに石倉らは、十三年前の事故を処理した埼玉の川口警察署までいき、同署交通課長を説得し、当該事故の調書を借り出すことにも成功した。これにあった指紋と、例の左手首のそれを照合した結果、大田区仲六郷の高岡賢一が、足立区梅田に居住していた内藤和敏と同一人物であることが明らかになった。

しかし――。

戸籍の上では、内藤和敏はすでに死亡したことになっている。また本件のマル害男性は、いまだ社会的意味合いにおいては「高岡賢一」以外の何者でもない。以上の理由から、捜査本部は便宜上、マル害男性はこれまで通り「高岡賢一」と称することと決定した。つまり「高岡賢一」といった場合は、常に「仲六郷に居住した建築作業員の高岡賢一」を指すことになる。入れ替わりを最初に指摘した玲子としては、マル害を「内藤和敏」と改めてほしいところだが、まあいい。マル害は高岡賢一だ。

と――。

ここで玲子が一本の線として見出したのは、内藤和敏改め、高岡賢一の持つ「父性」であった。

彼は過去に一度、自らの戸籍を捨ててまで、死亡保険金を実姉である内藤君江に受け取らせている。その額は、現在確認できているだけで二千六百万円にのぼる。むろんそれは、寝たきりになってしまった実子の内藤雄太に継続的な治療を受けさせるためだ。君江が雄太の面倒を見ている点からも、その意図は明らかと判断していいだろう。

そして高岡は、三島耕介の親代わりとなった。戸籍を捨て、生き別れ状態になってしまった息子にしてやれないことを、代わって耕介にしてやりたいと考えたであろうことは想像に難くない。

つまり、高岡賢一を突き動かしていたのは、常にその強烈な「父性」だった。その点は、まず間違いないと思う。

だがそれと、戸部真樹夫はどう係わるのか。戸部が高岡を殺害しなければならなかった状況とは、如何なるものだったのか。

ここまでの状況証拠からすれば、戸部にとって高岡賢一は、決して殺して得になる人物ではなかったはずである。実際、彼が死亡したことによって、その入れ替わり疑惑にまで警察が目を向ける事態になっている。警視庁とすれば、芋蔓式に田嶋組まで切り込めるかもしれない「上ネタ」である。そんな端緒を掴ませるかもしれない危険な人物を、戸部はなぜ殺してしまったのか。

ただ、戸部真樹夫という男の性質を考えると、田嶋組や周辺の事情まで考慮して行動できたかどうかは、甚だ疑問である。

何しろ、手首を一個残して、しかも犯行に使用した車両を放置して行方（ゆくえ）をくらましているのだ。高岡殺しは行き当たりばったりの犯行だったと見る方が、むしろ自然ではある。

事件以前のポジションもしかりだ。近親相姦によって生まれたという複雑な事情はあるにせよ、田嶋組初代組長の実子であるのは間違いないのだ。それだというのに、フロント企業の中林グループに留まるでもなく、木下興業などという零細企業に出向させられていた。結局落ち着いたのは、スケコマシの才能を駆使し、保険金詐取を繰り返すケチな詐欺師というポジションだ。おそらく木下興業まで流れてきたのも、暴力団員としてはまるで使いものにならなかったからなのではないだろうか。腕っ節が弱いといった情報も、それを少なからず裏づけている。

そんな位置に長年いた戸部と、身分を偽って生きる高岡。そこに耕介が絡んでくる。もしかしたら、中川美智子も。

高岡の行動原理は父性に基づいている。とすると、耕介を守ろうとする行動が、何か戸部とのトラブルを生み出したとは考えられないだろうか。

戸部と耕介の接点は九年前。戸部は三島忠治を事故と見せかけて殺害したか、自殺を強要して死なせた。耕介にとって、戸部は親の仇といってもいい。

そう、たぶんこの線だ。耕介は、戸部の闇仕事を暴こうとした。

いや。それにはちょっと時間が経ちすぎているか。いやいや。九年前といったら耕介は十一歳の小学生。その段階で保険金だのなんだののからくりを見抜くことはできなかったはず。

九年経って初めて、その疑惑に行き着くことができた。

しかし、じゃあなぜ今になって。

そう。そのきっかけとして絡んでくるのが、美智子なのだろう。

だがどうやって。

十九歳の美智子が、父親の死に疑問を抱くのは決して不思議なことではない。ただ、彼女の側から同じ境遇にあった三島耕介に行き着くのは難しかったはずだ。自然な流れとしては、耕介から美智子にアプローチしたと考えるべきだろう。

きっかけは、よく分からないが、きっと何かがあったのだ。

とにかく二人は出会った。そして、互いの境遇に疑問を持った。

さて、そこからどうする。戸部が高岡を殺害するまでの道筋として、どういったことが考えられるだろう。

二人が戸部について、高岡に相談したとする。そのとき高岡は、どう対応しただろう。戸部の闇仕事を知っていたであろう高岡は、二人の疑問にどういう立ち位置をとったのだろう。

父性を重んじ、戸部の悪事を表沙汰にしようとしただろうか。だがそうすれば、彼自身の入れ替わり疑惑も明るみに出て、少なくとも高岡賢一としてかけていた生命保険は破棄、のちに死んだとしても内藤君江に死亡保険金を受け取らせることはできなくなってしまう。むろん、本当の高岡賢一の戸籍を乗っ取った罪にも問われる。まあ、これに関しては時効が成立している可能性が高いが。

とにかく、保険契約のみではあるが、君江を通じ、いまだ雄太の父という立場を捨てていない高岡に、戸部の悪事を暴露するという道は選べなかったはずである。

では、戸部をかばって二人を黙らせたか。

そう。別に戸部の闇仕事を認めなければ、それはそれですんだはずだ。知らぬ存ぜぬで、とぼけてしまえばいい。だがそれができない事情が、何かしらあったとしたらどうだ。若い二人を黙らせて、終わりにできない何か。

分からない。分からないが、少なくとも日下が例として挙げた、戸部による嘱託殺人という線はない、と玲子は思う。特に根拠はない。ただなんとなく、ないと感じるのだ。

捜査本部は今後の軸となる三つの方針を新たに打ち出し、人員配置の大幅な変更を行った。

まず行確班。内藤君江、三島耕介、中川美智子に、それぞれ二十四時間態勢で最低ひと組ずつ付ける。交代要員も入れると、専従は六組十二人になった。玲子も井岡と共に、中川美智子の行確に組み入れられた。

ちなみに内藤君江に対する、高岡賢一が内藤和敏であるかどうかの確認は、現時点では行わないことに決まった。それを確かめたところで捜査が進展するわけではないし、むしろ遠張りで様子を窺って、誰が君江に接触してくるかを見た方が有意義だという結論に達したからだ。また葉山は、西新井署で内藤和敏の自殺に関する調書を閲覧したが、特に目新しい情報は得られなかったと報告した。

次に戸部の足取り。これには十三組二十六人を配した。女関係を洗ったり、保険関係を回ったり、行きつけの店や友人関係を当たったり。死体損壊の現場となった仲六郷周辺での聞き込みも、引き続き行われている。また、戸部の実母である小川美雪の住居や、田嶋組周辺、中林グループ各社も監視対象に入っている。日下や菊田らはここに組み込まれた。

残りは河川及び河川敷の捜索。今となっては一番の貧乏クジかと思われていたが、捜査というのはひと筋縄ではいかないものである。なんと十五日になって、高岡賢一の胴体と思しき部位が見つかったのだ。

場所は車両放置現場から四キロほど下流の南六郷一丁目、下水道ポンプ所裏の川岸だという。そこならまだ蒲田署管内。管区をまたがずに発見されたのは幸いだったといっていい。

『今すぐ東朋大学に向かってくれ』

今泉から連絡をもらい、玲子は急遽、大田区大森西にある同大学の法医学教室を訪ねた。

解剖室前に着くと、すでに刑事調査官や検視係員、担当検事や機動鑑識など、十名近くの立会いのもと司法解剖が行われていた。廊下のベンチには日下とその相方である里村巡査部長、それと橋爪管理官がいた。

「遅くなりました。どんな様子ですか」

日下は愛用のデジタルカメラを鞄から取り出し、チクチクとボタンを弄ってから玲子に渡した。勝手に見ろ、ということらしい。

ありがたく拝借し、一枚ずつ見ていく。写真は全部で八枚。鑑識ほど完璧な撮影ではないが、早めに遺体の状態を知るには充分な写りといえた。

真っ白に血の抜けた胴体には頭部も四肢もない。頭は顎のすぐ下、両腕は肩、両足は股関節で切断されている。残っている首を除けば、ほぼ五角形といっていい形をしている。あと男性器。陰茎は膨れ上がった陰嚢に埋没して見えなくなっている。腹は膨張と収縮を繰り返したのだろう。不気味な蜘蛛の巣状の亀裂に覆われている。

「……あまり、傷んでいないだろう」

確かに、意外なほど綺麗ではある。

――あれ？　でもこの遺体……なんかおかしい。

水中に遺棄されたのが三日深夜なら、今日で十二日。魚が食い荒らすのには充分な時間である。だが、そのような損壊個所はほとんど見られない。

――いや、そういうことじゃ、ないな……なんだろ。

漠然とした違和感。だが玲子自身、その正体を、即座に見定めることはできそうになかった。

とりあえず、日下にカメラを返す。

「……確かに、傷みは少ないですね」

「要するに、発見の直前までは、何かしらで保護してあった、ということだろうな。ビニールとか、その手のもので」

日下がスイッチを切ろうとしたので、玲子は「ちょっと」といって止めた。

「……でもこの、首のところは、若干大きく抉れてますよね」

写真だと向かって右、遺体からすると咽頭部左の皮膚が、半円形に欠損しているように見える。

「ああ、なんだろうな。これは、それこそ魚じゃないのか」

「はあ……」

解剖は、玲子たちが到着してから一時間半ほどして終了した。その間には科捜研から、死体損壊現場で採取された血液のDNAデータが届き、並行して両者のDNA照合も進められていた。

執刀医は鑑定書を作成するため、術後すぐに別室へと移動した。代わりに、解剖に立ち会った刑事調査官の藤代(ふじしろ)が玲子たちに説明する。

「今回発見された部位に、死因と特定できるような外傷はなかった。いま胃の内容物なども分析しているが、内臓の状態からして、毒物という線もなさそうだ」

橋爪が、こめかみを掻きながら「しかし」と割り込む。

「とりあえず、血液型は一致してるんだろう」

藤代と橋爪は共に警視。刑事調査官は死体検案のスペシャリストであり、同時に最高責任者でもある。

「ああ。だがDNA鑑定が完了するまでは、そっちの仏とは断言できない」

「そんなにあっちこっちでバラバラ死体が揚がって堪るか」

「知ったことか。こっちはこっちの仕事をしているだけだ。大人しく鑑定結果を待っていろ。一致しなかったら、蒲田にもう一つ帳場を立てるよう、一課長に進言する」

「お前なぁ、二つも帳場を立てたら、あの署は破綻するぞ。ただでさえここんとこ、あそこが出す弁当の質は落ちてるんだ。今後は解決まで、ずーっとコンビニの握り飯だなんてのは、俺はゴメンだからな」

玲子の立場上それは無理だが、気分的には、藤代の肩を持っておきたいところではある。

――っていうか、あんたの弁当なんて知ったことかっつーの。

それでも橋爪は懲りずに腕時計を睨む。

「……何時に出る」

「何がだ」

「DNA鑑定の結果だよ。決まってるだろ」

今は夕方の四時十分。

「現場データが届いたのが、一時間くらい前か……とすると、深夜零時には出せるんじゃないか」

橋爪が脳天を掻(か)き毟(むし)る。

「ダメだダメだダメだ。九時までに出せ、九時までに」

「何をいってる。それじゃ、たったの六時間しかないじゃないか」

「この前は七時間でできた」

「それは本部の科捜研の話だろう」

「どっちだっていいんだよ。とにかく、もう一時間短縮させろ。頑張れば必ずできる」

「馬鹿かキサマ。何が頑張るんだ。誰が頑張るんだ。ＰＣＲ装置や自動分析器に、応援歌でも唄ってやれというのか。素人が下らん口出しをするな」

玲子の後ろで、ぷっと井岡が吹き出す。

「そっちこそ、現場の都合を少しは考えろ。死因は特定できません、鑑定も早くできませんって。そんな真夜中に報告もらったって、とっくに会議なんざ終わっちまってるわ」

「だったら会議を引き延ばせばいいだろう」

「こっちはその後もデスク会議で毎晩徹夜だ」

うそだぁ。居眠りばっかりしてるくせに。

「とにかく、できんものはできん」

「いやできる。絶対にできる」

しかしこの管理官、よくもまあこんな、わけの分からないごり押しができるよなぁ、などと思っていたら、日下に肩を叩かれた。

「……俺は持ち場に戻る。何かあったら知らせてくれ」

それだけ言い置いて、スタスタと廊下を戻っていく。

——あたしだって、いつまでもこんな茶番眺めちゃいないわよ。

だが、そうは思いつつも、なかなか玲子はその場を離れることができなかった。

——それにしても、なんだったんだろうな……あれ。

胴体の写真を見たときの、えもいわれぬ違和感。それが鉛色の霧となって今、玲子の意識を、微かに暗く覆っている。


結局藤代が押し勝ったのか、東朋大学から正式な鑑定結果が届いたのは、夜中の二時のことだった。

「くっそぉ……あの耳毛やろう……」

橋爪の、欠伸(あくび)混じりの怨み言を聞きながら、幹部全員で鑑定結果に目を通す。

案の定というべきか、DNA鑑定の結果、南六郷で発見された胴体部位は、仲六郷のガレージで採取された血液、西六郷で発見された車両内の血液、及び左手首と、同一人物のものであることが判明した。

死体鑑定書の内容も、ほぼ藤代の説明と変わらない内容だった。

死因となるような外傷はなく、内臓の状態にも特筆すべき異状は見当たらなかった。ご丁寧にも、死因は窒息や失血死以外であろう、とまで記されている。臓器に鬱血や貧血が見られないことがその理由として挙げられており、要するに毒殺、絞殺及び扼殺、頭部から大量出血が起こるような撲殺ではない、と判断されたわけだ。

――じゃあ、他にどうやって殺したっていうのよ……。

また備考には身体的特徴として、胆石性胆囊炎で胆囊摘出術が行われたと思しき術痕がある、とも書かれている。

ただ、玲子が着目した咽頭部左にある皮膚の欠損については、特に説明がない。むろん、欠損部位の採寸はされている。直径七センチほどの半円形。ちょうど首の切断面にかかって半分になった恰好だ。傷の深さ、創底は一センチ二ミリ。だがそれができた理由については、一切触れられていないし、推測もない。

しかし、欠損個所の説明がないことと、この胴体部位を最初に見たときの違和感は、また別物であるような気がする。よくは分からないが。

「あのぉ……この皮膚の欠損って、なんなんですかね」

橋爪、今泉、日下に、蒲田署刑事課長の川田警部、同強行犯係長の谷本警部補。五人とも、眠気のせいか反応がない。

「ねえ係長、この喉の皮膚の抉れって、なんなんでしょうね」

「……んん……」

大体、見ているところが違っている。玲子がいっても、その胃の内容物のページからめくろうともしない。

「日下さん、なんだと思います？」

「だから……魚だろう」

「魚だったら、そういう歯型があるとかないとか、書くでしょう」

「ふやけて……溶けちまったんだろう……」

「だったら、そう書くでしょう」

「溶けちまったら、魚かどうか、分からんだろう……」

ダメだ。みんなお疲れモードで、全然脳味噌が動いていない。

まあ、自力で結論が導き出せない以上、玲子も大差ないといえばそうなのだが。

だが、ひと晩寝たらいいアイデアが浮かんだ。

朝の会議が終わるのを待ち、まず昨日の鑑定書のコピーを作る。写真はちゃんとスキャナーで読み込んで、写真用プリンターで出す。それを鑑定書に添付して、きっちり封をする。

「井岡くん、郵便局ってあっちだよね」

「へへ。ご案内しま」

蒲田郵便局にいき、窓口で、書留の速達で出す。

終わったら、すぐ國奥に電話する。

「ああ、もしもしぃ？　先生、あたし」

『んん……なんじゃあ』

いま一つ、声にいつもの張り、というか粘り気がない。

「なに、元気ないじゃない」

『なぁにがぁ……しれぇっと、あたしぃ、じゃ』

「何よ。いじけてんの」

この前、無下（むげ）に断ったからか。

『そうじゃあ……あれからわしは、傷心の日々を、送っていたんじゃあ……』

「まあそういわずに。頼みがあるんだから聞いてよ」

『なぁにをいうかぁ……詫びも入れんと、しゃあしゃあと』

こういうのは無視するに限る。

「まあ聞きなさいよ。こっちの帳場で、ちょっと面白い遺体が揚がったのよ。それがさ、東朋の先生じゃ死因突き止められなくってさ、そうなったらやっぱさぁ、その道の大家に見てもらわないわけにはいかないでしょう。で、今そっちに資料送ったから、先生見てみてよ」

しばしの沈黙。こら、どうした。

「ねえってば」

『……姫が、届けにくるんじゃ、ないのか』

「あー、ごめん。もう出しちゃった」

『わしが見て、結果はどうするんじゃ』

「知らせてよ。電話でもメールでもいいから」

『それは嫌じゃ。姫が直接、結果を聞きにくるなら、見てやってもいい』

そうくると思った。

「聞きにいく価値のある見解なら、喜んで伺うわ」

『その手には乗らん。如何(いか)なる結果でも聞きにくると約束せい。でなければ、そんな書類は、ケツを拭いて捨てちまうぞ』

「切れ痔になっちゃうわよ」

『わしは鋼鉄の肛門を持つ男じゃ』

「……下品。先生、とっても下品よ」

まあ、調子が戻って何よりではある。

「とにかく明日には届くから、大急ぎでじっくり見てね」

『何で届く。猫か、飛脚か』

「いや、書留の速達だけど」

『わしは今もなお、郵政民営化には反対の立場をとっておる』

「いいからそういうことは。会ってからゆっくり聞いてあげるから。頼んだわよ。ね、お願いね」

『上野の土瓶……』

切る。

よし。これで死体の方はオッケーだ。

3

大方の捜査員は署を出ていったが、日下は講堂に残り、十時から行われる記者会見に立ち会った。

集まったのは「七社会」「記者倶楽部」「ニュース記者会」のクラブ記者とその他二、三社、テレビも合わせると合計三十数名になった。

蒲田署署長の中村警視正、副署長の足立警視、刑事部捜査一課長の和田警視正、それと橋爪が上座に座る。発表を行うのは中村署長だ。

「……昨日、午前十一時。南六郷一丁目の、多摩川川岸に、男性の胴体と見られる、遺体部位が打ち上げられているとの通報を受け、署員が確認いたしました。警視庁と合同で特別捜査本部を設置し、現在、身元などの捜査中です」

捜査本部内ではマル害を「高岡賢一」と称することに統一されたが、世間的にはやはり疑問が残るということで、今回氏名の発表は見送ることとなっている。

「遺体は四十代の男性。頭部、両腕、両脚は、まだ発見できておりません。現状、こちらからは以上です」

挙手した記者を足立副署長が指名する。毎朝新聞の尾関(おぜき)という警視庁番記者だ。

「今月初めから蒲田署は、不審な放置車両について大々的な捜査をしているという情報があるのですが、それと関連のある事件と考えていいのでしょうか」

この程度の質問は、こっちも織り込み済みだ。

「その件については、現在捜査中です」

次は朝陽新聞の古田(ふるた)。これも番記者だ。

「仲六郷周辺でも、同じ頃から頻繁に聞き込み捜査がされているようですが、それについては」

「それも、捜査中です」

「ということは、関連を見込んでいるということですか」

「現状では、なんともいえません」

さらに同じく番記者、読日新聞の橋本。

「こちらには、四日に多摩川土手で発見された車両から、手首が出てきたという情報があるのですが、それと今回の胴体とのDNA鑑定などはされたのでしょうか」

講堂が瞬時に静まり返る。周辺記者の顔色が変わる。日下も、この質問は予想していなかった。ここまで情報が漏れているとは——。

どこから漏れた。本部か。それとも帳場の捜査員からか。

署長はどう対応するだろう。隣にいる和田課長が何やら耳打ちする。なんとか機転を利かせて切り抜けてくれればいいが。

「……ええ、鑑定は、行っておりますが、まだ、結果は、出ておりません」

無闇に否定するよりはいいが、最良の答えとは言い難い。できれば、手首の件はぼかして処理してほしかった。

「いつ頃結果は出ますか」

また和田が耳打ちする。前列の記者は、その左手で覆われた口の動きまで読まんばかりの厳しい視線を向けている。

「……明日中には出ますが、発表は、明後日になります」

まだ読日が喰い下がる。この件に並々ならぬ関心を持って下準備をしていたことが窺える。

「バラバラ死体ですから、むろん他殺として捜査されているとは思いますが、死因はなんなんでしょう」

「……今回発見された胴体に、死因を特定できるような傷や症状は見られませんでした」

「ということは、頭をやられて殺されたと見ていいのでしょうか」

「それは、ですからまだ、分かりません」

埒（らち）が明かないと思ったのか、和田がマイクを持って身を乗り出す。

「……現在捜査中です。分かっているのは、手首が出たということ。昨日胴体が揚がったということ。以上です」

「手首は右ですか左ですか」

「終了します」

和田が言い切り、橋爪が署長を促し、全員が席を立つと、なし崩し的に会見は終了となった。

とりあえず、多摩川から胴体が揚がった、車から手首が出た、右か左かは明言していない。以上は周知の事実と思って、これからは捜査をしなければならない。

ここ数日、日下は戸部真樹夫の足取りを追っていた。出発点となるのは、やはり木下興業だ。

同社事務員の矢代知美によると、戸部が社に顔を見せたのは、三日の午後三時頃だったという。

矢代と川上、仁木、それに社長の木下を加えた四名が、事務所でお茶を飲んでいた。そこにふらりと戸部が現われた。少し酒の臭いはしたが、酔っているというほどではなかったという。

戸部は「おお、凝ってるねぇ」と仁木の肩を揉み、そのまま両手をすべらせて胸に触れた。木下と川上がそれを咎めると、戸部は「冗談だよ、冗談」と川上の肩を思いきり叩いたという。

さらに「冗談だよねぇ」と仁木に頬ずりをし、再び木下が一喝すると、薄笑いを浮かべてトイレに向かった。用をすませ、そのまま無言で出ていった。つまり出社したといっても、要はトイレに寄っただけだったわけだ。

その後、等々力駅近くのパチンコ店「パーラー・スパンク」でその姿は目撃されている。おおよそ、三時半頃から五時半頃まで。通りすがりに尻を触られた女性店員が、「まだいるな」と思ったのが五時二十分。だが半頃にはいなくなっていたという。木下興業で調達した写真と運転免許証のそれを見せると、間違いないとの証言が得られた。念のため、店内カメラの記録を見せてもらったところ、戸部と思しき人物は三時二十七分に入店し、五時二十二分に出ていったことが確認できた。

　犯行時刻を九時半と考えれば、あと四時間。パチンコに飽きてしまった戸部は、次にどこへ向かったのだろうか。

　近くの飲食店、風俗店も回ってみたが、目撃証言は得られなかった。結局そこで、戸部の前足（事件前の足取り）は途切れた。

　むろん、目黒区祐天寺（ゆうてんじ）の自宅周辺での聞き込みも行われている。当たっているのは溝口デカ長ら数組だが、三日の犯行以後はいうまでもなく、それ以前もあまり地域住民は戸部を目撃していないということだった。

　五階建ての、築十年ほどのマンション。五階は大家の自宅だというから、四階までが賃貸になっているわけだ。一階は住民用の駐車場と貸事務所。二階からはワンフロア四戸の住宅。戸部の部屋は三〇二号。その他の住民は一般的なサラリーマン家庭がほとんどで、戸部とは生活の時間帯が合わないというのが、目撃証言の少ない原因であろうと思われた。

　ちなみに戸部は三十二歳のホステスと同棲しているが、彼女自身は以前と変わらない生活をしているようである。夕方四時頃に出かけて、夜中にタクシーか、朝になって始発で帰ってくる。

　むろん捜査員が直接訪ね、戸部の不在は確認している。半月留守にすることは、まあ珍しいといえば珍しいが、今までにまったくなかったかというとそうでもないので、あまり気にしていないという。

「もしかしたら、あたしのいないときに、帰ってきてるのかもしれないし」

彼女はそういい、玄関先で声をあげて笑ったという。

同棲を始めて二年。かなり関係も冷えているのだろうと、聞き込みに当たった遠山デカ長はいっていた。

都内各地で聞き込みをし、張り込みの交代が必要になれば、日下の組はどこにでもいき、代わってその持ち場を引き受けた。

張り込み対象となっているのは、保険関係を含む、過去に関係のあった女性たち、特に馴染みにしていた飲み屋、風俗店、古くからの友人、それと、小川邸。戸籍上は無関係だが、実母だといわれている小川美雪の自宅だ。

その小川邸の張り込みに入ろうとしたとき、携帯が鳴った。番号は非通知だった。

「もしもし」

『俺だ。槙原（まきはら）だ』

槙原武夫（たけお）。警視庁組織犯罪対策部第四課の主任警部補。まあ、用向きは大体見当がつく。

「なんですか」

『話がしたい。今、小川邸の近くにいるだろう』

見ているのか。

自由が丘駅から徒歩五分。静まり返った午後の住宅街をそれとなく見回す。だが、それらしい人影はない。

「今ここで？」

『いや。その先の一方通行を左にいくと、リシェールという喫茶店がある。そこで』

「分かりました」

里村には張り込んでいる連中と合流するよう指示し、日下は指定された店に向かった。

カウベルのついたドアを開けると、なぜか奥まった席に刑事部捜査二課の主任、久保田(くぼた)警部補がいるのが目に入った。二課は選挙違反や贈収賄、企業ぐるみの犯罪を扱う部署だ。暴力団関係を扱う組対四課とは、ある程度守備範囲がかぶる。同じ用件と思っていいのだろうか。

周りに他の客はいない。

「……しばらく振りです」

日下が向かいに座っても、久保田は眉一つ動かさない。すぐに槙原も店に入ってきて、真っ直ぐこっちにくる。

日下は、槙原が向かいに座るのを待って切り出した。

「これは一体、なんの会合ですか」

槙原が手を上げ、ウェイトレスに「コーヒー三つ」とオーダーする。ほぼ同時に、久保田が口を開く。

「……田嶋と中林に付けている捜査員を全員下げろ」

二人とも日下よりは少し年嵩だが、いきなりの命令口調は納得がいかない。

「それが他部署の人間に利く口ですか。少しは事情を説明してもらいたい」

槙原が横目のまま身を乗り出す。

「……今お前らに、田嶋組を掻き回されたくないんだ。大人しく下げてくれ」

「そういうことは上を通してもらいたい。こんなところで私にいわれても困ります」

久保田が声をひそめる。

「……上を通せないから、こうやって頼んでるんだ」

部署が違うとはいえ、二人は共に警部補。その上には係長警部、管理官などの警視がおり、さらにその上には課長や参事官の警視正がいる。彼のいう「通せない上」というのは、おそらくその辺りだろうと日下は踏んだ。

「なぜ通せないのですか」

「それがいえるくらいなら最初にいっている」

隣で槙原が頷く。

「……通せないものは通せない。それで察してくれ」

つまり、上の人間が田嶋組か中林グループに絡んでなんらかの不正を働いている。それに関する内偵を彼らは合同で進めている。そんなところだろう。そういう問題は警務部の監察官に委ねたらどうか、と思わなくもないが。

「……しかし、こっちも暇潰しで田嶋や中林をつついているのではないんですよ」

「そっちはあれだろう、多摩川のバラバラだろう」

会見をしたのは今朝だ。新聞にはまだ出ていない。するとテレビか、ラジオか。あるいは内部情報が漏れたのか。

槙原がニヤリと頬を吊り上げる。

「……マル被と見込んでるのは、戸部真樹夫だそうだな」

そこまで知っているということは、内部情報か。誰が漏らしたのだろう。

「まだマル被というわけでは。いち参考人にすぎません」

「戸部なら、いくら田嶋や中林を焙(あぶ)っても出てはこないぞ」

「なぜです」

コーヒーが運ばれてくる。

ウェイトレスをやり過ごし、久保田があとを引き継ぐ。

「……戸部はとっくの昔に、田嶋を出入り禁止になっている。中林を出て木下に落ちたのもその頃だ。今の戸部は完全なる一匹狼だ」

「しかし、田嶋組系の金融業者とつるんでいるでしょう」

「あんなのは、上の関知するところじゃない。戸部が勝手にやったことだ。あんな街金の下っ端仕事、誰がやったって幹部は気にも留めんよ」

槙原が人差し指を立てて割り込む。

「ついでに教えておくが、小川邸に近づいたら、戸部は……下手したら、殺されるからな」

日下は首を傾げてみせた。

「……小川美雪は、実の母親でしょう」

「その娘、小川愛子(あいこ)というのをお前、見たことがあるか」

いいえ、とかぶりを振る。

「通夫と美雪の娘だが、これがひでえブスでな。ひと頃親心がついたのか、美雪は戸部を小川の家に出入りさせていた。その頃にどうもな、戸部はその、血の繋がった妹である愛子を、姦(や)っちまったらしいんだ……まあ噂の域を出ん話だが、戸部は、カツラをかぶせりゃ犬でも犯すといわれた色魔だ。あり得ない話じゃあない」

なるほど。そういえば木下興業の女子社員二人も、特別器量がいいわけではなかった。

「当然、小川家には出入り禁止、田嶋組関係からも中林グループからも追い出され、それでなんとかもぐり込んだのが、木下興業ってわけさ。むろん小川通夫や中林の連中も、奴が木下にいることは知っている。だがあんまり虐めると、今度は何をしでかすか分からないからな。田嶋や中林の威を借る言動、行動があったとしても、放っておいたってのが実情だろう」

そうはいっても、他部署の人間のいうことを鵜呑みにして、自分の仕事を曲げることはできない。

「しかしですね……私の独断で、捜査員をあっちからこっちから下げることはできませんよ。最低でも、係長は通さないと」

槙原が眉をひそめる。

「誰だ。十係ってことは、イマハルさんか」

今泉の下の名前は「春男」。本部勤めが長い刑事は、彼をその愛称で呼ぶことが多い。

「ええ」

「管理官は」

「橋爪警視です」

久保田がかぶりを振る。

「あれはダメだ。口が軽すぎる。イマハルさん止まりで処理してくれ」

先の内部情報は、ひょっとするとその線か。

「……話は、おおむね理解しました。ただ、私がこんな話を聞きました、つきましては捜査員を下げてくださいでは、係長だって納得しません。ですので、今の話をお二人の名義で文書に起こしてください。こっちでは、部外秘のレポートとして扱いますから」

「キサマ」

声を荒らげた槙原を、久保田が制す。

「……少し時間をくれるなら、俺が書こう。ただし、撤退の要請については明記できんぞ」

「分かってます。それとも一つ、こっちにも褒美(ほうび)をください」

さらに槙原の顔に険しさが増す。久保田が「なんだ」と促す。

「はい。戸部の自宅の、ガサ札(家宅捜索令状)がとれるようなネタをください」

「捜索、差し押さえの範囲は」

「なんでもけっこうです。拳銃で札をとって、チャカが出るならそれでもいい。覚醒剤ならそれでも。ただし、確実にブツが出るネタで頼みます」

「なぜそんなものが要る。戸部なら、保険金絡みのネタがそっちにはあるだろう。それでとればいいじゃないか」

日下はかぶりを振った。

保険金詐取に関する書類を、戸部が大事に保管しているとは思えない。それで令状をとって自宅を捜索して、何も出ませんでしたでは目も当てられない。そもそも狙いは戸部の写真や指紋、その他の雑多な情報だ。端から別件での捜索なのだ。表向きの理由くらいしっかりしたものでなければ都合が悪い。

「ネタ、出せますか、出せませんか。それ次第ですよ、こっちは」

久保田は「分かった」と応じ、槙原も渋々頷いた。

日下は席を立った。

「では、お願いします……ここは、ご馳走になっておきますよ」

そのまま店を出る。

少し、雨が降り始めていた。

歩いているとまた電話がかかってきた。今度は自宅から。つまり妻の紀子からだ。むろん、仕事中の電話はできるだけ控えろといってある。それが分からない女ではない。ということは、それなりの用向きなのだろう。

「もしもし」

『ああ、あなた……今、大丈夫ですか』

「少しならかまわない」

安堵にはほど遠い、溜め息の音が耳をかすめる。

『あの、芳秀が、また今日、学校を早退してきて……今、部屋で寝てるんです』

時計を見る。午後三時四十分。部活を嫌って、というタイミングだろうか。

「体調は」

『お腹が痛いとは、いうんですけど、でも、早退するほどひどいようには……』

「なら寝かせておけ。すまんが」

脳内にカレンダーを開く。

「……最悪、あと一週間は帰れないかもしれない。話は聞いてやりたいが、もう少し堪えてくれ」

『はあ……そうですか』

芳秀には、まあ簡単にいえば気の弱いところがある。さらにここのところ、学校を早退することが多いとも聞いている。そろそろ、本気で虐めの線を疑わざるを得ない状況になってきた、ということか。

「芳秀は、何もいわないのか」

『ええ。訊いても、大丈夫、ちょっとお腹が痛いだけ、って……』

「虐めかどうか、訊いたのか」

『ええ……一応は』

「はっきり訊かないでどうする。親が曖昧(あいまい)な態度で見て見ぬ振りをするのが一番よくないんだぞ」

『でも、あなたは、芳秀を見てないから……』

それをいわれると、返す言葉がない。

「分かった。遅くなるかもしれないが、明日か……遅くとも週末には、一度帰るようにする」

『そう……ぜひ、そうしてください』

「くれぐれも、無理に学校にはいかせるな。最悪、どこかの高校さえ出ていれば、警察官にはなれる」

警察官としてやっていけるだけの根性があるか否かは、この際さて置く。

「……そうじゃなくたって、勉強なんてのはその気になれば、いつでもどこでもできるものだ」

『そう、私だって、いってますけど……』

「ならいい。ただ、体調が悪いのでなければ食事だけはさせろ。部屋にこもりっきりにはさせるな。ちゃんと部屋から出て、テレビでもなんでも一緒に見て、ダイニングで食べさせろ。いいな」

『はい……』

「頼むぞ」

『あなたも、早く帰ってきて……』

「分かってる。切るぞ」

『はい、じゃあ……』

ディスプレイが通常表示に戻るのを確認し、ポケットにしまう。

こういう電話を切ったあとは、いつも自己嫌悪に陥る。自分が、ひどく不人情な人間に思えてならなくなる。

この仕事に関していえば、好きでやっているという面が多分にある。だが家族には、仕方なく大変なことをやっているように見せかけている部分も、いくらかはあるのだ。

確かに新幹線を利用せず、自宅のある埼玉の吹上と警視庁本部を往復するのは大変だし、それがこんな蒲田の帳場となったら、実際問題、自宅から通うのは不可能になる。

だがひと晩くらい、ちょっと無理をすればいつでも帰ることはできる。息子が悩んで切羽詰まっているのなら、帰って相談に乗ってやって、勇気づけるなりなんなりしてやるべきではないのか。

だが、それはしない。仕事を言い訳に、帰れないと冷たく妻に言い放つ。帰れないのではなく、本当は「帰らない」だけなのに。

この帰らなかった一日の間に、息子が取り返しのつかない事態に陥ったらと考えると、正直身がすくむ。だがそんなにまでなるものかと、まだ心の奥では思っている。そして仲間のいる仕事場に戻ると、ものの五分で家庭のことなど忘れてしまう。

なんて、不人情な男だ。

そう心で呟きながら、今もまた里村たちのいる張り込みの現場に、日下は歩を進めている。

4

十二月十八日、木曜日。午前十時半。

菊田は、戸部真樹夫の居住する目黒区祐天寺のマンション「グローリア祐天寺」三〇二号の家宅捜索に参加していた。

ガサを入れる（家宅捜索を行う）との発表があったのは昨夜だ。まるでそれとの引き替えのように、田嶋組及び中林グループ周辺を張り込んでいた捜査員には別の仕事が割り振られた。菊田がまさにそうだった。中林不動産の張り込みを引き揚げ、祐天寺へと回されてきた。

玲子はそれを、どこかから圧力がかかったのだろうと推察した。

「遅かれ早かれ、田嶋組を弄ったらどっかがそう言い出すだろうと思ってたわよ。問題は、誰がそれをいい、誰が聞いて、見返りとして何をもらったかよね……現金だったらアレだけど、ま、この流れからすると、ガサ札のネタね。こんな……戸部の女がシャブ食いだなんて、うちの帳場の誰が調べたっていうのよ。だーれもそんなことといってなかったじゃない」

確かにそうだ。捜索許可状（令状）と合わせて発付された差押許可状には、銃器、刀剣類、保険契約に関する書類、指紋、及び本件に関係すると思料せられる一切の書類、というのに加えて、違法薬物の文字が明記されている。明らかに、現在戸部にかけられている容疑に限らない、過去や現在の周辺事情から、女のそれまでも含めた札の取り方になっている。

ということは、本命はその裏返しであろう、というのが玲子の見解だった。

「別に、戸部の女なんて挙げたってなんの得にもならないじゃない。要は、保険金絡みの書類があるかどうか不安だから、別件で札取ったってだけでしょう。あとで騒がれたら厄介だから、まず最初に、確実にブツの出る札を当てる。チャカとシャブのネタは信用できる筋から入ってきた。まずそれで踏み込んで、他に何か面白いものが出てきたら、あとから差押令状だけ取り直せばいいんだもの。むしろその〝面白い何か〟こそが、今回のガサの狙いなんでしょう……ま、頑張って。しっかりやっといで」

ちなみに今日、玲子は中川美智子に二度目の事情聴取をする予定だといっていた。

捜索対象となっている戸部の部屋は2DK。六畳ふた間にダイニングキッチン。トイレと浴室は別。情婦の小林（こばやし）実夏子（みかこ）はダイニングのテーブルで、蒲田署の女性警官に付き添われて状況を見守っている。

今から菊田が調べるのは、寝室になっている六畳間に置かれた、ドレッサーの引き出しだ。

「ちょっとッ、そこはあたしんでしょ。関係ないでしょうがッ」

椅子から立とうとした実夏子の肩を、捜査員がそっと押さえる。それでは「そこにありますよ」といっているも同然だが。

案の定、三段ある引き出しの中段から、ナイロン製のペンケースが出てきた。ジッパーを開けると、中に白い粉の入ったビニール包みが五つ入っているのが見える。

「パケ、ありました」

すぐに、浴室の戸口から日下が出てくる。実夏子を一瞥しながらこっちにくる。

「……石津さん。こっち、お願いします」

「はい」

隣のリビングから、カメラを構えた鑑識課の石津主任がやってくる。菊田の持っている包みを見て、まず一枚写真に撮る。それから彼の指示に従い、菊田はいったんケースを入っていた場所に戻し、そこを指差し、改めて取り出し、ジッパーを開ける仕草をし、また包みを取り出した。底に入っていた注射器も出して見せた。それぞれ一枚ずつ撮影される。

「……はい、オッケーです」

「どうも」

頷いた日下がこっちに手を出す。菊田はペンケースごとそれを渡した。日下がダイニングに持っていく。

「……小林さん。これは、誰のものですか」

実夏子は黙っている。

「けっこうです。では今からこれを、この場で検査しますから。この粉を水で溶いて、試験紙に付けて、色が青く変わったら覚醒剤ですから。そうしたら、尿検査に協力してください。いいですね」

まだ黙っている。

「石津さん、頼みます」

「はい」

まあこれで、このガサ入れはとりあえず成功、というわけだ。

再び菊田が手を動かし始めると、今度は背後で声があがった。押入れをあさっていた新庄巡査長だ。

「……主任、チャカ、出ました」

新庄はプラスチック製の衣装ケースを押入れから出し、自ら上の段に登っていた。別の鑑識課員が石津に代わって撮影をする。三十二口径ですね、という声が漏れてくる。

菊田はかまわず作業を続けた。

引き出しの下段から、まだ開封していない、ディオールの口紅の箱が出てきた。

ふとあの夜の、玲子の唇を思い出す。

自分の子供じみた嫉妬心を、たったの二秒で解消してみせた、あの柔らかな唇。両肩にかかった手の重み。微かに感じた胸の弾力。髪の匂い。肌の匂い。閉じた目の睫毛の長さ。初めて間近で見た小さな耳。白い首筋。

あれは結局、どういう意味だったのだろう。

自分が井岡を疎(うと)ましく思い、機嫌を損(そこ)ねているのを見かねて、仕方なくしただけだったのだろうか。それとも、これからはそういう付き合いをしていこうと、そういう意思表示だったのだろうか。

あれから十二日。玲子から何かいってくることはなかったし、また菊田も、それについて訊くことをしなかった。

朝は講堂で顔を合わせて会議。終わったら全員それぞれの持ち場に散る。玲子は関係者の張り込み、こっちは戸部の足取りを追っている。日中はまったくの別行動だ。

一日の捜査を終えて署に戻ったら、夜の八時からは会議。その三十分でも前に双方が帰っていれば、ちょっといいですかと話す時間を作ることもできるのだが、あいにくそんな機会もないまま今日に至っている。

まあ、そんなふうに声をかけたところで、彼女の隣にはいつもあの井岡がいる。菊田くん、主任になんの用やねん、などといわれてしまったら、今の自分はおそらく、いや別にと、声をかけたことすらなかったような顔をしてしまうに違いない。

情けない限りだが、たぶん、そうなってしまうだろう。これまでもずっとそうだった。

高校時代、好きになった女子に告白できたのはたったの一回。三年の文化祭のとき、五対五で気に入った相手を指名するというゲームに参加し、決死の覚悟で意中の彼女に札を上げ、あえなく散った。

卒業し、そのまま警視庁に入庁。卒配（警察学校卒業後の配属署）の千住署時代は風俗通いに明け暮れた。というか先輩たちに、半ば強制的に連れていかれた。

童貞を捨てたら、多少は女性に対して積極的になれるかとも思ったが、残念ながらそれはまったくなかった。せっかく好きだといってくれた交通課の後輩にも曖昧な態度しか示せず、高校の同級生が誘ってくれた合コンで意気投合した女性には、後日と約束していながら電話すらしなかった。いや、できなかった。

ようやく普通に恋愛ができたのは、大森署に異動してからだ。もう二十四歳になっていた。行きつけの飲み屋の、女将の娘さんだった。顔は人並み、スタイルも人並み。性格も普通によかった。

「菊ちゃん。うちの娘、ちょっとどっか、遊びにでも連れてってやってよ。まーるで男っ気ありゃしないんだから」

最初は冗談かと思ったが、本当に付き合うことになってしまった。

一年くらい続いただろうか。だがその店が潰れ、二人は故郷の北海道に帰ることになり、結局彼女とはそれっきりになってしまった。一年くらいは手紙ももらったが、一度しか返事を書かなかったら、いつのまにかこなくなった。

以上が、菊田和男の、恋愛のすべてである。

「……その口紅、そんなに怪しいか」

ふいにいわれ、振り返ると、日下を始めとする捜査員全員が菊田を取り囲んでいた。

「いや……あっ」

慌てて手放そうとしたが、誤って口紅を投げてしまい、壁にぶつかったそれはバウンドし、

「イテッ」

見事、遠山デカ長のおでこに当たった。

「……あ、すんません」

「菊田ァ、テメェ」

どうやら、家宅捜索はすっかり終わっているようだった。

尿検査で陽性と出た小林実夏子は、覚せい剤取締法違反の現行犯で逮捕された。

日下主任は、彼女を乗せた捜査用PC（覆面パトカー）と鑑識のバンを見送ると、残った捜査員にも帳場に帰るよう指示した。

ただ一人、菊田を除いて。

「ちょっと、コーヒーでも付き合え」

肩をぽんと叩き、大通りの方に歩き出す。

「はあ……」

日下に個人的に声をかけられるのは、ほとんど初めてといってよかった。一体どういう風の吹き回しだろう。

横に並んでも、特に何を話すというのではない。表情にも、これといった感情は読み取れない。確かに、現場で考え事をしていたのはマズかったが、それに対する小言というのでもなさそうだ。

「主任……何か」

「ん？」

「何か、お話でもあるのですか」

「なんだ。ちゃんとした話題がないと、部下を茶に誘っちゃマズいか」

部下――。

確かに自分は殺人班十係のデカ長である。よって、その主任警部補たる日下守の部下という表現も、決して間違いではない。今回のように一個係で捜査本部に入れば、その下の単位である班の枠は取り払われる。それは当然のことであり、むしろより自然であるとすらいえる。だが、やはり違和感はある。

自分の直属上司は姫川玲子主任だ。少なくとも菊田はそう思っている。石倉くらいベテランだとそうでもないようだが、湯田や葉山は自分と同じ意識を持っていると思う。

そもそも、玲子と日下はまったく馬が合わない。お陰でここ数ヶ月は、半々に分かれての捜査がずっと続いていた。またそれで、双方ともそれなりの成績を挙げているものだから、上も無理にくっ付けようとはしなかった。むしろ班ごとでの運用を続け、便利に使い回していた節さえあった。そして玲子は、それを単純に喜んでいた。

だが日下自身は、そうでもないのかもしれない。十係は十係。係員である以上分け隔てはしない。そういうことなのだろうか。だったら、こっちにも訊きたいことはある。

菊田は「いえ」と曖昧に応じ、改めて切り出した。

「ちなみに、今日のガサ……主任は、何を狙っていたんですか」

日下は口を尖らせ、ンンと唸った。

「……正直にいうと、これという狙いはない。戸部の指紋を採っておくというのはむろんあるが、それも最重要事項ではない」

「ないって、そんな」

曖昧さをとにかく嫌う日下が、そんないい加減な答えをするとは思っていなかった。

「なんだ。確かな狙いがないと、納得できないか」

「いや、なんとなく……日下主任らしくないかな、と」

日下は苦笑いを浮かべた。これも意外な反応だ。

「まあ、本音をいえば、何かは欲しかった。何かは分からないが、何か欲しかった。突き詰めれば……それは、戸部が高岡を殺す、動機に繋がる何か、といえるのかもしれない。そういった意味では、未使用のチャカが出たのは収穫といえば収穫だった。戸部はあれを所持していながら、使うことはなかったし、持っていく計画性もなかった。つまり、高岡殺しは突発的なものだったわけだ……が、それでは動機を掴んだことにはならない」

思わず、頬を緩めてしまった。

日下が怪訝な顔をする。

「可笑しいか」

「ええ……ちょっと」

「何がだ」

「いや、ですから……日下主任が、そういうあやふやな、見切り発車的なことをされるとは、思っていなかったもので」

また苦笑いを浮かべる。

「デカに勘は必要不可欠だ。それくらいの気持ちは俺にだってある。ただ、それで絞り込むのには危険がつきまとうぞと、俺はそういっているだけだ。正直にいうと、俺は姫川のそういうところが怖い。いつか取り返しのつかない失敗をするんじゃないかと、見ていてヒヤヒヤする」

今日は、意外なことずくめだ。

「……初めて聞きました。日下主任が、姫川主任を、そんなふうに見ているなんて」

「俺も、いま初めていった。というか、あまりそんなことを、考えたこともなかったがな……俺は別に、捜査で姫川に抜かれることを恐れているんじゃない。むしろ、その大きな失敗で誰かが傷つくんじゃないかと、その方が怖い。それで傷つくのは、マル被かもしれないし、マル害の遺族かもしれない。警視庁かも、姫川自身かもしれない。今泉係長や、橋爪管理官である可能性すらある。その失敗が、誰かの一生を台無しにしてしまうかもしれない……それは、怖いことではないか？」

菊田は黙って頷いた。

「たぶん問題なのは、姫川自身が、なぜそう判断したかを説明できない点にあるんだろう。おそらく、ちゃんと時間をかけて考えれば、その思考プロセスにも理屈はあるはずだ。だがその説明責任を、姫川は果たしていない。結果オーライで押し通す……まあ、そこが気に喰わないといえば、気に喰わないのかもな。俺の肌には合わんやり方だし、できることなら矯正したい」

もう、いくつも喫茶店の前を素通りしている。だが日下が、それらに目を向ける様子はない。

「日下主任はその、姫川主任の思考プロセスの根幹にあるものがなんなのか、お分かりなんですか」

やや間を置いて、かぶりを振る。

「……いや、分からない。ただ、何か言い出す直前というのは、決まって遠くを見ているな。ぼーっとあらぬ方を見て、いきなり立ち上がって、とんでもないことを言い出す。その説明を求めても、そう思ったんだから仕方ない、などと平気でいってのける。あれじゃ堪らんよ。とてもじゃないが、ついていけない」

確かに、玲子はよくそういうことをいう。

「霊感、ですかね……レイコだけに」

「すまん。そういう駄洒落（だじゃれ）は好きじゃない」

あなたの、そういう身も蓋もない切り返しを彼女は嫌っているんですよ、と、いえるものならいってやりたい。

「……失礼しました」

また一つ、喫茶店の前を通り過ぎる。

「でも主任。なぜ今日に限って、そんなことを、私に」

すると、困ったように眉をひそめる。

「まあ、なんというか……お前らが、ギクシャクしているように見えたからだよ」

「えっ……」

正拳突きを、不意打ちでみぞおちに喰らったような衝撃を覚える。

――ギクシャク、って……。

前から自転車がくる。菊田はこれ幸いと、日下の後ろに並んでそれを避けた。いま彼に、この赤くなった顔を見られたくはない。

「……いや……別に」

「お前たち、付き合ってるのか」

なんだ——。

「もしそうなら結婚しないとマズい。出世に響く。双方のな」

「や、だから、その」

「それとも何か。お前が部長だから、ブケホの女にはプロポーズしづらいか」

よくもそんな、人が気にしていることを、ズケズケと——。

「なんなんだ。はっきりしろよ。せめて付き合ってるなら付き合ってると、堂々とすればいいじゃないか」

「ですから、あの……」

「なんだ、まだなのか。まだなのか？　おい」

「あ、はい……まあ……」

さらに、怒ったような溜め息をつく。

「なんだ。デカい図体（ずうたい）してるわりに、案外だらしないんだな。失望したよ」

いや、こんなことで、失望されても——。

結局コンビニで缶コーヒーを買い、店の前で飲んだ。あたたかさと甘さで、いくらか気分がほぐれる。

ふいに、菊田は訊いてみたくなった。

「主任……結婚って、どんな感じなんですか」

日下は宙を見上げ、細く息を吐いた。

「そうだな……たとえば、色の違う粘土の玉を、こう、押し合わせて、こねくり回して、また丸くするようなものかな」

分かるような、分からないような。

「その……玉の中の、二色の内訳は、夫婦それぞれだろう。真っ二つ、真ん中で分かれているのか、複雑に入り混じっているのか。あるいは一色が、完全にもう一方を包み込んでいるのか……だがいずれにせよ、外見は丸くないといけない。二つの玉が、互いの形を崩し合って、もうちょっと大きな、一つの玉になろうとする。すぐにそうはできなくとも、そうなるよう努力する。それが結婚であり、家庭なんじゃないかな」

「じゃあ、子供は」

「子供は……その中に、ぽつんとできる、また違った色の、小さな玉なんだろう。どっちの色に近いかは、またケース・バイ・ケースでな」

なるほど。

「主任のところは、お子さん、おいくつでしたっけ」

「もう、十四になる。中学二年生だ」

クッと缶コーヒーを飲み干す。

「……子供はいつか、独立した一つの玉になって、家庭を離れていく。そのとき、できるだけ丸い玉であるように、一人でも転がっていけるように……そうしてやるのが、親の役目……なのかも、しれないな」

日下はそのとき、玲子とはまた違った眼差しで、遠くを見つめていた。それは、職場では決して見せることのない、いわば日下守個人の顔なのだろうと、菊田は感じた。

5

玲子たちは、中川美智子の行動確認についていた。

美智子が通っているのは、同じ渡田向町にある「川崎美容専門学校」だ。歩いても三分。ちなみに、バイト先のロイヤルダイナーまでは徒歩五分。何か買い物をするにしても、一キロちょっと歩けば川崎駅界隈まで出られる。どうやら彼女は、電車にもバスにもまったく乗らない毎日を送っているようだった。

本部が二十四時間態勢で行確を始めてから、彼女はまだ一度も三島耕介に会っていない。だがあっちは車を持っている。おそらく美智子から動くことはない。張り付いている刑事からすれば、こんなに楽な監視対象はないといえた。

十二月十八日、木曜日。美智子はいつも通り、朝から学校にいって授業を受けている。マル被でもないのに刑事が周りをうろうろしたら迷惑だろうから、行き先を見失わない程度に距離をとっての張り込みである。今日の上着はボア付きの黒いダウンジャケット。似たものを着ている学生は多いが、美智子のはボアがわりと白っぽいので、まず見間違えることはない。

「主任。戸部のこと、いつ訊きますの」

「そうね……いつ訊こうか」

昼休みは十二時四十分から午後一時半まで。しかし昼に外食をしない美智子は、そのときも外には出てこない。すると、やはり学校が終わってからバイトにいくまでの間ということになる。授業が終わるのは午後四時四十分。店に出る時間はまちまちだが、夜の八時からが一番多い。

結局、玲子たちは放課後まで待ち、帰路に着いたところで声をかけた。

「中川さん」

振り返った美智子は、少しも驚いた顔をしなかった。

「はい……」

「ちょっと、お時間いただける？」

「ああ……はい」

どこか喫茶店にでも入ろうと思っていたが、美智子が「じゃあうちに」といったので、甘えることにした。

「……ちょっと、待っててください」

アパートの前で一、二分待ち、中に通された。

「お邪魔します」

よくいえば片づいた部屋で、悪くいえば相変わらず何もない部屋だった。また美智子は上着を掛けてくれようとしたが、今回も玲子は遠慮した。

「失礼します」

この前と同じ場所に座り、紅茶をもらう。だが前回より、彼女の様子は落ち着いて見えた。二度目ともなると、刑事の訪問も特別なことではなくなるのか。

ひと息つき、場の空気が落ち着いたところで切り出した。

「今日お伺いしましたのは、亡くなられたお父様のことについて、お訊きしようと思ったからです」

カップから目を上げた美智子は、ちらっと、井岡と玲子を見比べた。

「……はい」

「お父様は、木下興業という会社で働いていて、その現場で事故に遭われたことは、前回お伺いしました。その際、というかその後なんですが、戸部真樹夫さんという木下興業の方から、保険に関する話をされませんでしたか」

落ち着いている。異様なほど、美智子は平静を保っている。

「……はい。そういう話は、聞きました。ここへの引っ越しも、その方にお世話してもらいました。それが何か」

まるで、用意していたような答え——。

「ということは、木下興業がお父様、中川信郎さんを被保険者とし、同社を受取人とした死亡保険金の一部は、間接的にはあなたに還元された、ということですか」

言い回しがくどかったか、怪訝な顔をされた。

「……つまり、木下興業が信郎さんにかけた生命保険の一部で、あなたはお引っ越しの面倒を見てもらった、ということですか」

「ええ……そういうこと、だと思います」

「つまり、戸部真樹夫さんとあなたは、面識があるということですね？」

表情を戻し、しっかりと頷く。

「はい。何度か会いしました」

「どこで?」

目の動きが止まる。

何か、考えているように見えるが。

「……川崎の、喫茶店です」

本当か。いま用意した嘘ではないのか。

「どこのお店かご記憶ですか」

「……ドトール、だったと思います」

「川崎駅周辺には、ドトールなら五、六店舗ありますよね。どこでしたか」

明らかに、困っている。

「丸井、の、近く……だった、かな」

「いつ頃ですか」

「父が、亡くなって、すぐ……」

「戸部は、どんな男でしたか」

彼女の目が、一瞬焦点を失う。

これか——。

ロイヤルダイナーの斉藤マネージャーは、三日夜の美智子は少し様子が変だったといっていた。物音に過剰な反応を示し、ちょっと怯えたような感じだったと。

玲子はそれで、美智子は暴力的な何かの被害を受けた直後だったのではないかと疑った。玲子自身、暴行されたことがあるのでよく分かる。人の怒鳴り声や物のぶつかる音、壊れる音、そういうものにいちいち反応するようになってしまう。それが自分の体験とまったく同じでなくても、大きな音や、暴力的、破壊的な刺激にとにかく弱くなる。三日の夜、美智子はまさに、そんな精神状態にあったのではないか。

そこに、戸部だ。

日下の報告によると、戸部は女であれば、見境なく誰にでも飛びつくタイプのようだ。十九歳の、そこそこ綺麗な顔をした、しかもこんな華奢な女の子だったら、何もしなかったと考える方が不自然ではないか。

図らずも彼女が語った通り、戸部はこのアパートの場所を知っている。何かあったとすれば、まさにこの部屋だったのではないか。

「では、質問を変えます。三日の夜、戸部さんは、ここにきませんでしたか」

美智子は無言のまま、激しくかぶりを振った。

答えとしては、それで充分だった。

夕方六時半。玲子たちは湯田の組に引き継ぎをして、美智子のアパートから離れた。

「あの娘、不憫（ふびん）でんな……」

帰り道、井岡はことあるごとにそう呟いた。その響きの一部は、玲子の記憶の深部にまで染み込んでいき、あの黒い夏の夜、公園の硬い地面に押し倒された、少女の耳にまで届く。

だが、そう——。

終わったことだ。あれはもう、過去なのだ。

「……戸部はあの日の午後、木下興業に顔を出して、そのあと夕方まで、パチンコしてたようやて、日下主任はいうてましたな。ってことは、それからあっこに回ったんですかな」

「そうね……ほんと、暇だったのね。戸部って」

「その後、仲六郷にいった、いうことですかな」

「でしょうね……でも今のこと、会議ではいわないからね」

井岡が「へ？」と、両眉を吊り上げる。

「中川美智子と戸部のこと、でっか」

「そう。彼女と戸部に何があったのか。その部分には触れないで、このヤマは片づけるわ」

すると、さらに低く唸る。だが反論は許さない。

「逮捕した戸部が何かいったら、それは仕方ない。でも、あの娘をネタにして捜査を進めるのは、あたしは嫌よ。殺したのは戸部であり、殺されたのは高岡よ。その二人の間で完結する話であるのなら、あたしはそれで終わりにしたい。彼女をこれ以上、人前に引っ張り出すことはしたくないの。だから、井岡くんも協力してね」

「ああ、はいぃ……」

大通りに出て、すぐタクシーを拾った。

署に帰りつくまでの数分、珍しく井岡は、ほとんど喋らなかった。

捜査報告書には美智子の一日の行動と、戸部真樹夫とは面識あり、とだけ書いておいた。行確に人員を取られているため、会議に出席する人数はやや少なくなっている。自然と報告のメインは、戸部のマンションの家宅捜索についてになっていった。

戸部の情婦である小林実夏子は覚醒剤所持、並びに使用の現行犯で逮捕。また押入れから発見された三十二口径拳銃、通称「コルト・ポケット」は未使用であることが確認された。実弾も九発押収されたが、銃本体には一発も装塡されていなかった。小林実夏子は、この銃についてはまったく知らなかったと供述したという。

また今回採取された指紋と、仲六郷のガレージで押収したシャッター用フック棒に付着していたそれが一致した、との報告もなされた。

「……指紋の重なり具合から、戸部は、解体作業の直前に、このフック棒を握ったものと推測できます。それで直接、高岡を殺したと証明できるものではありませんが、犯行当日、仲六郷のガレージに出入りした可能性が高いと判断することは充分可能です。また戸部が拳銃を所持していながら使用せず、持ち出してもいなかったのも注目すべき点です。戸部が本ボシなのだとすれば、本件はあくまでも突発的な犯行であり、計画的なものではなかったと考えることができます。……本日は、以上です」

日下の報告も、核心に迫ったようなそうでもないような、微妙な線に留まった。

「質問は」

挙手もなし。

会議は比較的早く終わった。

捜査本部設置から二週間。捜査員の顔にも、少しずつ疲れが見え始めていた。あの日下でさえ今日はいったん帰宅すると、幹部会議終了と同時に講堂を飛び出していった。確か、彼の自宅は埼玉の吹上。今から帰って間に合うのだろうか。

玲子も時計を見る。十時三十七分。蒲田から自宅のある南浦和までは京浜東北線で一本、一時間弱で帰れる。

「あたしも、今日は帰るわ」

すると、まだ講堂に残っていた菊田が中腰に立ち上がった。

「あ、じゃあ俺」

「……うん？」

続く言葉を待つ。だが「家まで送ります」はないだろうと思った。そんなことをしたら、今度は菊田が帰れなくなる。だからといって、両親もいる自宅にいきなり泊めてやるわけにはいかない。

「え、駅まで……送ります」

まあ、そんなところだろう。

「うん。お願い」

玲子は笑顔で頷いてみせた。

幸い、辺りに井岡の姿はなかった。コンビニにでもいったのか、あるいは便所か。とにかく、奴に見つからないうちに署を出なければならない。

まだ賑わっている、十一時の繁華街を抜けていく。

菊田は特に何をいうでもなく、玲子のすぐ右を歩いている。

だが、この前のキスについて何かいいたいのであろうことは察していた。あれは始まりなのか。それとも、あの場限りのことなのか。

玲子も、自分で自分がよく分からなくなっている。

菊田のことは、ちゃんと好きだ。いま周りにいる誰よりも彼を愛しく思うし、頼りにもしている。でも付き合うとか、結婚とか、そういうことまでは、まだ考えられない。それは彼に対する不満とかではなく、たぶん、玲子自身の問題なのだ。

警察官としての自分、刑事としての自分。その辺をもう少ししっかりさせないと、その先までは考えられそうにない。

駅に着き、JRの改札まできて、いったん立ち止まった。人の流れの邪魔にならないよう、なんとなく端っこに寄る。

「……ありがと」

菊田の顔は、浅草寺の仁王様みたいになっていた。通り過ぎる人々には、玲子が怒られてでもいるように見えるのではないだろうか。

「主任、俺……」

「……うん」

口下手なのは承知している。だから、決して急かしたりしてはいけない。ゆっくり、待ってあげないといけない。

「俺、主任のこと……」

でも、あんまり長いと、こっちも痺れが切れてくる。優しい気持ちでいられるうちに、何かいってくれないと困る。

「……その……」

ダメダメ。眉間に皺なんて作っちゃ。優しく、静かに待ってあげないと――。

ぷつぷつと生え始めた硬そうなヒゲ。その真ん中にある、色までサツマイモみたいな唇が、小さくすぼめられる。

す、す――。

好きです、でしょ。分かってる。分かってるけど、でもいわれたいの。ちゃんといってほしいの。この耳で聞きたいの。そう、だから、待つ。待つけど、待ったら今日、ちゃんといってくれる？　あたしのこと好きだって、ちゃんといってくれるの？　あたしは、あと何秒待ったらいいの？

しかし、

「アアーッ、玲子主任、見ぃーっけ」

ダメだった。今日も、ダメだった。

「……お疲れ。じゃ」

玲子は声の方を振り返らず、そのまま菊田とすれ違って改札に向かった。

菊田の、大きな肩は震えていた。鬼の目にも涙とはよくいうが、泣きそうな仁王様というのは珍しいのではないか。

ふざけた悪魔の声が背後に響く。

「あぁん、玲子しゅにぃん……あんれ、菊田くん。こないなとこで何しとんねん」

ごつんという鈍い音。甲高い(かんだか)悲鳴。

それでも玲子は振り返らず、ホームへと向かった。

深夜零時を少し過ぎて、家に帰り着いた。玄関の照明は消えていたが、表から見たリビングには明かりがあった。

「ただいまぁ」

着替えで膨れ上がったバッグは玄関に置き、とりあえずリビングを覗いた。ソファにいた父、忠幸（ただゆき）が振り返る。

「ああ、お帰り……なんだ。ちょっと電話すれば、車で迎えにいってやったのに」

「やぁね、大丈夫よ。……いや、会議が早く終わったからね、急に帰ることにしたの。お母さんは？　もう寝た？」

「ああ。今さっき寝た」

夏に心臓を患（わずら）った母、瑞江（みずえ）は、このところあまり夜更かしをしなくなっている。

「お前、夕飯は。食べたのか」

「うん。夕方に、ちょっと食べた」

見れば忠幸は、テレビの深夜番組を相手に寝酒を楽しんでいたようである。

――っていうか、飲んでたら運転できないじゃない。

それとも、早く連絡をしたら飲まなかった、という意味だったのか。

「なんだ、ちゃんとは、食べてないのか」

「んー、お握りと、唐揚げみたいなの」

「そんな……それだったら、俺が何か、作ってやろうか」

「いい、ほんといいって。こんな時間に食べたら太っちゃうよ」

といっても、しょっちゅう夜中まで居酒屋で飲んではいるが。

「そうか……じゃあ、明日は休みなのか」

「んーん、まだ休めないの。下手すると、あと一週間くらいダメかも」

呆れた顔をされる。

「あまり、無理はするなよ……警部補どの」

忠幸はごく普通のサラリーマン。たぶん警部補という言葉の意味も、玲子が実際に昇進してから知ったのではないだろうか。

「……ねえ、今から洗濯機、回しちゃダメかな」

「うん、よしとけ。そこに出しとけば、明日母さんがやるだろ」

「でも、具合は？ どうなのここんとこ」

「そんなに、悪くもないよ。大丈夫だろ」

「……そう」

廊下の方を見て、目を戻すと、忠幸はもうテレビの方に向き直っていた。

濃紺のガウンの背中。その丸みが、玲子は昔から好きだった。

いや。昔といっても、子供の頃という意味ではない。あれは、そう、ちょうど十二年前。玲子が暴行事件に遭い、だがようやく、人並みな生活を取り戻しかけていた、こんな冬の夜のことだ。

遅くまで寝つけず、一階に下りてくると、キッチンの明かりが点いていた。瑞江か妹の珠希が消し忘れたのかと思ったが、覗くと人影がある。驚いて声をあげそうになったが、すぐに忠幸だと分かって呑み込んだ。

忠幸は、今のとよく似た色のガウンを着て、流し台の前にしゃがんでいた。

何をしているのだろう——。

不思議に思って覗き込むと、忠幸は両手で包丁を握り、それをじっと見つめているのだった。

いや、包丁の刃の反射を通して、何かを見据えているようだった。

やがて、その両手を頭の上に持っていく。包丁を握ったまま、丸まった背中が震え始める。

泣いているのか——。

「……玲子……ごめんな……俺……できないよ……」

一瞬、自分にいったのかと思ったが、違った。独り言のようだった。

だが、それで初めて気がついた。

忠幸は想像の中で、犯人を殺そうとしていたのだ。実行はしなくても、心の中で、自分の娘に乱暴した男を、刺し殺そうとしていたのだ。

だがそれすらも、忠幸にはできなかった。

――お父さん……。

その震える背中に、抱きつきたい衝動に駆られた。

自分のために、誰かを殺そうと考えてくれた父。でもそれを、想像の中ですら、思い留まった父。

「お父さん……」

そっと呼ぶと、忠幸は慌てたように立ち上がり、こっちに背を向けた。

「あ……なんだ……起きてたのか」

声も震えていた。

包丁を、流し台のシンクに隠すのが分かった。

「……どうした。眠れないのか」

心配させたくなかったので、違うといった。

「だったら……早く、寝なさい」

「……うん」

だが、立ち去り難いものがあった。なんだかよく分からなかったが、父に、今の自分の思いを伝えたいと思った。

忠幸が、長く息を吐くのが聞こえた。泣いたことを恥じ、隠そうとしている息だった。見てはいけないもののようにも感じたが、だからこそ、という思いの方が、幾分勝っていた。

「お父さん……」

「んん」

「……ありがとね」

それに対する応えは、あの夜、なかった。

「あっ」

ふいに声がし、現実に引き戻された。

「ん、なに」

「確か、冷蔵庫にシュークリームが残ってるぞ。寝るとき、母さんそんなこといってた」

思わず、心の中で舌打ちした。ちょっといい感じだったのに、シュークリームはないだろう。

「……だから、いいってば。お風呂入ったら、すぐ寝るから」

忠幸は「そうか」と呟き、こっちを見もせず、また水割りのグラスを口に持っていった。

ちょっと、玲子は試してみたくなった。

「お父さん」

「……ん？」

「ありがとね」

「ん？　何が」

通じるかと思ったが、さすがにそれはなかった。

「んーん、なんでもない」

そのまま二階に上がった。

風呂に入ろうと再び下りてきたとき、忠幸の姿はもう、リビングにはなかった。

第五章

1

耕介が交際している女性が、木下興業の現場で転落死した男の娘であることは知っていた。何人かの仕事仲間から聞かされた。耕介が、転落死した中川信郎について訊きにきた。遺族の居場所を調べている――。

娘の連絡先を教えたのは、設計士の島谷(しまたに)だったようだ。本人から直接聞いたので間違いない。

だが私は、あえて知らぬ振りをした。

耕介のことを、一人前の男と思いたいというのもあった。また親代わりとはいえ、実の親とは違うのだという引け目もあった。

一方には単純に、耕介に交際相手ができたことを喜ぶ気持ちもあった。あの耕介が、そのうち結婚するかもしれない。そんなことを考えるのが、ことのほか楽しかった。

中川美智子とはどんな娘なのか。私はレストランでウェイトレスをしている姿しか見たことがなかったが、耕介が好きになったのだ。悪い娘であるはずがないと思っていた。

何しろ、耕介と同じ境遇、体験をした子なのだ。金のありがたみも、情の大切さも分かっている女性なのだろう。そうでなければ、耕介が好きになるはずがない。

むろん、幼くして人生を失ってしまった我が子のその後に重ねて見ることが、耕介にとって迷惑以外の何ものでもないことは承知していた。だからこそ、私は黙って見守ることにした。そうすることで私は、自らの楽しみを密かに確保する方を選んだ。

耕介の顔は、日を追うごとに輝いていった。自分の人生が、今ようやく始まったことを、全身で実感しているかのようだった。私はそれを羨み、喜び、支えたいと願った。そこに負の感情は、まったくといっていいほどなかった。


その夜も、耕介は仕事の後片づけを終えると、失礼しますと頭を下げ、駆け足でアパートに帰っていった。降りかかる霧雨も、彼の周りだけは避けて落ちるかのようだった。

私は知らぬまに、苦笑いを浮かべていた。

その素っ気なさを、寂しく思わないといったら嘘になる。だが納得はしていた。親離れ、子離れ。そんな言葉が頭に浮かんでは消えた。

ガレージのシャッターを閉め、私も自分のアパートに帰った。

誰もいない部屋に帰るようになって、もう何年経つのだろう。それを寂しく思った頃が、今は逆に懐かしい。

引っ張れば抜けそうなノブに鍵を差し、ドアを開け、すぐ右手のスイッチで明かりを点ける。茶の間に進み、テーブルに置いたリモコンで、この部屋一番の近代的設備といっていいエアコンを作動させる。ここまでが冬の、一連の動作になっている。

それから風呂が沸くまでの間に、掃除だの洗濯物の片づけだのをする。夕飯の仕込みも簡単にする。といっても、ほとんどが作り置きしたものの解凍作業だが。

それからゆっくりと風呂に浸かり、冷えと疲れを丹念にほぐす。幸い、今のところ体にこれといった故障はない。いつまで働けるかは分からないが、駄目になったらそのときが寿命なのだろう。そんなふうに達観していた。

あがったら缶ビールを一本飲む。肴は大体、死んだ女房の味つけに似せて作った、野菜の煮物だ。話し相手は、画面の丸い古びたテレビ。警察官の不祥事をなじり、芸能人の馬鹿話に笑う。だが交通事故のニュースだけは、駄目だ。とても見ていられない。死にたくなる。

チャンネルを替えようとして、なぜだかふいに思い出した。

夕方、仕事を終える少し前のことだ。私はちょっと横着をし、体の向きを変えずに、丸ノコの向きを変えて一本、材木を切ろうとした。普段ならしないのだが、やはり一日の終わりで疲れていたのか、それとももう歳なのか。電源のコードを、丸ノコに巻き込んで切ってしまった。

チュン、といったのを最後に、丸ノコが動かなくなる。

ぽとりと力なく、切れたコードが床に落ちる。

「……あ、やっちまった」

耕介に笑われた。

「素人っすね、素人」

「うるせえ」

材木はあと三本だったから、残りは耕介にやらせた。だがその、丸ノコの修理はしていなかった。

明日でもよかったのだが、いったん思い出すと気になって仕方がなくなった。

私はジャージのままジャンパーを着込み、夜の九時になってガレージに向かった。まだ少し雨は降っていたが、近くなので傘は差さなかった。

軽のワンボックス一台には本来、大きすぎるガレージである。だが、三方の壁に目一杯棚をこしらえてしまったため、もはや車を入れたままでは後ろのハッチを開けることもできなくなっていた。

仕方なく、私はいったん車を表に出した。その方が場所が開き、作業もしやすくなる。他の車が帰ってきたら、そのときに謝って動かせばすむ。その程度に思っていた。

　表の道でハッチを開け、荷台から壊れた丸ノコを取り出す。ついでに電工ドラムと、釘袋も出す。釘袋といっても、別に釘は入っていない。要はカッターナイフやメジャー、玄翁などを雑多に突っ込んである腰袋だ。

　電球の明かりを点け、空っぽになったガレージの真ん中にしゃがむ。まずやるのは、切れた電源コードの芯出しだ。

　断面から、五センチくらいのところでいいだろうか。周りを覆っている黒いゴムに、慎重に切れ目を入れていく。それが一周したら引っ張って、黒いゴム部分だけを取り除く。すると中に、二本の細いコードが抜けて残る。赤と、なぜだか緑。その二本にも同様の切れ目を入れて、同じようにゴム部分だけを取り除く。今度中から出てくるのは、金髪のような電線そのものだ。

　丸ノコの本体側と、プラグ側。両方の断面を同じように加工して、同じ色同士の電線を、縒(よ)って繋ぎ合わせる。ショートしてはいけないので、この段階でとりあえず、絶縁用のビニールテープを電線部分にはさんでおく。ちょうど釘袋に緑のテープが入っていたので、それを短く切って、簡単に貼っておいた。

　そうしたら、次は電工ドラムだ。

棚と棚との間、奥まったところにコンセントがある。ドラムからコードを引き出していき、そこに繋ぐ。次に、丸ノコのプラグをドラムに差す。それとも、もっと別のところまで壊してしまっているのだろうか。

さて、これで丸ノコは動いてくれるだろうか。それとも、もっと別のところまで壊してし

と、そのときだ。

「よォ……」

ガレージの入り口に、黒い人影が現われた。お馴染みのロングコートは、何があったのかべったりと濡れている。

「……どう、したんですか……こんな時間に」

戸部の出現は常に予告なしだが、それにしてもこの界隈に姿を見せるのは珍しいことだった。もしかしたら、私が仲六郷に越してきた当時の一、二回、以来だったかもしれない。

「どうも、こうも……ありませんよ。た、か、お、か、さん」

見れば、顔にもだいぶ泥が撥ねている。まるで、ふざけて地面を這い回ってきたかのようだった。

私は、愛想のつもりで苦笑いをしてみせた。

「色男が、台無しじゃないですか」

すると、

「ザケんなオラッ」

戸部はいきなり、左側の棚に蹴りを喰らわせた。

上に載っていた接着剤の缶がコンクリートの床に落ちる。棚裏の隙間に差してあったベニヤ板が、ぼわんと場違いな音をたてる。シャッターの開閉に使う、金属製のフック棒も落ちて転がる。

「高岡さんさぁ、俺さぁ、ちっとも知らなかったよ……」

戸部はそのフック棒を拾い、入り口のシャッターボックスを見上げた。

「……あんたの使ってる、あの若いの。あれ、俺が処理した、三島のセガレなんだってねぇ」

肌が粟立つ、とはよくいうが、そのときの私は、全身の隅々の細胞まで、余すことなくつぶつぶに粟立ち、弾けていくような、そんな恐怖を味わっていた。

戸部が棒のフックをシャッターに掛ける。そのまま、乱暴に引き下ろす。それは破壊的な音と共にコンクリート床に激突し、外界と、ガレージの中を完全に分断した。

上手く途中で抜いたのだろう。戸部の手には、まだフック棒が握られている。

「騙されちゃったよなぁ、僕。全然……知らなかったもんッ」

耳元に風を感じ、同時に肩から、

「はがッ」

背中にかけて、抗し難い衝撃を喰らい、私はその場に突っ伏した。特に、フック部分の当たった肩甲骨の辺りが、焼けるように痛い。

「……高岡ちゃん。あんたさぁ、それ、なんのつもりなの。罪滅ぼし？　それとも嫌味？　俺に対する当てつけ？……分っかんねえなぁ。あんたさぁ、自分のやったこと、忘れたのッ」・

今度は、腰。堪らず、横向きに寝転がる。呻き声が漏れる。

「死んだ男の戸籍をもらい受けて、もとの自分は死んだことにして、そんであんた、姉さんに保険金受け取らせたじゃない。そんなこんなをコーディネートして、姉さんに話つけたの、誰だったのよ。ねえ、誰だったのよッ」

もう一度、腰。

「それがなに、追い込まれて落っこちた男の息子を、大工に仕込んじゃうの？　なんなんだよぉ、それ。そういうさぁ、人並みな善意みたいなもんさぁ、あんたさぁ、持ってんなよッ」

今度は腿。膝の骨まで、砕けそうだ。

「あんたはよ、お天道様の下を、俺の許可なく歩いちゃいけない人間なんだよ。あんたはさ、幽霊なんだから。いっぺん死んで、俺に命をめぐんでもらったくたばり損ないなんだから。そういう、誰かの面倒見たりさ、そういう、いっぱしのことしちゃ、駄目なんだよッ」

二発、三発。もう、右半身全体が、ごっそり切り取られて、なくなってしまったかのような――。

「そんであんた、知ってんだろ。中川信郎って。やっぱ現場で飛んだ馬鹿。あれの娘だけどさ……」

ふいに、意識が焦点を結ぶような感覚を味わった。

中川の、娘――。

「あれをさ、飼ってるの、俺なんだよ。なんせ……ねえ？　この前まで、女子高生だったわけだから、こっちの具合も、これまた傑作なわけよ」

戸部が、股間の辺りで何かを抱える動作をする。泥に汚れた顔は、ニヤニヤと笑っていた。

「それなりに、俺も楽しんでたわけさ。それをさぁ、今日になって……あのチンカスよ。あんたんとこの、三島のセガレよ。あれが、この女は俺んだ、みたいな勢いで割り込んできやがってさぁ。僕、散々な目に遭っちゃったよッ」

再び肩に衝撃を受ける。だがそれは痺(しび)れの中に埋没し、はっきりとした痛みにはならなかった。

「……同病相憐れむ、ってのか？　笑わせんなって。あれはよ、俺が女にして、俺が仕込んだ、正真正銘、俺の女なんだよ。あんなよ、小便臭えチンカスが、正義漢面して抱くような女じゃねえんだよ。そういうのさ、やめろっていってやってくんねえか。アア？　た、か、お、か、さんッ」

二の腕に蹴り。だが、骨は折れていない。手は動く。

「あんたがあれを認めるってんならさ、俺だって、色々考えちゃうよ。三島の親父の借用書も、中川の借用書も、ぜーんぶ、ちゃーんととってあるからね。借金なんてよ、俺がないっつったらない、あるっつったらあるんだよ。あの娘、美智子もよ、あんまグダグダいってっと、ソープに沈めちゃうよ？　あんたの姉さんの店も、筋もん居つかせて、普通の客こなくしちゃうよ？　それともあれか、息子の体に繋がってるチューブ。あれを何本か、引っこ抜いてやろうか。ああ？　何がいい。どれがいい。選ばせてやっからよ、何がいいっつってんだオラッ」

今までも、もしこの男がいなくなってくれたらと、思ったことはあった。

高岡賢一としての生活を始めたときも。耕介と出会い、彼の存在を愛しく思い始めたときも。その裏返しとして、戸部に対する疎(うと)ましさを募(つの)らせた。

現場にふらりと現われる戸部を、私は呪詛を込めて睨んだ。

癌か何かにかかってぽっくり逝ってくれ。車にでも撥ねられて即死してくれ。女に刺されてもいい。ヤクザにタコ殴りにされて、ドラム缶にコンクリート詰めにされて東京湾に沈められてもいい。とにかく、もうなんでもいいから、私の目の前からいなくなってくれ——。

ただ、自分の手でこの男を殺そうと思ったのは、このときが初めてだった。

「おっ、おい、放せよ」

この男さえいなくなれば、

「重てえよ……く……苦しいって、おい、おいよッ」

この男さえ、死ねば、

「よ、よせ、たか、高岡ちゃん、なに、なによそれ」

耕介は、解放される。

「よせよ、冗談だろ、おい」

あの娘も、救われる。

「ああ、ああッ」

不幸の輪廻から、貧困という名の蟻地獄から、抜け出せる。

「あふ……」

そして私も、心置きなく、この壊れた人生を、終えられる。

2

翌朝一番。まだ実家の自室にいる頃、玲子の携帯に電話がかかってきた。國奥からだった。

『おお、姫。例の、頼まれとった件じゃがの。ある程度、見えてきたんでな……まあ今日辺り、昼飯でも、奢ってもらうとするかの。どうじゃ』

「分かったわ。何がいいの」

『うむ。大和田屋の、うな重が食いたい』

この年の瀬にきて、またそんな贅沢を。だが、背に腹は替えられない。

「いいわ。じゃあ、朝の会議が終わったら、すぐそっちに回るわ」

『よし。待っとるぞ』

そんなわけで、着替えを詰め込んだバッグを抱え、腕時計も新しいものに替え、とりあえずは蒲田に向かった。

八時五分前に捜査本部に入り、八時半からの会議に出席し、九時半にはもう蒲田署を出た。中川美智子の行確についている湯田組には、別件が入ったので午後まで交代を待ってくれるよう伝えた。

「あれでっか。この前送った、資料のことでっか」

大塚にいくというと、井岡はそれだけで察した。

「そ。何か、探り当ててくれてるといいけどね」

だがその時点で、何か事態が動くであろう予感が、玲子の中にはあった。

京浜東北線、丸ノ内線と乗り継ぎ、一時間ほどで監察医務院に着いた。受付で國奥の居場所を尋ねると、二階の会議室にいるという。いつも玲子との密談に使う部屋だ。

「……おはようございまぁす」

中を覗くと、國奥は窓際の席で居眠りをしていた。

「せーんせ、おっはよッ」

パンパンと二度手を叩くと、苦いものを飲み込んだような顔で目を開ける。

「……ん、おお……きたか」

「なに勤務中に寝てんのよ」

「……何をいう。夜勤明けのところを、わざわざ恋人の顔を見たいがために、帰宅せずに待って……」

痰の絡んだ声でいいながら、しわしわの指で眼鏡を押し上げる。

「ん……なんじゃ、その、粗悪な骨格の類人猿は」

思わず吹き出しそうになったが、いわれた当人に動じた様子は微塵もない。

「へへ。井岡博満と申します。蒲田署刑事課強行犯係で、刑事をやっとります、玲子主任の……」

「なんでもないわ。気にしないで」

そこで初めて、オランウータンが泣き顔を見せる。

「なんじゃ……姫の周りには、どうも〝進化しそびれ系〟のオスが多いの」

國奥は菊田のことを「ゴリ男」と呼ぶ。玲子自身は、決してそんなふうだとは思っていないが。

——じゃあ、そういう先生は何系なのよ。

もじゃもじゃの白髪頭。干し芋のようにしょぼくれた顔。定年前だからまだ六十五歳にはなっていないはずだが、見てくれは明らかに七十歳を超えている。

——枯れ草系？　くたびれ系？　乾燥キノコ系？

その風貌で、なお行く先々で玲子を「恋人」と紹介するのだから始末に負えない。いわれた側も別に真に受けはしないようだが、何より玲子自身が対応に困る。相手と國奥の関係が分からない以上、無下に否定して場の空気を悪くするのは本意ではない。かといって、冗談とはいえ受け入れた態度を見せるのはプライドが許さない。結局、わざと引き攣った笑みを作るほかないのである。

「……で、大和田屋のうな重を要求するからには、それなりの結果が出たと思っていいんでしょうね」

國奥が、四角に組まれた会議テーブルの角にいるので、玲子はその直角に交わったところの席を選んだ。井岡も、倣って隣のパイプ椅子を引く。

「これ。チンパンくんは二つ席を空けんか」

しかし、その程度の悪態でめげる井岡ではない。

「院長、一つで勘弁なりまへんか」

「院長ではない。わしはただの常勤監察医じゃ」

「そないいわんと……社長」

鼻息をフンと吹き、國奥は黙った。ちょっと、井岡を気に入ったようだった。玲子には分かる。

「……じゃあ先生、早速聞かせてちょうだい」

「美人に急かされるのは、なんとも気分のいいもんじゃの」

ほっほっほと笑いながら、皺（しわ）の寄った手で資料を開く。

「ンンッ……まずこの、東朋の法医学教室の、梅原（うめはら）という執刀医は、なかなか優秀な男でな」

「いいから。そういう前置きは」

「ふむ……でじゃ。解剖写真や鑑定書の所見に、これといった疑問点はなかった。この胴体部分に、目立った外傷性の損傷は見当たらんし、内臓にも死因となるような症状はなかったのであろう。……書いてある部分に関しては、な」

まあ、これくらいのもったいつけは大目に見よう。

「しかしながら、このな……咽頭部左にある、半円形の表皮剝脱についての見解がないのが、惜しいといえば、ちと惜しい」

それ、それだ。そこは玲子も疑問に思っていた。

「ですよね。それ、あたしもなんだろなって思ってたのよ」

「うむ。さすがは姫じゃ。わしが丹念に仕込んできただけはある。いずれは警視庁の、刑事調査官への道を進むがよい」

「やーよあんな、死体ばっかあっちこっち見て回るのなんて。あたしは捜査畑が好きなの。……って、それはいいから、その表皮剝脱がなに」

國奥は添付写真の、件の個所を指でなぞった。

「うむ……この半円じゃがの、実に、見事な弧を描いているとは、思わんか」

「うん、思う。コンパスで描いたみたい」

「そう。そこでの、わしはこの半円、もとは完全な円形だったのではないかと、思ったんじゃ。完全な円形が、頭部の切断によって、半分こっち側に残ったのではないか、と見ておる」

「うんうん。つまり頭部が発見できたら、そっちにはもう半分の表皮剝脱があるんじゃないか、ってことね」

「そうじゃ。つまり、完全な円形になる刺激が、ここの部分にあった、と思われるが……それがなんだか、姫には分かるか」

円になる、刺激。表皮剝脱ができるような、刺激——。

「むろんその後、十日以上にわたって水中を漂っていたわけだから、実際の損傷部分は、すでに溶けてなくなってしまっているわけだが……なんじゃろうな。円形の表皮剝脱を起こさせる、外部からの刺激、というのは……わしは、それが直接の死因になった可能性すらあると、睨んでおるんじゃが」

表皮剝脱自体は、あらゆる外部刺激によって生ずる、ごく一般的な生体反応だ。単純な例でいえば、鈍器で殴っても鋭器で突いても、皮膚は簡単に剝がれる。だがそれが、完全な円形というのは珍しいのではないか。

「……降参か、姫」

「降参すると、どうなるの」

「うな重が、竹から松になる」

「もうちょっと頑張るわ」

表皮剝脱。丸い、表皮剝脱を起こす、刺激——。

たとえば、物凄く小さなお鍋、小型のミルクパンみたいなものを熱して押しつけて、火傷を起こさせれば、とりあえず丸い表皮剝脱は起こるだろう。だが、それで人が死ぬことは、まずない。

「あのぉ、ワシの分は、どないなりますの」

「……あんたは自腹。決まってるでしょ」

丸い、表皮剝脱——。

「ヒントを、出して進ぜようか」

「松にしない？」

「うむ。一回だけなら、竹のままでよしとしよう」

「っていうか、なんで梅からスタートしないの」

「ごちゃごちゃやかましい。梅じゃと椀物が味噌汁じゃろう。わしはお吸い物がよいのじゃ」

「……いいわ。第一ヒントをちょうだい」

國奥は頷き、また眼鏡の位置を直した。

「丸い表皮剥脱は、ある作用によって生ずる。外部からの刺激、そのものではない。凶器そのものの形ではない、と解釈してもいい。あくまでも、とある作用によって、二次的に、丸く生ずる」

丸い表皮剥脱を起こさせる、作用。そのもととなる、刺激。

火傷というのは悪くない線かと思ったが、でも丸は、凶器そのものの形ではないのか。ん、そのものの形ではない？

刺激、凶器、そのものとは違う形、作用——。

ああ、やっと分かった。

「そっか……感電死ね。確かにそれなら、解剖したって内部に損傷は残らないわね」

「丸い表皮剝脱は、電流斑が融解した痕ってことね」

「その通りじゃ」

井岡が「あいや」と口をはさむ。

「感電死するほどの高圧電流て、そないなもん、今回の現場にありましたかいな」

國奥が目で促す。玲子に説明しろというのだ。

「ンン……井岡くん。感電死っていうのはね、家庭用電源の百ボルト電圧でも、条件次第では充分に起こり得ることなの。特にこの場合、接触部位は頸動脈に近い咽頭部。まずここで一点、皮膚の電気抵抗は著しく低かったものと考えられる。そこにできた円形の火傷が、要するに電流斑ね。電気事故の場合、この電流斑が唯一の痕跡、って場合も少なくないの。……で、次。家庭用の電気は確かに強い部類ではないけれど、でもそれが、逆に危険だともいえるの」

ここまでは合っているらしい。國奥は黙って聞いている。

「心臓というのは、心筋線維という筋肉線維が複雑に縒(よ)り合わさってできているの。つまり普通の筋肉のように、線維が一定方向に並んでいるのではない、ってこと。そこに、家庭用レベルの電気が作用すると……ある向きの線維には電気が流れて、でも他の向きの線維にはあまり流れないという状況が生まれるの。これで何が起こるか、分かる？」

井岡は、神妙な顔つきでかぶりを振った。

「……心室細動。心筋が一定のリズムで運動できなくなって、小さく、しかもそれぞれのパーツがバラバラに行動し始めちゃうの。高圧電流だと多くの場合、心臓全体がいっぺんにショックを受けるから、作用時間が短ければ、そのショック状態から醒めるのもいっぺんなの。だから、短時間だったら感電しても死なずにすむケースがあるわけ。だけど、心室細動に陥ったら、なかなか心臓の機能は回復しない。心臓の、ある部分は動き、ある部分は麻痺している状態だから、心臓本来の、ポンプとしての役割が果たせなくなってしまって、つまり、体全体に血液を送れなくなって、やがて、死に至る……というわけ」

「合格じゃ」

「ご清聴、感謝します」

だが、玲子は自分でいっていて、逆に気づいてしまった。

この胴体を見て、自分が漠然と抱いたあの違和感。あれは決して、謎とされていた死因に関することではなかったのだと。

死因が感電死によるものだとの推測に至ってもなお、心を覆っていた鉛色の霧は、一向に晴れる気配がない。

なんだろう。なぜなのだろう。

「でもね、先生……んん、なんだろ……たとえば、これだけ電流斑ができるくらい、電極を押しつけて殺すって、けっこう体勢的に難しいわよね。技術的にっていうか」

國奥が眉をひそめて頷く。

「まあ、常識的に考えたら、コンセントに繋がっていて、かつ露出した電極を右手に持ち、相手に馬乗りになって、その喉元に数十秒押しつけたと、考えるほかないじゃろうな。あと、皮膚の濡れ具合によっても作用の大きさは変わってくる。濡れていれば、むろん作用時間は短くてすむ」

いや、そういうことじゃない。もっと別の何かだ――。

玲子の心を知ってか知らずか、井岡が隣で唸り声を漏らす。

「すると殺害現場は、あのガレージですかな」

そう。それも疑問の一つではある。

「そうね……流れとしては、あそこで殺したのならば、話は早いわよね」

「電源はありますわな。あっこなら」

「でも、露出した電極は……」

いや、待て。

「あれ……そういえば」

バッグから捜査資料のファイルを出してめくる。

「なんですの」

「ちょっと待って」

確か、ガレージで押収された——。

「……あった。ほら、この電動ノコギリ。コードの途中に、修理した跡がある。これがもし、犯行当時には断線していて、このビニールテープが巻かれていなかったとしたら」

國奥が覗き込む。

「……電極が、露出しとったじゃろうな」

「うん。でも……」

それも違う。そういうことではないのだ。もっと直接的に、遺体のこの、胴体部分に関することなのだ。

改めて、じっと遺体写真を見る。ただじっと、見つめてみる。

感電死させられ、切り刻まれ、河川に遺棄された、高岡賢一の亡骸。手首を車内に残して、水中に、バラバラに沈められた、高岡賢一の遺体。その、胴体部分。

高岡賢一の、胴体。

そのふた言を、呪文のように、心の中で唱える。

「主任……どないしましたん」

高岡賢一の、胴体。高岡賢一の胴体。

「おい、姫」

「主任ってば」

右胸の下には、胆嚢炎の手術をしたと思しき痕がある。

「なんですの、主任」

「姫、おい、聞いとるかぁ」

手術痕がある。手術痕がある。

「おーい、聞こえとるかァ」

「しゅにぃーん、愛してまっせー」

高岡の胴体部分に、手術痕がある。なのに――。

「駄目じゃや。全然聞こえとらん」

「しゅにぃーん、おっぱい触りまっせー」

うるさい。

「はごッ」

だが、そのときだ。

ふいに、心の中に風が吹くのを感じた。

そう。この胴体部分には、手術痕があると、確かに死体鑑定書には書いてあった。なのに、おかしいではないか。

「ひぃ……痛い……しどい」

「くっはっは。裏拳じゃ。裏拳喰らいおった。ざまぁ見ろじゃ」

そうか、これか。自分が感じていた違和感は、これだったのか。

胆嚢炎のことが書いてあるのに、他のことが書いてないというのは、どう考えても不自然ではないか。

鉛色の霧が、にわかに晴れていく。

「鼻血が出とるぞ、チンパンくん」

「でも先生、ワシ、段々気持ち良ぉなってきました」

自分が解き明かすべき点が、徐々に焦点を結び始める。

――つまり、この胴体は、高岡賢一のものではない……。

玲子はポケットから携帯を取り出した。

「お、戻ったぞ」

「ほんまですな」

葉山を呼び出す。

『……はい、もしもし』

「ああノリ、あたし」

『はい、どうしましたか』

横目で見ると、なぜだろう。井岡は涙を流し、鼻を押さえている。

「あのさ、内藤和敏が起こした事故って、管轄はどこだったっけ」

『それは……川口署です。埼玉の』

「あれ？　事故の調書から、指紋もらってきたのって、誰だったっけ。ノリじゃなかったっけ」

『それは、石倉デカ長ですが』

そうだ。そうだったそうだった。

「まあいいや。ちなみにノリは、今なにやってんの」

『変わらず、内藤君江の行確です』

「それさ、相方に任せるかデスクに代わり出してもらって、ちょっとその、たもっつぁんも誘ってさ、川口署にいってもらいたいのよ。実は……」

葉山は、玲子のした指示の意味を、瞬時に悟ったようだった。

3

日下はまた改めて、木下興業を訪ねていた。

「戸部の立ち回りそうな場所、何か心当たりはありませんか」

木下社長は首を傾げた。

今日は社長室ではなく、矢代や他の社員もいる事務室の応接セットで話を聞いている。

「……そういえば、同棲していた女性が、おりましたでしょう」

「ええ。彼女は昨日、逮捕しました。覚醒剤の所持と使用の現行犯です」

すぐそこにいる事務員たちが、ぎょっとした顔をする。むろん、木下も。

「覚醒剤……そりゃまた」

ごく普通の、一般人的な反応だ。

「ですから、女関係は、まあ別にしてですね、それ以外で、どこか」

「んん……他の女性、とかですか。たとえば……」

そこで挙げられた生保絡みの女性は、すでに本部が把握している人物ばかりだった。

「でなければ、たとえば、店とか」

「うぅん……一度だけ、新宿の『ロッソ』というクラブに連れていかれたことはありますが」

そこももう当たったと日下は告げた。

「他に、友人とか、知人……ああいう男ですから、前科はなくとも、そういうトラブルで、弁護士なんかとも付き合いがあったんじゃないですか」

「弁護士……いや、どうだろうなぁ」

結局、木下興業から新たな情報が出てくることはなかった。

昼過ぎには蒲田署に戻り、組織犯罪対策課を訪ねた。

ちょうど、小林実夏子の取り調べを終えた銃器薬物対策係の係長、清水警部補が席に戻っていた。

「どうですか、様子は」

清水は口をへの字に曲げ、うんと頷いた。

「実夏子の勤めてる店は渋谷なんです。シャブはその界隈で買ったというので、あとは、渋谷署と連携してやらないと、マズいでしょうね。うちだけで動くと、潰されちゃうから。それでなくても、目黒にはギャンギャンいわれてるんですよ。なんでいきなり、うちのシマで蒲田が挙げるんだって。まるで、手をつけてたヤマを横取りされたみたいな口振りでしたが……そのくせ、実夏子のヤサがどこだか確認したがる。要するに、手つかずだったヤマをウチに取られて、吠えてるだけなんですよ」

とりあえず、合わせて笑っておいた。

「じゃあ、ちょっと私が、実夏子と話をしてもかまいませんか」

「は？……ええ、問題ありませんでしょう。任意でしたら」

「もちろんです。では、そうさせてもらいます」

それから六階の帳場に上がり、必要な書類を書き、今度は二階まで下りた。総務課が管理する留置場にいくのだ。

現在の警察機構は、刑事や組対といった捜査部門と、留置の業務を完全に分離させている。そうしないと、捜査員の都合で二十四時間、いつでも取り調べが可能になってしまい、それが重大な人権侵害を引き起こす可能性があると考えられているからだ。

「……任意、ということで、よろしいですね」

二階の留置事務室で書類を提出すると、留置管理係長に厳しい目でそう訊かれた。

「ええ。あくまでも任意です」

「了解しました。では、どうぞあちらで」

「失礼します」

そこから奥の留置場に通される。通路の先、浴室の向かいにあるのが女性専用の留置室だ。入ってすぐのところに座っていた留管係員が書類を確認し、さらにそれを小林実夏子に提示する。

「……任意の事情聴取ですから、拒否することもできます。どうしますか。受けますか」

強化アクリル板のはまった鉄格子の向こう。実夏子は訝るような目で、日下と係員を見比べた。

「なに、午後は日下さんが取り調べるの？」

家宅捜索の際、日下は代表して身分を提示していた。だが、それを実夏子が覚えているとは意外だった。ホステスという職業柄、人の顔と名前を記憶するのは得意ということか。

「ええ。ですが、いま申し上げた通り、取り調べではありません。任意の事情聴取です。あなたには、拒否する権利があります」

「なんの事情聴取？」

「戸部真樹夫に関することです」

実夏子はつまらなそうに鼻息を吹いた。

「まったく……とんだとばっちりよね」

日下は微笑んで受け流した。

実夏子が上目遣いで見る。

「……カツ丼、奢ってくれる？」

「申し訳ない。それはできません。自費で食べてください」

カツ丼を食べたいがために、あの場では嘘の証言をした、などとあとでいわれても困る。

「じゃあ……タバコは？」

「まあ、少しだけなら」

途端、彼女の表情から険が抜けた。

係員がちろりとこっちを見たが、タバコならかまわないだろうという思いが日下にはあった。

結局、実夏子は頷いた。

「いいよ……いくよ。あたしだけこんなとこに入れられて、あいつがシャバじゃわりに合わないからね」

係員も頷く。

「分かりました。今から出しますから、下がりなさい」

実夏子は大人しく一歩後退り、あーあと伸びをした。

三階の取調室に連れていく。紙コップでお茶を出し、アルミの灰皿と、日下のタバコをそれに添える。フロンティア・ライト。

「メンソール、ないの」

後ろを確認する。里村がかぶりを振る。

「すまない。今はこれしかない」

実夏子は溜め息をつきながら手を伸ばし、一本銜えた。里村から借りたライターで火を点けてやる。

ひと口――。

実夏子は深く吸い、味わうように溜め、長く吐いた。本当に美味そうだった。思わず、こっちまで吸いたくなってくる。

「……皮肉なもんね。こんなとこに入って、火を点けてもらう側になるなんて」

「確かに。そうかもしれないね」

むろん、被疑者にライターを渡さないのは、単に悪用されないための配慮にすぎない。もうひと口吸い、まだマニキュアの残る爪でフィルターを弾く。灰皿が、カタンと鳴る。

「ところで、戸部なんだが。どこにいったか、分からないかな」

実夏子はひと振り、顎を横にやった。

「前にきた刑事さんに、心当たりについてはいったけど。でもそれは、もう調べたんでしょ」

「そう。教えてもらったところは、全部当たった」

日下が手を出すと、後ろの里村が一枚、資料を抜いてよこした。実夏子が以前に語った、戸部の立ち回りそうな場所のリストだ。

「……これ以外で、他に何かないかな。暇潰しに、よく通った映画館とか」

実夏子は馬鹿にしたように笑った。

「映画って柄じゃないでしょ……って、知らないか。あいつはね、わざわざどっかに足を運んで映画を見るような、そんな繊細な神経は持ち合わせちゃいないのよ。ポルノだっていかなかったんじゃないの。濡れ場以外はからっきし興味なしだから」

「飲み屋、よく使ったホテル、そういう類は」

「あたしとは、ホテルなんかいかなかったよ。盛り上がってた頃だって、するのはいっつもあの部屋だった。……あたし、こう見えても料理が得意なんだ。そんで、ちょっと作ってやったら、それが気に入ったんでしょ。ずっといろよ、お前と一生、一緒にいたいんだよ、なんて……あたしも、ぽーっとなっちゃってさ。この人かも、とか思っちゃったんだよね。……ま、三ヶ月で醒めたけど」

ちなみに以前、実夏子は戸部と暮らして二年になると供述している。

「趣味とか、好きだったもの……そういうのでできた、友達とか」

少し首を傾げる。決して美人とは言い難いが、色気はある方だろうと思う。これでちゃんと化粧をすれば、それなりに華やかな雰囲気になるのではないか。

「趣味、ね……熱帯魚は、いっとき好きだったよ」

「そう、熱帯魚……でも、その類は一切部屋になかったね」

「あたしが世話をサボってたら、みんな死んじゃってね。すっごい怒られたけど、だったらあんたが世話すりゃよかったろって逆ギレしたら、ぷいってどっかいっちゃって、おしまい。……けっこう、こっちがマジになると引くんだよ、あいつ」

「よくいった熱帯魚ショップとかは」

「祐天寺の駅の近くにあったけど、潰れちゃった」

「その店主と、のちも懇意にしていたりは」

「ないね。だって死んじゃったもん」

聞けば聞くほど、ぶつ切れの対人関係しか持ち得なかったようだ。戸部真樹夫という男は。

「友人と呼べるような人間は、いなかったのか」

「う―ん……組関係は、相手にしてもらえなかったみたいだし、女関係は……当たったんだろ？」

頷いてみせる。

実夏子は短くなったタバコを灰皿に潰した。

「……一時期、競艇に凝ってたけど、でもそういう付き合いって、なんだかんだ、その場限りでしょう」

「そんなことも、ないんじゃないか？　それで親しくなることも、充分あり得るだろう」

「でも、心当たりないし。ヨシローとよ、とか、ヨシローがな、とか、ちょっとの間はいってたけど。でも、そのヨシローがどこの誰だか、あたしは知らないし」

困ったものだ。

「もう一本、もらっていい？」

「どうぞ」

もう一度、火を点けてやる。さすがに、さっきほどの感動はないようだった。つまらなそうに、フゥと吹く。

「あと、なんだろなぁ……なんか、悪いね。あんま役に立てなくて」

「そんなことはない」

「タバコだけもらっちゃって」

「そう思うなら、なんでもいいから、もっと喋ってくれ」

実夏子は銜えタバコで腕を組み、上を向いて考え始めた。

「……服、とか？」

「洋服か」

「うん。渋谷の『ケイン』って店が好きだったよ。若干ヤクザチックだけど、モロじゃない感じが、気に入ってたみたい」

一応、里村に控えさせておく。あまり期待はできないが。

「あとは」

「うぅん、あとはぁ……」

今度は下を向く。

「まぁ、あれで案外、健康には気ぃ使ってるとこ、あったかな」

「ほう。たとえば」

「当たり前っちゃあ当たり前だけど、よその女とやるときは、ちゃんとゴム使ってたみたいよ。やっぱエイズは怖いからって。性病も、なんだっけな……淋病かな、クラミジアかな、昔に何回かやって、もうつらいのは嫌だから、ちゃんと着けてやるんだっていってた」

「行きつけの病院とか、あったのかな」

「それも渋谷だね。道玄坂中央クリニック……そこはね、あたしも紹介されて、いったことあるの」

これも、念のために控えておく。

「他に、何か持病とかはなかったかな」

深刻なものなら、どこかの病院に立ち寄るケースも考えられる。

「持病？　そういうのは、なかったと思うな」

「普段から、何か薬を飲んでいたりとかは」

「んん……ない、ね。なかった。あの人、シャブも葉っぱも、なーんもやんなかったから」

「いや、そういう違法薬物ではなくて、健康のために飲むもので」

「ああ、ごめんごめん……よく寝てたしね。眠剤の世話にもなってなかったし、あっちも元気だった。バイアグラなんて、九十まで要らねえ、とかいっちゃって。そんな長生きできるタマかっつーの」

これまでの話から、そんなに飛び抜けて健康だったとも考えづらいが。

「酒も、だいぶやってたでしょう。肝臓とかは、大丈夫だったの」

「うん、強かったみたい。まあ、沈黙の臓器ってくらいだからね、悪くなってるのに気づかなかっただけかもしんないけど。でも、会社の健康診断は受けてるって、いつもまったく問題なしだっていってたよ。ほんとかどうかは知らないけど」

「会社のって、木下興業の？」

「そう。春にやる、健康診断」

木下社長は、そんなことはまったくいっていなかったが。

実夏子が冷めた茶をすする。あたし猫舌なんだよね、と、訊きもしないのに呟く。

「……ねえ、日下さん。戸部は、一体何をやったの」

日下は、あえて答えなかった。

「殺し、なんでしょ？　昨日くれた名刺に〝殺人犯捜査〟って、書いてあったもんね。……戸部、誰か殺したの？」

教えて何か出るとも思えないが、ものは試しだ。

「四十三歳になる、大工を殺した疑いがある。高岡賢一という名前の男だ」

「へえ……大工さん、か」

怪訝な顔をされる。

「何か、心当たりはあるか」

「ん？　んーん、全然。まったくなし」

やはり駄目か。

するると、急に実夏子は目を見開き、机に身を乗り出した。

「そういえばあの人、あたしと付き合う前に、なんかの手術して、その先生にはすごい世話になったたって、珍しくいってた」

「手術？　なんの」

途端に眉をひそめる。

「分かんないけど、でも、この辺に手術の痕があったよ」

実夏子が示したのは、右胸の下辺りだ。

──肺か……いや、胆嚢か？

足元から、強い寒風が吹き上がってくる幻覚に囚われる。

──胆嚢の手術痕、っていったら……。

振り返ると、里村も表情を強張らせている。

「例の、遺体写真、持ってますか」

「はい、あ、あります……ただ今」

里村がファイルをめくり、袋になったページから写真を一枚抜き出す。手術痕が一番はっきり写っているカットだ。

日下はそれを、実夏子に向けた。千切れた肩の傷口部分は、そこにあったタバコの箱で隠す。

「ちょっと、見てくれるか」

実夏子の眉間に、深い縦じわが刻まれる。

「うえ……なにこれ」

「この手術痕に、見覚えは」

全体の表皮は、すでに人のものとは思えない白さになっている。腐敗ガスが溜まって、膨張と収縮を繰り返した腹部には、蜘蛛の巣状の亀裂が無数に走っている。

だが、腹部からはずれた位置にある、この右胸下の手術痕は、比較的生前に近い状態であると思われた。血の気はまったくないから、色の感じはだいぶ違ってしまっているかもしれない。だが傷の形自体は、さほど変わってはいないはずだ。

「……これ……どういうこと」

実夏子は、暗闇をさ迷うように、あてもなく辺りに視線を巡らせた。最悪の推測以外に成立する、合理的な解釈を探しているのだろうか。

「この手術痕に、見覚えはあるか」

無表情のまま、小刻みに頷く。だが、黙っている。

「この傷は、誰のものだ」

まだ、頷き続けている。

「誰だ。この傷の持ち主は、一体誰なんだッ」

切れ長の細い目に、透き通った雫が、湧きあがってくる。

この女が、涙を浮かべるとは意外だった。

それも、とうに愛想を尽かした、ろくでもない情夫のために。

「……戸部です……戸部、真樹夫……」

実夏子は、タバコの箱ごと日下の手を押し退け、改めて写真に見入った。

「……ああ……あんた」

日下は席を立った。

「里村さん、あとを頼みます」

「はい」

取調室を出る。

ひどく慌てていることは自覚していた。だが、それも無理からぬことと自らに許した。

——嘘だろう……それじゃあ、殺されたのは、高岡じゃなくて、戸部の方じゃないか。

すれ違う人間に、目礼をする余裕もない。

——どうする。どこから捜査をやり直す。どこで間違った。どこから間違っていたんだ。

エレベーターを待つのはもどかしかった。

そのまま、階段を駆け上がった。

約束は約束だ。

玲子は大和田屋にいき、國奥と井岡と三人でうな重を注文した。

ちなみに、中川美智子の行確についている湯田には、午後も交代できそうにないといっておいた。

「……主任。こないなことしとって、ほんまにエエんでっか」

井岡が小上がりの座敷を見回す。

「大丈夫よ。どうせ、再鑑定の結果が出るのは九時間後だから」

玲子は葉山との電話を切ってすぐ、警視庁本部の科捜研にも連絡を入れ、DNAの再鑑定を依頼した。むろん独断専行だが、デスクに事情を説明してからでは遅くなる。言い訳は帰ってからゆっくりすればいい。ちなみに、正しいDNA鑑定方法については國奥に指示を仰ぎ、その通りやるよう科捜研にはいってある。

「そうね……」

ローンで買ったブルガリの腕時計を見る。まだ十二時半。

「連絡したのが、一時間くらい前だったから……ま、どっちにしたってまた夜よ」

4

「ところで、本当にわしだけ、松でよいのかの」

運ばれてきた重箱を見て、國奥が相好を崩す。

「どうぞ、ご遠慮なく。とっても参考になる鑑定結果でしたから」

「主任、ワシも……」

まったく、わしワシうるさい連中だ。

「あんたはいいの」

玲子と井岡は梅。椀物は味噌汁で充分だ。

「……先生の吸い物、白子が入ってまっせ」

「あたしたちのにも、ほら、三つ葉が入ってるわ。とっても美味しそうよ」

とはいえ、そうそうゆっくり食べる気分でもない。

ちゃっちゃと平らげて、さっさと引き揚げよう。

「いただきまーす」

「おいチンパンくん、山椒をとってくれ」

「へへ。おかけしましょ」

「よさんか。ドバッとやられたら泣くに泣けぬわ」

こんなものは、その気になれば三分で片づく。

「……姫。もうちょっと味わって食わんか」

「うるはい……早食いはデカの本分よ。井岡くんも急ぎなさい」

「主任、こぼしてますがな」

うん。早く食べても、美味しいものは美味しい。

ああ美味しかった。

「……ご馳走さま。ほら、もういくよ井岡くん」

「ワシ、まだお新香が……」

「先生はゆっくりしてってね」

國奥は得意の泣き真似をした。

「忙(せわ)しないのぉ……切ないのぉ」

「これ片づいたら、ゆっくり土瓶蒸しにいこう。ね、先生。じゃあね、またね」

「姫ぇ……」

ダウンを着込み、靴を履いたら、井岡に伝票を押しつける。

「え、なんででっか」

「今日は持ち合わせがないのよ。貸しといて」

「ええー、冗談でっしゃろぉ」

「マジマジ。立て替えといて」

「ほんまに返してくれはりますかぁ？」

「返す返す。ちっさいことでウダウダいわないの。男でしょ」

「しどいわ……なんか……」

さあ、仕事を再開しよう。

蒲田の本部に戻ったのが、ちょうど二時頃だった。

「……どうした姫川。ずいぶん早いな」

上座の今泉が書類から目を上げる。玲子は、いつもの席にバッグを置き、ファイルだけを抜き出した。

「係長。大事なお話があります」

辺りを見回す。他の帳場にいっているのか、管理官の橋爪はいない。残っているのは、デスクの下働きが二、三人だけだ。

顔色で察したか、今泉が眉をひそめる。

「……なんだ」

「はい。実は、多摩川で揚がった遺体の胴体部分について、申し上げたいことがあります……まずこの、頸部の欠損についてなんですが」

ファイルを開き、写真でその個所を示す。

「これは、電流斑によってできた火傷が、水に溶けてできあがった痕ではないかという意見が得られまして」

今泉は目を閉じ、微かに顔を伏せた。

「また、國奥先生か」

「はい。個人的にですが、鑑定を依頼しました」

「書類は」

「私が複写して、私が渡しました」

「なんでお前は……そう、あとで説明しづらくなるようなことを、私に断りなくやるんだ」

「すみません」

だが、謝ればすむ。玲子と今泉は、そういう間柄だ。

「つまり、高岡の死因は、感電死であると、そういいたいわけか」

「まあ、続きを聞いてください」

今泉は、頷きながら溜め息をついた。

「感電死というからには、それなりの電源と可搬性のある電極が必要になります。すると屋外よりは、屋内で犯行が行われた可能性が高くなります。現状、最も考えやすいのは、仲六郷のガレージです。殺害場所と解体場所は同じだった……そういうことです」

興奮しているのか、井岡の鼻息がうるさい。ちょっと横目で睨んでみたが、察した様子はなかった。

「……そして、まあ、電源は問題ないです。コンセントが二ヶ所もありますから。ですが、凶器となる剝き出しの電極はというと……これ、ではなかったかと、思うのです」

資料のページをめくる。ガレージで押収された電動ノコギリの写真を示す。

「この、コードの途中に修理個所があります。これがいつ修理されたのかは調べる必要がありますが、とりあえず、このテープを剝いて調べる許可をください」

さすがにこれを無断でやったら、証拠品損壊で厳しく追及される。

「分かった。じゃあそれを、科捜研に持っていくんだな」

「はい」

「それだけか」

「いえ、まだあります……でも、ちょっとすみません」

予定では、そろそろ葉山から何かしら連絡が入る頃だが。

携帯で、ちょっと催促をしてみる。

『……はい、葉山です』

「あたし。どう、なんか分かった」

『はい。確かに内藤和敏が事故で負った傷は、かなりのものでした。乗っていた自動車にはエアバッグがなかったらしく、和敏はハンドルに胸部を強打して複雑骨折。命に別状はありませんでしたが、折れた骨の一部が肺に刺さるという重傷を負った、と調書にはあります。運び込まれた病院も分かっていますから、もう少し時間をもらえれば、執刀医を当たってどれくらいのオペだったか、聞けるかもしれません』

「分かった。できるだけやってみて、でも夜の会議には帰ってきて。その調書、コピーさせてくれるもんならして、そうじゃなければ要点だけ書き取ってきて。あたしはもう帳場に戻ってるから、許可がどうこういわれたら、こっちに回してもいい。係長には今あたしが話通すから」

『分かりました。やってみます』

携帯をしまうと、今泉は咳払いをしてみせた。

「どういうことだ」

「はい」

玲子は再び胴体の写真を指した。

「この遺体。この胆嚢炎の手術痕の他には、それらしい術痕の記述がありません。しかし、この遺体は高岡賢一のものであると同時に、内藤和敏のそれでもあるはずです。ということは、この遺体には、十三年前の事故の際負った怪我の治療痕が、何かしら残っていないとおかしいことになります」

今泉の目が、険しく細められる。

「……どういう意味だ」

「この遺体が、我々の思っている人物のものではない可能性がある、ということです」

「現状、マル害と見られている高岡賢一こと、内藤和敏のものではないということか」

「その通りです」

「では、誰のものだ」

「たぶん、戸部真樹夫でしょう」

ハッ、と息を吐き捨てる。

「何をいっている。この胴体が高岡のものであることは、DNA鑑定で明らかになっていることだろう」

「いえ。今回のミスは、まずそこにあったと考えられます」

玲子はファイルをめくり、あらかじめ東朋大の梅原に聞いておいた話の、メモのページを広げた。

「この胴体のDNAは、司法解剖の際採取された、体内の血液から抽出されたものです。なぜなら、この胴体は長い間川の水に晒されており、表からでは血液が採取できなかったからです。このように、司法解剖ではDNAを抽出する際、主にそのサンプルの源を血液に求める傾向があります」

「それは別に、司法解剖に限ったことではないだろう」

ちょっと、言い方がマズかったか。

「はい。DNAの抽出に関しては、一般にそういう傾向があります。……そして、この胴体から得られたDNAサンプルは、二つの現場から採取された血液や、左手首から採取されたそれのDNA型と照合され、一致するという結果を得ました。そこから、左手首と胴体は同一人物のもの、という見解が導き出されたわけです」

「そこに、なんの疑問がある」

玲子は、はっきり大きく、頷いてみせた。

「はい。問題は、手首のDNAサンプルの採取方法です。先ほど科捜研に確認したところ、この部位のDNAは、切断面に付着していた血液から採取したとのことでした。具体的に鑑定は、左手首の露出している肉の部分に専用の綿棒をつけ、それに付着した血液から細胞を取り出し、DNAサンプルを抽出、PCR装置で増幅、MCT118の型判定をするという手順で行われ、他で採取された血痕の型と照合した結果、同一型と判断されたわけです。しかし」

ちょっと、ひと息つく。

「……もし故意に、ホシがこの手首を、別の何者かの血液の入った袋に漬け込んだとしたらどうでしょう。具体的には、件の左手首が入っていたレジ袋に、左手首とは別人の血液を流し込んだとしたら、どうなるでしょう。実際、発見時の左手首は血染めになっており、ほとんど紅生姜のような色合いでした」

今泉は黙り、ノートのメモを反対側から見ている。

「左手首の切断面から採取されるのは、左手首とは、まったく別人のDNAということになります」

「なんのために」

「高岡賢一が、自らを死んだように見せかけるためです」

溜め息交じりの唸り声。今泉は腕を組み、眉間に皺を寄せた。

かまわず続ける。

「高岡賢一に、どれほどDNAに関する知識があったかは、定かでありません。しかしながら、手首を他人の血液と同型であるように見せかけたい、だから他人の血に漬けておくという、その発想自体はごく単純なものです。その単純な発想に、我々はまんまと惑わされてしまった……」

もう一度、胴体写真のページに戻す。

「指紋を偽るのは、実に困難です。そして指紋が誰のものであるかという確認は、警察は確実に行います。それは素人でも普通に思いつくことです。だからこそ、高岡は自ら手首を切り落とし、現場に残した。自分の手首に、戸部の血をたっぷり吸わせて……そして他の部位を解体、遺棄してしまえば、指紋自体は高岡賢一のものですから、あの大量出血も、のちに揚がった胴体部分も、高岡賢一のものであるように見せかけることができる。……まあ、胴体が揚がることまで想定はしていなかったのかもしれませんが」

今泉が腕をほどく。

「……しかし、毎度のことだが、お前の推理には不確定要素が多すぎる。現状分かっている中でお前が根拠としているのは、内藤和敏のものでもあるはずのあの胴体に、十三年前の治療痕がないということだけだろう」

「はい。ですから、科捜研にはＤＮＡの再鑑定を依頼してあります」

ぐっ、と今泉の喉が鳴る。

「お前……何を勝手な」

「すみません。でも、早急に必要だったんです。……それと、こんなことはいいたくありませんが、最初の鑑定の失敗に関しては、科捜研を無理に急かした橋爪管理官にも責任があると思います。九時間かかるといわれたら、九時間待てばいいんです」

「だが、どんなに待っても同じ方法で採取したら、今回も同じ結果しか出てこないだろう」

「その心配は不要です。國奥先生と相談しまして、今回は左手首の指先を切開し、内部から直接細胞を切り出し、その細胞からＤＮＡサンプルを抽出、増幅、鑑定するよう、科捜研には指示してあります。いくらなんでも、切断した手首の指先にまで、他人の血が染み込むことはあり得ませんから」

今泉はうな垂れ、かぶりを振った。

「何から何まで……お前って奴は……」

「すみません。本当に」

一度は、ちゃんと頭を下げておく。なぜか井岡も隣で倣う。

「……内藤和敏の十三年前の治療痕については、葉山が報告を持ち帰る予定です。DNAの再鑑定結果は、午後八時半頃になるかと思います」

そのとき、講堂のドアが荒々しく開く音がした。振り返ると、珍しく血相を変えた日下が、前のめりになって入ってくる。

「係長ッ」

声も、いつになく動揺している。

「どうした」

どこから駆けてきたのだろうか。息もだいぶ乱れている。

上座のテーブルに両手をつき、上目遣いに今泉を見る。

「……係長、よく、聞いてください」

「ああ。まあ、まず、お前が落ち着け」

「私は、落ち着いています……」

そうでもないと思い直したか、日下はいったん深呼吸をはさんだ。

「……はい。ええと、今し方、小林実夏子が、例の、多摩川で揚がった胴体部分について、重大な供述をしました。……あの胴体は、戸部真樹夫のものであると、右胸下の、胆嚢の手術痕を見て、そういいました」

一瞬、その手があったかと、玲子は心の内で舌打ちした。

だが、まあいい。

日下は、玲子と今泉の顔を不思議そうに見比べた。

「……なんだ。あまり、驚かないんだな」

そう。いま玲子の胸にあるのは驚きではない。日下より、若干早く真相にたどり着いたという、優越感にほかならない。

5

すぐに日下が、三島耕介に連絡を入れた。訊きたいことがあるので、できるだけ早く蒲田署まできてほしいと。三島は、今やっているところが一段落したら、早めに切り上げていくと答えたようだった。

夕方六時には葉山が、川口での調べを持ち帰った。

傷の具合は先に玲子が電話で聞いた通り。さらに葉山は病院までいき、執刀医に会って聞いた結果を報告した。

「残念ながらカルテは処分されておりましたが、執刀した池尻辰夫医師はまだ南埼玉中央病院に勤務しており、夫人が死亡、長男が意識不明の重体、のちに全身麻痺に陥ったこの事故について、克明に記憶しておりました。内藤和敏の手術痕は、それなりの大きさで残っているはずとの証言を得ました」

玲子は思わずその肩を叩いた。

「ノリ、でかした」

葉山の頬が、二ミリほど吊り上がった。

――ノリ、今もしかして、笑った？

サポートする恰好で同行した石倉も、満足そうな笑みを浮かべている。

三島耕介が蒲田署に到着したのは、その直後だった。

すぐいきます。内線電話でそう答えた日下の肘を、玲子はつかんだ。

「日下さん。三島耕介の聴取、私も同席させてください」

隣にいた里村が、驚いた顔で玲子を見る。

「お願いします。出しゃばったことは一切しませんから、私に、記録をやらせてください」

日下は眉をひそめ、ちらりと里村を見た。彼は、小さく頭を下げて返した。交渉成立か。

「私たちはかまわないが……どうですか」

さらに日下は、今泉にも確認をとった。玲子が振り返ると、今泉は腕を組み、小さく頷いてみせた。

「君らがいいのなら、それで……やってみてくれ」

「ありがとうございます」

玲子は三度頭を下げた。今泉と、日下と、里村に。

「玲子しゅにぃん、ワシはぁ？」

そう。彼にも重大な任務がある。

「ああ、井岡くんは、例の丸ノコを本部の科捜研に届けてちょうだい。電車でもいいし、署が出してくれるなら車でもいいし……いいですよね、係長」

今泉が再び頷くのを確かめて、玲子は講堂出口へと向かった。

背後で井岡が何かごちゃごちゃいっていたが、そのあとどうなったかは分からない。

初めて間近で相対した三島耕介は、これまで聞き及んでいた通りの、実直という言葉がよく似合う好青年であった。

早くから力仕事をしていたせいか、厚みのある上半身は逞しく、かつ頼もしい。決して大柄ではないのに、取調室をせまく感じさせるほどの存在感がある。

「……実は、これまでお話ししてきた事件の経緯に、重大な誤認があったことが、判明しました。今日はそれについてお話しして、さらに捜査に協力していただけたらと思います」

日下の声はいつも通りに聞こえたが、動揺していないはずはない、と玲子は思った。折りしも昨日、捜査本部は再び記者会見を開き、DNA鑑定の結果、手首と胴体は同一人物のものと判明したと発表してしまっている。その舌の根も乾かぬうちに、実は間違っていましたというのは、日下にとっては最も恥ずべき行為であるはずだ。

――ま、別にあたしは気にしないけど。

神妙に頷く耕介。日下は一度、静かに息を吐いた。

「今日になって、あなたの発見した例の左手首と、十五日に多摩川川岸に揚がった胴体は、別人のものである可能性が出てきました」

耕介の眉間が、きゅっとすぼまる。

「指紋照合をしていますから、あの左手首が高岡賢一のものであることに間違いはない。ですが、ガレージと放置車両内の大量出血、及び胴体部分は、別人のものであるということです」

日下がひと呼吸置くと、耕介はぼんやりと口を開いた。

「……別人、って……」

「現在、各種データの照合を進めていますが、おそらく、戸部真樹夫でしょう」

顔に、驚愕の色が広がる。大きく開いた口は、息を呑むことすら忘れたように動きを止めている。

「現在考えられているのは、こういうことです。高岡賢一は三日夜、仲六郷のガレージで戸部真樹夫と口論になった末、戸部を殺害するに至った。具体的には、感電死させた疑いが強い。凶器として使用されたのは、電動ノコギリの断線したコード部分ではないかと、現状では見られています。ちなみにあの部分は、いつ断線したのでしょうか」

耕介はそれでも、殺された日の夕方、と答えた。さらに、当日の仕事中はその修理をしなかった、とも。

「そうですか。分かりました……ええ、そして高岡は、おそらく戸部を殺害したのちに、その電動ノコギリを修理し、戸部の遺体を解体し、軽自動車に載せた。そのあとで、自分で自分の手首を切断した」

そんな、と耕介が漏らす。

「なんで……」

「殺されたのは高岡、殺したのは戸部、そう見える状況を作り出すためです」

耕介の脳裏に駆け巡っているものは、外からでも容易に透けて見えた。高岡が殺されたのではなく、高岡が殺した。しかも、戸部真樹夫を。なぜ、なぜ、なぜ——。

「つまり、高岡賢一は現在も、左手首を失った状態でどこかに生存しているものと考えられる。どこかの病院で手当てを受けていればいいが、もしそうでなかったら、極めて危険な状態に陥っていると考えた方がいいでしょう」

なぜ高岡が戸部を殺したのか。おそらく耕介には、その動機の心当たりもあるはずだ。十三年前の事故以後、内藤和敏としての人生を捨てた彼を突き動かしてきたのは、常に、彼の中にある強烈な「父性」であったはずだ。今回の犯行の背景にあるのも、おそらくそれであるに違いない。そしてその「父性」を、耕介が感じ取っていないはずがない。

玲子には分かる。

この目——。

幼くして両親を失っているにも拘わらず、耕介の眼差しは、実に澄んでいて、真っ直ぐだ。これは長年愛情を受け、それを感じ、自身の中で育んできた者の目だ。

耕介には、高岡賢一がいた。

血の繋がりだけが親子ではない。家族ではない。

今さらながらにそう思う。

愛情を知らずに育ってしまった人間の目は、もっと動きが鈍く、かつ凍えている。角膜で感情を遮断し、見えているものまで見まいとする。だからこそ、平気で非道な行いができる。おそらく今回の関係者でいえば、戸部真樹夫がそれであったのだろう。

それだけに、高岡が戸部に手をかけざるを得なくなってしまったことが、悔やまれてならない。高岡は、その父性ゆえにいくつもの罪を犯した。

目をつぶって見逃すことは到底できない。だがそれを、ただ罪と断じて突き放すことも、また玲子にはできない。

なぜなら、玲子自身が、罪人だから——。

法を犯したのとは違う。だが、殺意を自身の中に棲まわせている。そういう罪がある。自分を犯したあの男をこの手で殺したい。自分の部下を殺したあいつを亡き者にしたい。心のどこかで、そう思い続けている。

その意味でいえば、玲子の父もやはり、同じ罪人だ。そうさせてしまったことにさらなる罪を感じる一方で、同じ大きさの愛も、玲子は感じている。

「三島さん。高岡がどこにいったか、心当たりはないですか」

日下と同じ問いを心の内で発すること自体が、玲子には苦しい。

だが耕介には分かってほしい。これは、高岡を罰するためではないのだと。高岡を、救うための問いかけなのだと。

「……分かりません」

むろん、そうだろう。事件発生からすでに二週間以上が経っている。毎日一緒に車に乗り、働き、食べ、笑っていた高岡の不在を、喪失と認識するには充分な時間であっただろう。それを急に、どこにいったかと訊かれても、すぐには思い当たらないのではないか。むしろ、高岡がどこにいったのか、それを訊きたいのは耕介の方なのではないか。

「我々の調べにより、高岡賢一には、実の姉と、息子がいることが分かっています。お姉さんというのは、ご存じでしょう……内藤君江さんです。息子は、雄太くん。あなたより二歳下ですが、今は都内の病院に入院しています。高岡賢一の過去をさかのぼっても、肉親と呼べるのは現在、その二人だけでした。ですが、そこに高岡がいった様子はない。いま急遽、捜査員を増員してその二ヶ所を当たっていますが、高岡賢一を発見したという報せは、まだ入ってきていません」

忙しない瞬き。耕介は急に色々いわれ、混乱しているように見受けられた。

「……その二人以外で、高岡賢一と深い関係にあったのは、あなた、三島さん、ただ一人なんです。ぜひ、心当たりを教えてください。どんなことでもいいです。どんなところでもいいです」

玲子は、耕介を見つめながら、あの夜の高岡に思いを馳せた。

彼は何を思いながら、電動ノコギリで自らの手首を切り落としたのだろう。何を思いながら、バラバラになった戸部の遺体を車に積み込み、ハンドルを握ったのだろう。あの霧雨の中、暗い土手の下り坂を、濡れた枯れ草の河川敷を、どんな気持ちで、何度往復したのだろう。

高岡には片手しかなかった。彼は左手の激痛に耐えながら、残った右手で、必死で戸部の遺体を掻き集め、運んだはずだ。気絶だけはするまい。ここまでやったのだ、こんなところでは諦めまい。そう自らを鼓舞し、何度も何度も、土手の上の車両と、川辺を行き来したに違いないのだ。

歯を食い縛り、脂汗を拭い、寒気と自らの悪寒に抗いながら、ただ寝たきりになった息子と、耕介を思い――。

――あっ……。

突如、脳裏に黒い火花が爆ぜた。

――バカだ……あたし、本物の、バカだ……。

同時に、目に涙があふれてきた。

――あたし、高岡に、会ってる……。

自ら手首を切り落とし、大人一人分の遺体を処理した高岡に、どこかに逃げる体力なんて、残っていたはずがないのだ。あの軽自動車を土手に放置したのは、誰かに目撃されて、そのまま逃げたからなんかじゃない。もう高岡には、車を運転するだけの体力が残っていなかっただけなのだ。そんな高岡が、逃げ込める場所なんて――。

玲子の異変に気づいたのは、耕介の方が先だった。

あとから、その視線を追うように日下が振り返る。

「どうした、姫川……」

玲子はかぶりを振った。だが、それが何を意味するのかは、自分でもよく分からなかった。

「……三島くん、あたしと、一緒にきて……」

玲子は立ち、机の上に置かれた、厚みのある右手を握った。

耕介は、わけが分からないという顔で見上げた。

「……ほら、立って。早く、高岡さんに、会いにいこう」

がたんと、耕介の座っていた椅子が倒れた。

終　章

だが、動かなくなった戸部を見下ろして私が思ったのは、やはり、実の息子、雄太のことだった。

内藤和敏として死んだとき、私は姉の君江に、合計三千五百万円の死亡保険金を受け取らせることに成功した。その後も高岡賢一として働きながら、毎月七万円を送金し続けてきた。

姉とは内藤和敏として死んで以来、まったく連絡をとっていない。だが、遠くからその様子を窺った限りでは、だいぶやつれているように見えた。

昔はお洒落な人だった。肌が白いのを自慢にしていた。それが酒のせいか顔も赤黒くなり、野暮ったい恰好で平気で外を歩くようになっていた。

生活が楽でないことは一目瞭然だった。だがそれでも、雄太の面倒はちゃんと見てくれているようだった。

二階の物干しに出される子供用のパジャマが、年々大きくなっていくのは遠くから見て知っていた。姉にすまないと思う一方で、それでも雄太が成長を続けている様を確認し、胸が熱くなった。

だが、いま――。

私は、なんと人殺しになってしまった。これでは、たとえ死んだとしても、再び死亡保険金を、五千万の金を姉に受け取らせることはできない。

正直、自分はいつ死んでもいいと思っていた。むしろ再び死ぬことに、この偽りの人生の、真の意味はあると思っていた。

しかしそれも、もう、無駄になってしまった。

いや、ちょっと待て。

まだ、やりようはあるのではないか。

私がそれを思いついたのは、ごく単純な理由からだった。

戸部と私の血液型は、同じA型。それ自体は決して珍しいことではないはずだが、私にはそれが、天からの光明であるかのように感じられた。

この場をなんとか上手く処理して、細工をして、私が死んだことにはできないか。私を殺したのは戸部で、こいつはどこかに上手く逃げ果(おお)せた、そういうふうに見せかけることはできないか。

私はまず、途中になっていた丸ノコの修理をした。それから軍手をはめ、のちに運搬がしやすくなるよう、戸部の死体を解体し始めた。

最初は、首。長めに刃を出したカッターナイフで、顎の下に切り込みを入れていった。断線したコードの芯出しに、よく似た作業だった。いや、似ていると、私は自分に言い聞かせ、必死に手を動かし続けた。

大きな動脈を切断すると、血は、蜂蜜の瓶を倒してしまったときのように、とろとろと、でも取り返しのつかない勢いで、コンクリートの床に広がっていった。

切りづらい筋や、軟骨のようなものもあった。皮膚の下には脂肪層があり、その脂は軍手の中にまで染み込み、指に絡みつき、道具をすべらせ、作業効率を悪くした。

だが、骨を断つのは楽だった。なんといっても丸ノコがある。トリガーを絞って押しつければ、どんなに太い骨でも一瞬で片がつく。

私は周りの肉をカッターナイフで切り、ときにはノミも使い、丸ノコで骨を断ち、戸部を細かく切り分けていった。切断個所は、できるだけ関節の近くにした。上手くすると、肉を切ったあとは、関節を逆方向に折り曲げるだけで取り外すことができた。また、あとで使う分量だけ血液を保管しておいた。ちょうどレジ袋があったので、それに入れられるだけ入れておいた。

解体が終わると、ガレージの床は、まさに血の海になっていた。実際、二度も足をすべらせて転んだ。私も血だるまになっていた。

戸部のそれぞれのパーツは、現場で養生（ようじょう）に使うビニールにくるんだ。最後まで、胴体を半分に切り分けるかどうかで悩んだが、内臓が出てきたら処理に困るだろうと思い、結局は諦めた。脱がせた服は、ガレージにあった紙袋に詰めた。だが靴だけは、私が履いた。この靴で歩けば、戸部が生きているように見せかけられると思ったのだ。

それから、いったんシャッターを開け、車を中くらいまでバックで入れた。

ハッチを開け、パーツを一つずつ、荷台の棚下に入れていく。間違ってはいけないので、頭と左手首だけは載せずにおいた。

そして、ここからが、正念場だ。

私は再び車を表に出し、ガレージに戻ってシャッターを閉めた。

まず、車の中にあったタオルで、捻じりハチマキを作る。左手の軍手をはずして、口の中に押し込む。上から、猿ぐつわのようにハチマキを巻く。後ろで縛る。固く縛る。口の中に染み出た戸部の血や脂は、互いに重ねた罪の杯と思って飲み込んだ。

次に、太めの番線を左手首に巻きつけた。ぐるぐる巻き。血が止まって、ぽろりと手首が落ちるくらいに締め上げる。仕上げにグイグイ、ペンチで捻じり上げる。

そうしたら、カッターナイフだ。

受け皿にするバケツの上で、どろどろになったそれを構える。

さあ。戸部にしたのと同じ要領で、切り込みを——。

何本も、ためらい傷ができた。心臓が聞いたこともないような音をたて、図らずも全身に血を巡らせた。

駄目だ、このままじゃ——。

私は何度も深呼吸をし、二十回目で、一気にやると心に決め、

「……うぐ……」

ついに、自分の手首に、半分まで、切り込みを入れた。

全身の、毛穴という毛穴が全開になって、飛沫が上がるほどの脂汗が迸った。

傷口にある神経という神経がギンギンと音をたて、もうその音がうるさくて、他には何も聞こえなくなるほどだった。

だが、まだだ。まだ、気を失うわけにはいかない。

渾身の力で、丸ノコを持ち上げる。力の抜けた左手首の傷口、鮮血の湧き出る赤い肉の谷間に、丸ノコの刃を、そっと差し込む。

この期に及んで、何をためらうのか。自分でもよく分からなかったが、私は肩で、脂汗を拭って、拭って、半分垂れ下がった手首と、血でずぶ濡れになった丸ノコの刃を睨んだ。

いけ、いけ、いけ。

トリガーを絞って、一気に、押せ——。

私は軍手を嚙み締めて、口の中で悲鳴をあげた。

喉がささくれ、首が破裂するほど叫んだ。

内臓が逆流して、飛び出すほど泣いた。
そして絞った。押しつけた――。
骨を刻む振動が、肘を抜け肩に伝わり、全身を、狂ったように駆け巡った。
アアーッ。
私は叫び続けた。
アアーッ。
軍手を噛んだ。猿ぐつわの中で。
アアーッ。
いっそ狂ってしまいたかった。
アアーッ。
そして手首が、ぶらりとぶら下がった。
残った皮は、右手で引き千切った。
いや。もう充分、私は狂っていた。

＊

タクシーに乗り込み、行き先を多摩川河川敷と告げた。

車中、三島耕介はひと言も発しなかった。助手席に座った日下もまた、終始沈黙を保っていた。

第一京浜を、雑色駅を過ぎた辺りで右折してもらう。この先にお寺がありますよね、と玲子が訊くと、運転手はカーナビゲーションのモニターをちらりと見、ああ、安明寺ね、と知ったふうにいった。捜査初日に、夜中の張り込み拠点として待合室を提供してもらった、あのお寺だ。

そこまでいくと、もう道は多摩川土手で塞がれたようになっている。右か左にいけば土手に上がれるスロープもあるが、玲子はここでいいですと車を停めさせた。料金は、何もいわずに日下が払ってくれた。

先に耕介を連れて降りる。歩行者用の階段を右手に見つけ、そこを上がる。すぐに日下も後ろから追いかけてきた。

土手に立ち、見渡した多摩川河川敷は、まさに漆黒(しっこく)の闇だった。

街灯もなく、多少は対岸にある建物の明かりが川面に映り込んでいるが、河川敷そのものはただ黒く、平らな、沈黙する闇だった。

日下が取り出した懐中電灯の明かりも、せいぜい足元を照らす程度のものだった。だが、それでいい。玲子の中にも、結果を急ぐ気持ちと、たどり着きたくないというそれが混在している。一歩一歩、踏み締めるように進むくらいでちょうどいい。

決してここまでずっと、耕介の手を握ってきたわけではない。タクシーに乗り込むときに放し、移動の間はそのままだった。だがまた、降りるときに握った。土手まで上がってきて、また下りて進もうとしている今も、玲子は彼の手を握っている。

硬い皮膚。厚い掌。太い指。それでいて、あたたかい手。

働き者。そんな言葉がよく似合う手だ。

歩行者用の階段を下り、河川敷を斜め左に進む。角度は完全に当てずっぽうだ。だがさほど間違ってはいないだろうとも思っている。背の高い雑草の辺りまでいったら、あとは電灯の明かりで探せるはずだ。

ふいに玲子は、また少し足をすべらせてしまった。耕介はぐっと力を入れて、引き上げるようにして転倒を防いでくれた。ありがとう。そういいはしたけれど、耕介は何も応えなかった。

雑草の生垣まできた。もう少し左にいき、だが違う気がして右に戻ると、例の切れ目を発見した。

立ち止まり、日下に頷いてみせる。まず自分で入ろうかと思ったが、日下が切れ目に明かりを向けて踏み出したので、やはりここは、彼にいってもらおうと思い直した。

日下の背中が、照らされたテントの白に黒く浮かぶ。彼は肩越しに手を上げ、玲子たちに止まるよう指示した。

見るとあの日のまま、靴下が三足干されている。日下は一段高くなった地面に上がり、慎重に内部の様子を窺った。

テントの入り口も、あの夜と同じく開いたままになっている。日下が中を照らすと、辺りを巡っていた明かりはすべて吸い込まれ、今度はテントが、鈍い光を放ち始めた。

川辺の闇に浮かぶ、四角い明かり。

灯籠流し――。

そんなものを思い浮かべた瞬間、耕介が、きゅっと玲子の手を握った。

日下の持つ明かりが、ゆっくりと、テントを内側から舐める。風の向きが変わったのか、またあの異臭が鼻を突いたが、今日は鼻息を止めなかった。余すことなく嗅いでいよう。そんなふうに心を決めた。

やがて、入り口に顔を出した日下が、無言で頷いた。

玲子が手を放すと、耕介は、その意味を問うように顔を向けた。

いってあげて。そう囁くと、耕介は雲を踏むような足取りで、一歩、また一歩、テントに近づいていった。

一段上がり、入り口のところで日下とすれ違う。明かりは日下が持ったままだ。そこから中を照らしている。

玲子も、入り口まで進んだ。

日下はしばらく中に目を向けていたが、玲子が隣に立つと、静かに向き直り、目を伏せてかぶりを振った。日下は、右手だけ白手袋をはめていた。

おやっさん――。

その身を引き裂かんばかりの叫びが、川辺の闇に溶けていく。

おやっさん――。

慟哭は地面の土に染み込み、やがて朽ちるように、小さくなっていった。

日下は、玲子に代わってくれといい、その立ち位置を譲るよう一歩下がった。玲子は懐中電灯を受け取り、日下がしていたように、耕介と、その向こうを同時に照らすよう明かりを向けた。

少し離れたところで、日下が携帯を取り出す。バックライトが点き、その横顔が闇に浮かぶ。眉間に力を入れ、ぐっと奥歯を噛んでいる。

日下です。被疑者、高岡賢一を発見しました。死亡しています。死後数日経っているものと思われます。

相手は今泉だったのだろう。鑑識に引き継いだら帰ってこい。そんな声が漏れ聞こえた。

携帯を閉じた日下が、溜め息をつきながら戻ってくる。

「古い写真を、握っていた……彼と、遊園地で撮ったものだ。……高岡も、まだ若かった」

白手袋をはずし、ポケットにしまう。

玲子の手には、まだ微かに、耕介のぬくもりが残っていた。

実際の鑑識作業は翌日行われ、テント内部の地面から、戸部真樹夫のものと思われる左手首と、頭部が発掘された。

一方、高岡賢一の遺体はやはり東朋大学の法医学教室に搬送され、司法解剖を受けた。死後四日、ないし五日経っているとのことだった。

左手の切断による失血から循環性ショック状態に陥り、全身の小血栓症、血圧と組織酸素圧の低下、血管収縮、毛細管の障害を引き起こし、それによって体内のあらゆる臓器能力が緩やかに低下し、最終的には心不全に至ったものと鑑定された。

また冷たく乾燥した空気に晒されていたため、露出した顔面部分などはミイラ化の初期状態だったという。これが下手に暖房器具などを使用していると急速に腐敗が進むため、十九日の段階で三島耕介が見ても、誰だか判別できない状態になっていただろうといわれた。

その後さらに鑑定は進められ、最初に発見された左手首と、河川敷のテントで見つかった遺体が同一人物のものであることも確認された。

また多摩川で揚がった胴体が戸部真樹夫のものであることも明らかになった。翌日に再度行われた戸部のマンションの家宅捜索で押収した、ヘアブラシに付着していた毛髪の毛根が決め手となった。

ただ、何をどう解明しても、被疑者である高岡賢一がすでに死亡している事実は動かない。検察に送致しても、絶対に起訴はされない。事件が法的な解決を見ることなく終了することは分かりきっている。しかし、そうと分かっていてもなお、高岡賢一が間違いなく犯人であるということは、警察の手で示さなければならない。それを示した上で、送致を受けた検察が改めて事案を精査し、被疑者死亡により、この案件は不起訴にする、と判断する。そういう、法的手続きが必要になる。

そして、それを示す作業を誰がやるのかというと、実質的現場責任者である捜査一課十係長の今泉警部と、現場主任であった日下警部補、と玲子なのである。他の捜査員がC在庁、実質的な休暇に入っても、玲子たち三人は本部庁舎の六階、捜査一課の大部屋で、書類作成に追われる日々を過ごしている。

書かなければならない書類は、文字通り山ほどあった。

全捜査員の全報告書のリスト、全参考人の供述調書の整理、最終的に高岡が死んでいた場所の発見現場調書に、各鑑定書の検分調書。あとから井岡が科捜研に持ち込んだ電動ノコギリのコード部分の鑑定検分調書もある。家宅捜索に関する一切は日下が引き受けるといったが、今回の場合は高岡賢一が内藤和敏であることまで証明して書類にしなければならない。そのため、人一人が殺されたにしてはやたらと枚数が多くなっている。さらに書く順番や参照の指示を間違えると、辻褄(つじつま)が合わなくなる恐れすらある。

——アアーッ、もォ、めんどくさァーい。

玲子は思わず、三つ向こうの机にいる日下の横顔を睨んだ。

悔しいことに、日下はこういう作業が非常に得意である。実に涼しい顔で、まるでキーパンチャーのようにノートパソコンのキーを叩き続けている。そもそも、なんであの年であんなにタイピングが上手いのだろう。完全なるブラインドタッチだ。大体四十過ぎの刑事なんて、みんなワープロを操るのに四苦八苦しているというのに。

——こっそり、パソコン教室とか通ったのかしら。嫌らしい。

いま玲子がまとめているのは、高岡の死亡確認後に発覚した新事実についてだ。

高岡は三日夜、解体した戸部の遺体を遺棄したあと、あの白テントの、もとの持ち主を訪ねたらしい。そこで、百万円の札束を二つ渡し、何もいわずにこの場所を譲ってほしい、といったそうである。

そのホームレス、田中正毅(たなかまさき)はむろん二つ返事で応じ、その金で買った酒や食材を手土産に、野球場より向こうに住む連中の仲間入りを果たした。もともと仲間はずれにされ、仕方なくあそこで暮らしていたのだが、やはり二百万円という現金の力は大きかったようだ。仲直りは疎(おろ)か、ここのところはほとんどリーダー格にまで押し上げられていたという。

むろん、担当捜査員はその田中に、片手を失った高岡を見ておかしいとは思わなかったのか、と訊いている。だが彼は、こんなところにくる人間はみんなワケありだ、いちいち詮索はしないよ、と、こともなげに答えたという。

現在、この二百万円の出所は分かっていない。だが、たぶん戸部が持ち歩いていたものなのだろうと考えられた。担当検事と相談して、もし問題ないようであれば、この件は調べずにすませてしまうかもしれない。

それと一つ、個人的に気になって調べてみたのは、高岡の運転免許証についてだ。

運転免許更新センターには、高岡賢一の名義で、しかもちゃんと内藤和敏の顔写真で登録された、普通自動車運転免許証のデータが存在していた。偽造免許ならまだしも、入れ替わった高岡の顔で、本物の免許が発行、更新されていたのである。一体どんなトリックを使ったのだろうと頭を捻ったが、答えは簡単だった。

自殺した南花畑の、本物の高岡賢一が、そもそも免許を持っていなかったのだ。だから、仲六郷に引っ越してきた内藤和敏がその顔で新規に免許をとっても、最初から、なんら不都合はなかったわけである。

——あーあ。時間使って調べて損したわ。

時計を見ると、午後の三時になっていた。

今泉は先ほど一課長に呼ばれ、大部屋を出ていった。A在庁は二係で、席はずいぶん遠い。玲子の近くにいるのは、皮肉にも日下のみという状況になっている。

——仕方ない……か。

玲子はコーヒーメーカーのところにいき、日下の分も淹れて席に戻った。

「どうぞ」

ブラックで飲むのは知っていたから、砂糖もミルクも添えずに置いた。

「……ああ……すまん……」

だが、目は書類に向けたまま、手はスピードを保ったまま。実に腹立たしい態度である。

——ああ、また思い出しちゃった……。

大体、玲子はもともと、日下の顔からして嫌いなのだ。

感情の読み取れない冷たい目つき、細い鼻筋、薄い唇——。

この顔をじっと見ていると、玲子はどうも、あの十七歳のときの暴行犯を思い出してしまう。見間違うほど似ているわけではないが、思い出させる程度には似ている。

だが今となっては、これも自分に与えられた試練なのかな、とも思う。

玲子は高岡のような殺人犯を、心のどこかでは赦したいと思っている。それは、自分もあの暴行犯を、あるいは大塚を殺した犯人を殺したいと思っている、いわば潜在的殺人者だからであり、なおそんな自分を誰かに赦してほしいと、漠然と願っているからに他ならない。

しかし、刑事としての自分は違う。同情すべき点は多々あるにせよ、高岡が法を犯したのは事実だ。自分がもし復讐の名のもとにあの暴行犯を、あるいは大塚殺しの犯人を殺したら、それも同じく罪に問われる。それを理不尽とは思わないし、法とはそうあるべきものだと確信してもいる。

では、どうしたらいいのか。

たぶん自分が探しているのは、法に依らない殺意の否定、またはその論理、なのだと思う。復讐はしたい。殺人も厭わない。だがそうであっても、自分を抑え込める何か。そんなものを探している。見つけたいと思う。法で禁じられているから、ではなくて、自らの精神をもってして、自らの殺意を制御したいと願っている。

だから、試練なのだと思う。この、暴行犯に似た顔を持つ同僚と働くことが。そしてその同僚が、あらゆる面で、自分とは相容れない性質の持ち主であるということが。

ちょっと、日下のモニターを覗き見る。今は二度にわたって行われた家宅捜索、その押収品目リストを作成しているようである。

まあ、どんなに頑張ったところで、今回ばかりはこの優秀な「有罪判決製造マシン」も、その真価を発揮することはできない。そう思うと、ほんのちょっとだけ溜飲は下がる。

「ねえ、日下さん」

聞こえているのか、いないのか。

日下は無言のまま行の終わりまで打ち、エンターキーを叩き、ファイル保存のアイコンをクリックし、またエンターキーを叩き、そこまでやって、ようやくこっちを向いた。

「……なんだ」

さも痛そうに目を瞬く。

「いや……日下さんは高岡のこと、どう思うのかな、と思って」

「どうとは、どういう意味だ」

「まあ……男の子を持つ、同じ年代の、父親として」

面倒臭そうに溜め息をつき、気持ちも込めずに「いただきます」と呟き、カップを取る。そういう態度の一つひとつが、玲子の神経をいちいち逆撫でする。

「……どうって、同情すべき点も、理解できる点もあるが、共感はできない、といったところだ」

「同情や、理解できる点って？」

また、馬鹿なことを訊くな、といわんばかりの息を吐く。

「……寝たきりの息子や三島耕介を助けたい、養いたいとしていたことは、男として、血が云々は抜きにしても親として、充分理解できるし、その覚悟や行動が、戸部殺しに繋がった点は同情を禁じえない。そういうことだ」

「じゃあ、共感できない点は？」

また溜め息だ。どうしてこの人は、こうも人を馬鹿にした態度を平気でとるのだろう。しかも、今度はうな垂れたまま黙っている。

「ちょっと、共感できない点はどうしたんですか」

「……なぜそんなことを訊きたがる」

「だから、同じ年代の男性で、男の子を持つ親としてって、いってるじゃないですか」

まあ、意地になって訊く自分にも、非はあると思うが。

「……どうも、お前が相手だと、陳腐（ちんぷ）な台詞しか浮かんでこない」

「なんですかそれ。あたしが悪いんですか」

「そうはいわんが……やめよう。どうせ大して気の利いた見解ではない」

「いいんですよ、陳腐だってなんだって。別に、テレビのコメンテイターじゃないんだから」

「その、テレビのコメンテイターというのが、陳腐の最たるものだろう。だから嫌だといっているんだ」

まったく、何をこんなところで恰好つけているのだ。

日下は眼鏡をはずし、瞼を指で揉み始めた。これは、もういけという意味なのだろうか。それとも、考えるから待っていろということなのか。こういう、会話や仕草のタイミングというか、リズムみたいなものまで、本当にこの男とは、とことん噛み合わない。一体、奥さんと二人のときはどういう雰囲気で過ごしているのだろう。ある意味、物凄く興味がある。

「……子は、親の背中を見て育つというだろう」

そして、とんでもなくはずれたタイミングで話し始める。まあ、確かに陳腐な台詞ではある。

「ええ。いいますね」

「それは何も、子供が逐一親の真似をするというだけではなく、やはり、反面教師にするという意味でも、そうなのだと思う。……高岡は、二度人生を捨てた。内藤和敏として死に、高岡賢一として死に、最後は名もないホームレスになろうとした」

いや、一応、飯塚武士と名乗ってましたよ、と思ったが、下手な茶々は入れずにおく。

「……子供は、見てないようでいて、親の姿を、じっと見ているものだ。やはり、子供に言い訳できないような、見せたくないような行いは、子がその場にいるいないに拘わらず、すべきではないだろうな。子供を真っ直ぐ育てたいなら、自分が真っ直ぐ生きるべきだし、子供に自立した生き方をさせたかったら、まず自分が自立した姿を示すべきだろう……ま、そんなところだ」

当たり前、といえば当たり前だが、それをどれほどの親ができているかと考えると、果たして疑問ではある。こんな世の中になってもなお、まだ犯罪の多くは大人が起こしている。その中には、子を持つ親も少なくない。また犯罪ではないが、自分は大したことをせず、子供にだけ多くを求める親もいる。そういうのは、確かに玲子も「違うだろう」と思う。

「すまんな。つまらん意見で」

「別に、そんなふうには思ってませんけど……」

自分でも、可愛げがないなと思いつつ、こういう態度になってしまう。相思相愛とはよくいったものだ。自分が思わないと、相手からも思われないという悪循環にはまる。

——まずは自分から……かな。

玲子は意識して表情を和らげ、別の話題を探した。

「そういえば、日下さんて、結婚されてもう長いんですよね。……どうですか？　結婚って」

だいぶ譲ったつもりなのに、日下はさらに眉間の皺を深くし、目つきを厳しくした。

「……な、なんですか」

「お前ら、本当にダメなんだな」

お前、ら？

「なんの話ですか」

「結婚てどうですかぁ、どうですかぁ、って。そんなもの、それぞれの組み合わせでそれぞれの関係を構築していくしかないに決まっているだろう」

「いや、だから」

「そんなに知りたければ菊田に訊け。もうちょっと気の利いたコメントをしておいた。俺は、二度同じ話をするほど恥知らずではない。知りたければ奴から聞け」

ここで、なぜ菊田が出てくるのだ。

――っていうか、この人、なんで怒ってるの……。

日下はふいに視線を机に戻した。

「それからな……これ。お前が、河川敷のテント小屋を高岡の潜伏場所と特定するまでの、過程の説明なんだが、これな、何度読んでもさっぱり分からない」

なんだ、いきなり仕事の話に戻るのか。

「高岡には車を運転する体力が残っていなかった、まではいいが、それでどうして即テント小屋に特定されてしまうんだ。別に、歩いて逃走する可能性だって、多摩川に身を投げる可能性だってあったわけだろう。そういう推測で押していくのではなくて、いったんは聞き込みをして顔を見ているからとか、そういう具体的事象を絡めて、丁寧に詰めて書けよ。これじゃいつもの、当てずっぽうでも当たれば文句ないだろう、の論法と変わらないじゃないか。……あのな、何度もいうようだが、ホシが割れたら結果オーライじゃないんだ。その過程に穴があったら、裁判で引っくり返され……」

そのとき、日下の胸で携帯が鳴った。手早く取り出し、小窓の表示を確認する。

「……すまん」

らしい銀色のそれを開きながら立ち、窓辺に向かう。なんとなく、家からだな、と玲子は察した。

「……私だ……ああ……なに、それで、相手は……ヨシヒデは無事なのか……そうか……いや、今は本部だ……ああ、しかし」

腕時計を覗く。

「……分かった。今から戻る。五時前には着くだろう……分かってる。切るぞ……ああ、切るぞ……ああ。じゃあ」

すぐこっちに戻ってきて席に座る。パソコン上に開いていたファイルを、それぞれ保存して閉じ始める。

「姫川。急に、家に戻らなければならなくなった。すまんが、先に帰らせてもらう。俺だけ遅れることにはならないように、必ず間に合わせるから、そう係長にも伝えてくれ」

どうも、さっきの話は、あれで終わりになるらしい。

「あ、はい……あの、お宅で何か」

沈痛な面持ち。日下は普段、あまりこういう表情は見せないのだが。

「息子が……虐めに耐えかねて、ひと悶着やらかしたらしい。相手もウチのも、怪我をしたみたいだ」

パソコンの電源を落とし、書類は引き出しにしまって鍵を掛ける。

「大変ですね……係長には私から、ちゃんといっておきます」

立ち上がった日下は、ふいに「ああ」と漏らし、コートを羽織る手を止めた。

「……つい、口がすべった。今の、虐めがどうこうは、いうなよ。あと、怪我の件も」

はい、と頷くと、日下はまた目つきを厳しくした。

「……と、それからな。さっきの話は、また明日改めてするからな」

なんだ、終わりじゃないのか。

「じゃ、よろしく頼む」

鞄を引ったくるように持ち、襟を直しながら出口に向かう。

――なんか……ズルいなぁ。

子供が怪我をしたと聞き、思わず取り乱した親の横顔。妻に厳しくいいながら、でも、どこかあたたかだったその表情。そんなものを見せられた今となっては、その背中が少し、いい人に見えてしまうではないか。

――夫であり、父親であり、か……。

もしかしたら自分は、ほんの少し、わずか数ミリではあるけれど、日下を、憎めなくなっているのかもしれない。

それがまた、玲子は悔しくて堪らない。

悔しいのに、それがちょっと「嬉しい」にも似ているものだから、余計に悔しくて、仕方がないのだ。

解説

タカザワケンジ
（フリーランスライター）

姫川玲子が帰ってきた。

『ストロベリーナイト』に続き、彼女が活躍する警察小説の第二弾がこの『ソウルケイジ』だ。これまでのところ、姫川シリーズはほかに連作短篇集『シンメトリー』が刊行済み。さらに、近々、四冊目の単行本が上梓される予定だという。

『ソウルケイジ』が二作目だからといって、前作の『ストロベリーナイト』から読まなければならないということはない。かくいう僕も『ソウルケイジ』を手にとったのが先だった。そして、読了後、ただちに『ストロベリーナイト』を購入した。以来、姫川シリーズの新作を心待ちにしている読者の一人だ。

大田区西六郷の多摩川土手に放置してあったワンボックスカーのなかから、成人男性の左手首が発見された。ＤＮＡ鑑定の結果、左手首の持ち主は小さな工務店を営んでいた高岡賢一だとわかる。高岡は殺されたのか？　だとしたら誰が？　姫川ら警視庁捜査一課と所轄の刑事たちが高岡の周辺を洗ううち、過去に起こったいくつかの事件との密接な関わりが浮かび上がってくる。

前作『ストロベリーナイト』では、猟奇的な連続殺人事件という派手な道具立てで読者の度肝(どぎも)を抜いたが、『ソウルケイジ』では一転して、東京の片隅でささやかに生きてきた中年男の過去を丁寧に洗う地道な捜査が描かれている。緻密に組立てられたストーリーと、スピーディな展開。小気味のいい会話とさりげないユーモア。そして、読み進むにつれて明らかになってくる、この物語の根底に流れるテーマに気づいたとき、静かな感動が訪れる。

物語の舞台は『ストロベリーナイト』事件から数カ月後の冬。再度登場した姫川玲子のプロフィールを振り返っておこう。

29歳独身。警視庁刑事部捜査第一課殺人犯捜査第十係で、姫川班を率いている。部下には年上を含めた4人の男性刑事がいる。長身でスタイルがよく、なかなかの美人。直感に優れ、大胆な行動力で手柄を立てることで、警察という男社会のなかで頭角を現してきた。

なぜ姫川が刑事を志したのかは、シリーズ1作目の『ストロベリーナイト』で描かれているのでぜひお読みいただきたいが、彼女にとって刑事という職業が「天職」であることは、この『ソウルケイジ』でも存分に描かれている。捜査が長引けばカプセルホテルに泊り込む日々が続くこの仕事が、若い女性にとって過酷なものであることは間違いないだろうが、その過酷さをぶっとばすくらいのアドレナリンが彼女の脳にドバッと出ているように思える。

私生活に目を転じると、いまのところ恋人はいないが、年上の部下、菊田とはお互い思い合っている節がある。ただし、二人の間に強引に割り込もうとしてくるコメディ・リリーフ、井岡の存在も無視できないし、さらには玲子を「恋人」と呼んではばからないベテラン監察医、國奥までがチャチャを入れてくる。遅々として進まない二人の恋の行方もシリーズの読みどころの一つだ。

菊田、井岡のみならず、姫川の周囲にいる刑事たちは一癖、二癖ある連中ばかりだ。『ソウルケイジ』では、姫川と同じ十係で別班を率いる日下警部補にスポットが当たっている。日下は姫川にとってライバルであるだけでなく、「天敵」と密かに呼んでいる四十代のベテラン刑事。カンが武器の姫川に対し、日下は予断をまったく認めない。しかし、ずば抜けた捜査能力で事件に関するあらゆる事実を掘り起こす。そして、私生活では難しい年頃の一人息子を持つ父親でもある。姫川と日下は対立しながらも、別のルートから事件解決をめざしてひた走る。

ここで、作者の誉田哲也についてご紹介したい。僕は誉田さんに二度インタビューしている。そのときの発言をまじえつつ、横顔を紹介していくことにしよう。

誉田哲也は1969年東京都生まれ。学習院大学卒業。ロックバンド「BRAIN FA

CTORY」で活動したのち、執筆活動に入る。誉田作品の魅力の一つは切れ味のいいアクション描写だが、格闘技のレポートを書いていたことが文章を書く面白さを知るきっかけだったという。

2002年、ヴァンパイア少女の活躍を描いたエロス&ヴァイオレントな快作『ダークサイド・エンジェル紅鈴　妖の華』で第2回ムー伝奇ノベル大賞優秀賞を受賞し作家デビュー。翌'03年には、ネットやケータイから侵食する〝恐怖〟を描いた青春ホラー『アクセス』で第4回ホラーサスペンス大賞特別賞を受賞している。そして、連続児童誘拐事件の黒幕「ジウ」を追ううち、巨大な闇に直面することになる二人の女性刑事の活躍を描いた『ジウ』三部作でブレイク。警察小説の新境地を開いたと高く評価された。続くこの姫川玲子シリーズの好評で、作家としてのポジションを確かなものにしたといっていいだろう。

誉田自身が「作品のうち半分は警察小説、残りの半分でそのほかのジャンルが理想」と語るほど、警察小説への思い入れは深く、『ヒトリシズカ』『国境事変』など、シリーズ以外の警察小説にも注目すべき作品がある。

そのほかにも、天才ギタリスト夏美（なつみ）が活躍をする青春小説『疾風ガール』とその続編『ガール・ミーツ・ガール』。対照的な少女剣士二人が青春を剣道に賭ける『武士道シックスティーン』とその続編『武士道セブンティーン』、『武士道エイティーン』。また、『月光』のような残酷で美しい青春ミステリもある。

ちなみに、『武士道シックスティーン』は映画化され、２０１０年春に公開予定だ。ほかにも映画化の準備が進んでいる作品もあるというから、来年以降は誉田作品を映像で楽しめることになりそうだ。

誉田の小説は、登場人物たちの心の動きを丁寧にすくいあげる一方で、語り口は滑らかでサービス精神に富んでいる。誉田自身は、こうした小説作法を料理にたとえ、こんなふうに語っていた。

「料理って味の良さと、栄養という二つの要素がありますよね。僕は『マズくても栄養があるから食べなさい』という小説はめざしていない。やっぱり、美味しいものを差し出したい。だけど口当たりがいいだけで、何の栄養もない料理を出すのは良心に欠ける。読んでくださった方たちの心のなかに、何か残るものを残せたら。心の栄養素みたいなものを与えられたら、と思いますね」

作家としての誉田哲也を「料理人」にたとえると、ただ作るだけではなく、その材料選びと料理の仕方にも独特の工夫をしていることが作品からうかがえる。実際にも、誉田流の執筆方法があって、なかでも、文庫版『ストロベリーナイト』の解説で梅原潤一(うめはらじゅんいち)さんが明かしている、登場人物の設定をするときに、俳優をあてはめてイメージするというやり方には驚かされた。しかも「大物俳優をありえないキャスティングで使うこともあります。ビートたけしさんをチョイ役で使ったり」というから楽しい。「執筆途中で配役交代もあるんですか？」と聞くと、神妙な顔でこう答えた。

「そうですね。悲しいかな、過去にはありました。もちろん、僕の問題なんですが……。大好きな女優さんなんです。でも、どうしても×××さんじゃ最後まで持たないんです！　思ったお芝居を自分のなかでしてくれない。それで、泣く泣くほかの女優さんに交代してもらったことがあります（笑）」

その女優が誰だったかは、ここでは伏せておこう（笑）。誉田哲也の小説に登場する人物たちが生き生きと動いている理由は、誉田自身が登場人物を演じる（？）役者たちへ厳しいまなざしを向けているからかもしれない。

最後に『ソウルケイジ』というタイトルに触れておきたい。ロックが好きな読者なら、スティングのアルバム（『The Soul Cages』１９９１）を連想するはずだ。僕自身もその一人。この解説を書くにあたって、久々にＣＤをラックから引っ張り出して、プレイヤーにかけてみた。父の死を経て作られたというこのアルバムは、スティングの作品のなかでも、地味ではあるが、硬質な輝きを持った佳品だ。哀愁漂うバグパイプの音が心に残る。

まだ本書を読んでいない人のために詳述は避けるが、重い荷物を背負って生きてきた事件の当事者が最後までこだわったのが「父性」だった。そして、事件を捜査する刑事たちもまた、事件に導かれるように、父として子を思う気持ち、子として父の思いを受け止めることに向き合おうとする。スティングがこのアルバムに込めた思いと、『ソウルケイジ』の世界はゆるやかにつながっている。スティングのファンにとって『The Soul Cages』が重要な作品であるように、誉田哲也ファンにとって、この『ソウルケイジ』もまた、深い味わいをもったシブい傑作になっていると僕は思う。

二〇〇七年三月　光文社刊

光文社文庫

ソウルケイジ
著者　誉田哲也（ほんだてつや）

2009年10月20日　初版1刷発行
2009年11月5日　4刷発行

発行者　駒井稔
印刷　堀内印刷
製本　ナショナル製本

発行所　株式会社光文社
〒112-8011　東京都文京区音羽1-16-6
電話（03）5395-8149　編集部
8113　書籍販売部
8125　業務部

ISBN978-4-334-74668-1　Printed in Japan

組版　萩原印刷

お願い 光文社文庫をお読みになって、いかがでございましたか。「読後の感想」を編集部あてに、ぜひお送りください。
このほか光文社文庫では、どんな本をお読みになりましたか。これから、どういう本をご希望ですか。どの本も、誤植がないようつとめていますが、もしお気づきの点がございましたら、お教えください。ご職業、ご年齢などもお書きそえいただければ幸いです。当社の規定により本来の目的以外に使用せず、大切に扱わせていただきます。

光文社文庫編集部

香納諒一　ヨコハマベイ・ブルース
香納諒一　夜空のむこう
北方謙三　雨は心だけ濡らす
北方謙三　不良の木
北方謙三　明日の静かなる時
北方謙三　ガラスの獅子
北方謙三　錆
北方謙三　標的
北方謙三　夜より遠い闇
北方謙三　逢うには、遠すぎる
北方謙三　ふるえる爪
北方謙三　傷だらけのマセラッティ
熊谷達也　七夕しぐれ
笹本稜平　ビッグブラザーを撃て！
笹本稜平　天空への回廊

笹本稜平　太平洋の薔薇（上・下）
笹本稜平　極点飛行
笹本稜平　不正侵入
佐藤正午　ビコーズ
佐藤正午　女について
佐藤正午　スペインの雨
佐藤正午　ジャンプ
佐藤正午　彼女について知ることのすべて
佐藤正午　リボルバー
佐藤正午　放蕩記
佐藤正午　ありのすさび
佐藤正午　象を洗う
佐藤正午　豚を盗む
志水辰夫　きみ去りしのち　新装版
清水義範　やっとかめ探偵団と鬼の栖